清儒《黄帝内經》小學研究叢書

清儒《黄帝内經》古韻研究簡史

錢超塵 著

北京科学技术出版社

圖書在版編目（CIP）數據

清儒《黄帝内經》小學研究叢書·清儒《黄帝内經》古韵研究簡史/錢超塵著. —北京：北京科學技術出版社，2017. 1

ISBN 978－7－5304－8705－1

Ⅰ. ①清…　Ⅱ. ①錢…　Ⅲ. ①《内經》—研究　Ⅳ. ①R221. 09

中國版本圖書館 CIP 數據核字（2016）第255811號

清儒《黄帝内經》小學研究叢書·清儒《黄帝内經》古韵研究簡史

作　　者：錢超塵
責任編輯：喻　峰　侍　偉
責任印製：張　良
出 版 人：曾慶宇
出版發行：北京科學技術出版社
社　　址：北京西直門南大街16號
郵政編碼：100035
電話傳真：0086-10-66135495（總編室）
0086-10-66113227（發行部）　0086-10-66161952（發行部傳真）
電子信箱：bjkj@bjkjpress.com
網　　址：www.bkydw.cn
經　　銷：新華書店
印　　刷：北京捷迅佳彩印刷有限公司
開　　本：787mm × 1092mm　1/16
字　　數：320千字
印　　張：30
版　　次：2017年1月第1版
印　　次：2017年1月第1次印刷
ISBN 978－7－5304－8705－1/R·2198
定　　價：**520.00元**

《清儒〈黃帝内經〉小學研究叢書》編纂委員會

主　編　錢超塵

副主編　翟雙慶　王育林

編　委（按姓氏筆畫排序）

王育林　邱　浩　姜　燕　馬新平　黃作陣　張　戩

陳子傑　甯　静　楊東方　翟雙慶　蕭紅艷　錢超塵

序

《漢書·藝文志》載：「《黄帝内經》十八卷。」黄帝内經包括《素問》九卷，《靈樞》九卷，奠定中醫理論基礎，至今仍有效地指導中醫理論研究和臨床實踐。《黄帝内經》不僅是中醫的寶貴經典，也是中國傳統文化的經典著作。清代學術以「小學」著稱。「小學」包括今天的文字學、音韻學、訓詁學。清儒有關《黄帝内經》之研究重點，大致分爲兩個時期。第一個時期是《黄帝内經》古韻研究時期。從清初顧炎武（一六一三—一六八二）《音學五書》《日知録》開始，即對《黄帝内經》古韻進行分析研究。顧炎武認爲《黄帝内經》既有先秦古韻，也有漢代音韻特點，爲《黄帝内經》古音研究開通了道路，指明了方向。江慎修（一六八一—一七六二）、戴東原（一七二四—一七七七）、段玉裁（一七三五—一八一五）、王念孫（一七四四—一八三二）、江有誥（一七七三—一八五一）、朱駿聲（一七八八—一八五八）等大儒相繼研究古韻，为《素問》《靈樞》提供了不少頗有價值的押韻素材，經過約兩個世紀的艱苦努力，終於建立了上古音韻學。王念孫的古音二十二部，達到古音學考古派的學術頂峰，他研究《黄帝内經》古韻的代表作是《素問合韻譜》；江有誥研究《黄帝内經》的代表作是《素問韻讀》《靈樞韻讀》。清代古韻學家不約而同，都從《素問》《靈樞》裏搜尋出豐富的古韻押韻例证。王念孫的《素問合韻譜》，是他的《易林素問新語合韻譜》裏的一部分，他把《素問》的合韻特點與《易林》《新語》的合韻特點放在一起研究，反映王念孫把《素問》與西漢的《易林》《新語》視爲同一時期的作品，對我們研究《黄帝内經》成書時代具有重大啓發。我們把從清初顧炎武開始至道光、咸豐年間朱駿聲爲止的清儒《黄帝内經》研究稱爲《黄帝内經》古韻研究時期，這個時期的《黄帝内經》研究重點是其古韻。

清代古音學的建立，有力地推動了清代學術的繁榮與發展。這裏僅就《黄帝内經》而言，從道光、咸豐時期開始至清末約一個世紀的時間，清儒《黄帝内經》研究進入第二個時期，即以研究《黄帝内經》訓詁、校勘爲核心，這一時期出現了一批高水平的著作。

《清儒〈黄帝内經〉小學研究叢書》收集從顧炎武開始至清末諸儒研究《黄帝内經》的小學著作，包括如下諸書。

一、《清儒〈黄帝内經〉古韻研究簡史》。該書重點論述顧炎武、王念孫、江有誥、朱駿聲研究《黄帝内經》古韻的成就，全面收集和録入他們研究《黄帝内經》的資料，附論《黄帝内經》古韻研究之展望。

二、《〈黄帝内經〉傅山批注蕭延平校箋》。傅山（一六〇七—一六八四）是明末清初杰出的思想家、詩人、書法家、畫家，療效卓著的中醫學家，存世著作有《霜紅龕集》等。傅山尤精《黄帝内經》，反復批注，手批原件今存北京國家圖書館及北京大學圖書館。今過録有關經文及所有批注而考證之。近代中醫文獻學家蕭延平（一八六〇—一九三六）在傅山墨筆批注《黄帝内經》原頁上，再加批注，批注寫於紙條上，粘貼於有關經文所在頁。這些文獻資料極爲可貴。

三、《江氏音學十書·内經韻讀》。該書録入江有誥《素問韻讀》《靈樞韻讀》全文及江有誥《古韻總論》和他與段玉裁、王念孫往返書信。江有誥虽已六十七歲高齡，但虚心求教，從安徽歙縣到江蘇蘇州段玉裁枝園寓所拜師求教，研討古韻：，玉裁時年七十有八，竭誠接待。王念孫於古音早有創見，但收到江有誥寄來著作，「既與尊書大畧相同，則鄙箸雖不刻可也。」（《唐韻四聲正·石臞先生復書》）乾嘉諸老交往事迹感人。夏炘《詩古韻表廿二部集説》雖無《黄帝内經》資料，却是考察顧炎武、江慎修、段玉裁、王念孫、江有誥五位古韻大師的韻部分合與變化的必讀之作，故本書亦收録之。

四、《内經素問校證》。該書係清田晋蕃校勘《素問》之作。約成書於光緒五年（一八七九）。本書依《素問》原編次序，選取有疑義的條文字句，對《素問》原文進行校勘。其形式是，先引録原文，次列諸家校注，再以「晋蕃按」提出自己的見解。本書出校記四百九十餘條，或證前人之非，或證前人之實，廣徵博引，精審不苟，於《素問》之學習、研究頗有裨益。

五、《清儒〈黄帝内經〉訓詁校勘文集》。該書收録以下著作：

（一）顧觀光（一七九九—一八六二）《素問校勘記》《靈樞校勘記》；

（二）張文虎（一八〇八—一八五五）《舒藝室續筆·内經素問》；

（三）胡澍（一八二五—一八七二）《素問校義》；

（四）陸懋修（一八一八—一八八六）《内經難字音義》；

（五）馮承熙《校餘偶識》；

（六）俞曲園（一八二一—一九〇七）《内經辨言》；

（七）孫詒讓（一八四八—一九〇八）《札迻·素問王冰注校》；

（八）于鬯（一八五四—一九一〇）《香草續校書》；

（九）鄭文焯（一八五六—一九一八）《醫故》。

鄭氏是文人從醫者，《醫故》是醫史著作，但其中多處涉及《黄帝内經》文獻研究，研究清代《黄帝内經》小學成就亦應予以關注。鄭文焯關於《傷寒論》的文獻考證多有失誤，章太炎駁正之，故將章太炎的《醫故眉批》一并收集録入，作爲附録。

本集共收入清代九位小學家的十部著作，清儒訓詁校勘《黄帝内經》的小學著作基本匯集於此。

黄宗羲（一六一〇——一六九五）説：「欲免俗儒需讀史。」閲讀清儒研究《黄帝内經》的小學歷史，可以增强民族自信、文化自信。

盛世修史，中醫事業已經出現燦爛的春天。在此，我們匯集力量，撰寫《清儒〈黄帝内經〉小學研究叢書》，迎接中醫事業的新發展。此叢書匯集了清儒關於《黄帝内經》的小學論述，屬於醫史文獻領域的語言學著作，對今天的《黄帝内經》教學、科研和中醫藥文化的深入發展，都具有積極意義。

錢超塵

二〇一六年十月八日

前言

清代學術小學最盛，以古音名於世者八人：顧炎武、江慎修、戴東原、段玉裁、王念孫、孔廣森、江有誥、朱駿聲。以研究《黄帝内經》古音名於世者四人：顧炎武、王念孫、江有誥、朱駿聲。此四人者，論《黄帝内經》古音各有著述：顧氏《音學五書》、王氏《易林新语素问合韻譜》、江有誥《素問韻讀》《靈樞韻讀》、朱駿聲《説文通訓定聲》。顧炎武是清代學術開山，創始《黄帝内經》古音研究，後人步其芳躅，加深加密，这些著作，已成《黄帝内經》古音研究之重鎮。

本書論述顧炎武、王念孫、江有誥、朱駿聲《黄帝内經》古音研究之成就，收集資料務求其全。段玉裁無《黄帝内經》古音專篇，但論古合韻於研究《黄帝内經》頗有啟發，故簡論之。凡五家。

王力先生集古音研究之大成，以現代語音學理論解釋韻部之分合、合韻與通韻，確立古韻三十部與諧聲表，达到古音研究成熟水平，對研究《黄帝内經》古韻具有指導意義，故時引王力先生音韻理論以説明上古音韻某些問題。

《清儒〈黄帝内經〉古韻研究簡史》以探討《黄帝内經》音韻時代、音韻特點爲重點，意在借助古音研究，對《黄帝内經》成書時代有所論證。筆者研究發現：《靈樞》《素問》具有較多漢代音韻，本書列有大量翔實例句證明之，主要印象是，《黄帝内經》始撰於先秦，結撰於漢代，「七篇大論」爲東漢之作。所謂「結撰」，不同「始撰」。「結撰」者，總結前代相關文字結合當時成就而撰寫之。其中包括戰國、秦代某些文章片段，本書已言及之。以訓詁研究《黄帝内經》成書時代，請參筆者《黄帝内經文獻史論》，北京科學技術出版社二〇一七年即将出版。

北京中醫藥大學　八十一叟　錢超塵

二〇一六年六月八日

目録

一 顧炎武

顧炎武，初名絳，字寧人，江蘇省昆山縣千燈鎮人。生於明萬曆四十一年，卒於清康熙二十五年（一六一三—一六八二），享年六十九歲。清兵一六四四年定鼎北京，一六四五年兵進昆山，其於此時更名炎武，又名蔣山傭。

顧炎武是清代學術開山者，他爲清代學術奠定了基礎，他的學術思想一直影響到現在。章太炎《清代學術之系統》説：

清代學術，方面甚廣，然大概由天才而得者少，由學力而得者多。關於天才方面的，如詩、詞、古文等均屬之。清代的詩本不甚好，詞亦平常，古文亦不能越唐宋八大家之範圍，均難獨樹一幟。至於學力方面的學術，乃清代所特長，亦特多。如小學、經學、史學、算學、地理學等，均甚有成就。此等學術，全賴學力，不賴天才。」（《中國近三百年學術史論》之《章太炎論中國近三百年學術史·清代學術之系統》，上海古籍出版社，二〇〇六年版）

（一）清代學術概觀

爲了了解顧炎武對清代學術的引領開悟奠基作用，需對清代學術概貌有一個大致了解。這些學術門類都是靠苦讀覃思而成的，它體現的是一種扎實刻苦的學風，與明代的學風截然不同。

清儒以小學、經學的成就最爲宏闊突出，其他門類也取得突出成就。

1　地理學：以顧祖禹（一六三一—一六九二）的《讀史方輿紀要》爲代表。此書爲後來講地理者所推崇。顧祖禹二十九歲始撰稿，五十歲成書，無一日稍停，自言：「舟車所經，必覽城郭，按山川，稽道里，問關津，以及商旅之子，征戍之夫，或與從容談論，考核異同。」實成于力學不輟。

2　算學：以梅文鼎（一六三三—一七二一）爲代表。梅文鼎字定九，號勿庵。自謂「吾爲此學，皆歷最艱苦之後而後得簡易。惟求此理之顯，絶學不致無傳，則死且不憾。」（清杭世駿《道古堂文集·梅定九征君傳》）

3　史學：清代史學著作非常豐富。章太炎説：

清代史學極盛，著述亦多。史學可别爲二：一爲作史，一爲考史。清代史家，考史者多，作史者少。（《中國近三百年學術史論》之《章太炎論中國近三百年學術史·清代學術之系統》，上海古籍出版社，二〇〇六年版）

作史者：以萬斯同（一六四三—一七〇二）的《明史稿》、畢沅的《續通鑒》爲代表。考史者清代最多，突出者有錢大昕（一七二八—一八〇四）的《廿二史考異》、王鳴盛（一七二二—一七九八）的《十七史商榷》、趙翼（一七二七—一八一四）的《廿二史劄記》，其中錢大昕的《廿二史考異》成就最大。太炎説：「講到清代史家，尚有一事應注意，即論史不敢論及《明史》，考史不敢考及《明史》。」

4 小學：小學包括文字、聲音、訓詁三個方面。章太炎先生把小學稱爲「語言學」。太炎先生説：

小學本來合文字、聲音、訓詁三部分而成，三者不能分離，故欲爲此學定一適當之名稱卻頗難，我想可以名爲語言學。因爲研究小學，目的在於明聲音、訓詁之沿革，以通古今語言之轉變也。清代小學所以能成爲有系統之學問，即因其能貫通文字、聲音、訓詁爲一之故。（《中國近三百年學術史論》之《章太炎論中國近三百年學術史·清代學術之系統》，上海古籍出版社，二〇〇六年版）

清代小學家都重視音韻的研究。顧炎武作《音學五書》，他的私淑弟子江永（一六八一—一七六二）作《古韻標準》，江永的弟子戴震把古韻劃爲二十五部。自戴震開始，上古音的音理才弄明白。戴震的弟子段玉裁（一七三五—一八一五）把古韻分爲十七部，戴震的另一個弟子孔廣森（一七五二—一七八六）把古韻劃爲十八部，戴氏還有一個弟子王念孫（一七四四—一八三二）把古韻劃分爲二十一部。聲音明，方能訓詁明。晚清曾國藩寫給他的兒子曾紀澤的信説：

小學凡三大宗。言字形者，以《説文》爲宗。古書惟大小徐二本，至本朝則段氏特開生面，而錢坫、王筠、桂馥之作亦可參觀。言訓詁者，以《爾雅》爲宗。古書惟郭璞注、邢昺疏，至本朝而邵二雲之《爾雅正義》、王懷祖之《廣雅疏證》、郝蘭皋之《爾雅義疏》，皆稱不朽之作。言音韻者，以《唐韻》爲宗。古書惟《廣韻》《集韻》，至本朝而顧氏《音學五書》乃爲不刊之典，而江慎修、戴東原、段懋堂、王懷祖、孔廣森、江晉三諸作，亦可參觀。爾欲于小學鑽研古義，則三宗如顧、江、段、邵、郝、王六家之書，均不可不涉獵而探討之。（《曾文正公家訓》同治元年十月十四日）

又曰：

吾觀漢魏文人，有二端最不可及：一曰訓詁精確，二曰聲調鏗鏘。《説文》訓詁之學，自中唐以後，人多不講，宋以後説經，尤不明故訓，及至我朝巨儒始通小學。段懋堂、王懷祖兩家，遂精研乎古人文字聲音之本。（《曾文正公家訓》咸豐十年閏三月初四日）

又曰：

余于本朝大儒，自顧亭林之外，最好高郵王氏之學。王安國以鼎甲官至尚書，謚文肅，正色立朝。生懷祖先生念孫，經學精卓。生王引之，復以鼎甲官尚書，謚文簡。三代皆好學深思，有漢韋氏、唐顔氏之風。余自憾學問無成，有愧王文簡公遠甚，而望爾輩爲懷祖先生、爲伯申氏，則夢寐之際，未嘗須臾忘也。懷祖先生所著《廣雅疏證》《讀書雜誌》，家中無之；伯申氏所著《經義述聞》《經傳釋詞》《皇清經解》内有之。爾可試取一閱。本朝窮經者，皆精小學，大約不出段、王兩家之範圍。（《曾文正公家訓》，咸豐八年十二月三十日）

又曰：

學問之途，自漢至唐，風氣略同；自宋至明，風氣略同；國朝又自成一種風氣。其尤著者，不過顧炎武、閻百詩、戴東原、江慎修、錢辛楣、秦味經、段懋堂、王懷祖數人。而風會所扇，群彦雲興。（《曾文正公家訓》咸豐九年四月二十一）

又曰：

吾於訓詁詞章兩端，頗嘗盡心。爾看書若能通訓詁，則于古人之故訓大義，引申假借漸漸開悟，而後人承訛襲誤之習可改。（《曾文正公家訓》）

筆者所以屢引曾氏語，是因爲曾國藩（一八一一—一八七二）不是漢學家，他的學術重心是尊崇朱熹，學術思想近宋學。當時漢宋兩派矛盾非常尖鋭，甚至互相辱駡（如方東樹（一七七二—一八五一）之仇詈漢學），曾國藩以宋學圈子裏的高官大吏，對小學重視若此，對段、王服膺若是，這恰好説明小學的價值與作用是客觀存在的，是不能蔑棄的。

章太炎先生説：「明古音方能明訓詁，明訓詁方能講《爾雅》《説文》。段玉裁出，始將聲音、訓詁、形體三者合講，其《説文解字注》實甚精當。」清代講《説文》的以四家影響最大，簡稱段、桂、王、朱四家。

5　經學：小學推進了經學的繁榮與發展。清代經學分爲漢學、宋學兩個門派。清代經學奠基人是顧炎武。顧氏無説經專著，但《日知録》有大量説經部分。顧炎武講經，不分漢學宋學，時采宋儒之説。與顧炎武同時的閻若璩（一六三六—一七〇四）著《尚書古文疏證》，經嚴密考證，認爲十三經中的《尚書》裏，有真有假，所謂「古文」諸篇是後人僞造的，爲學者認同，漸開漢學、宋學之辨，但是還没出現「漢學」「宋學」的名稱。到了雍正、乾隆時期，漢學和宋學尖鋭對立，也影響到醫學著作。漢學的代表人物是蘇州的惠棟（一六九七—一七五八），徽州的戴震（一七二四—一七七七），他們各有弟子，逐漸形成門户，簡稱蘇派（又稱吴派）、皖派（又稱徽派）。惠棟的弟子有江聲（一七二一—一七九九）、余蕭客（一七二九—一七七七），其他如王鳴盛（一七二二—一七九八）、錢大昕（一七二八—一八〇四）、汪中（一七四四—一七九四）、劉台拱、江藩（一七六一—一八三一），雖非親炙惠棟門牆者，但都受到惠棟學術思想的影響。

戴震的老師江永（一六八一—一七六二），字慎修，漢學家，戴震爲其師寫小傳《江慎修先生事略狀》，見《戴震文集》卷三。從戴震學習者有同鄉金榜（一七三五—一八〇一）、程瑶田（一七二五—一八一四）、凌廷堪（一七五七—一八〇九）、胡承珙（一七七六—一八三二）、胡培翬（一七八二—一八四九）。在北京跟隨戴震學習的有段玉裁、王念孫、孔廣森、盧文弨（一七一七—一七九六）、任大椿（一七三八—一七八九）。王念孫將其所學教給其子引之（一七六六—一八三四）。其中最能蹈勵發揚、光大其學的是段玉裁、王念孫、王引之，稱爲「戴段二王」。

漢學在發展過程中，以戴震的《孟子字義疏證》爲分水嶺，呈現漢學與宋學的尖鋭對立。《孟子字義疏證》不是訓詁書，是反理學書，甚至是反對當時政治的書。

自徽州派之戴震出，方開闢一新世界。其《孟子字義疏證》一書，大反陸、王，對於程、朱亦有反對之語。後人多視此書爲反對理學之書，實則爲反對當時政治之書。清初皇帝表面上提倡理學，常以理學責人，甚至以理學殺人，故戴氏書中有云：「人死於法，猶有憐之者；死於理，其誰憐之？」這是他著書的要旨。戴氏見雍正、乾隆動輒用理學責人，頗抱不平，故攻擊理學。戴氏以前，尚推崇程、朱，此後遂不復談宋學矣。

姚鼐是理學家，少年時欲師事戴震，戴震堅拒之。方東樹（一七七二—一八五一），理學家，著《漢學商兑》，大罵戴震，大罵漢學。

（二）顧炎武的治學方法

梁啟超《論中國學術思想變遷之大勢》曰：

亭林之《日知録》爲有清一代學術所從出。聲音訓詁爲百余年間漢學之中堅，其星宿海則自《音學五書》出也。金石學自乾嘉以來，蔚爲大國，亦《金石文字記》爲其先河也。故言清學之祖，必推亭林。

梁啟超《中國近三百年學術史》又曰（節録）：

若《日知録》，實他生平最得意之作，我們試留心細讀，則發表他自己見解者其實不過十分之二三，鈔録别人的話最少居十之七八。故可以説他主要的工作在鈔而不在著。有人問，這樣做學問不是很容易嗎？誰又不會鈔？哈哈！不然，不然。有人問他《日知録》又成幾卷，他答道：「嘗謂今人纂輯之書，正如今人之鑄錢。古人采銅于山，今人則買舊錢名之曰廢銅以充鑄而已。所鑄之錢既已粗惡，而又將古人傳世之寶舂挫散碎不存于後，豈不兩失之乎？承問《日知録》又成幾卷，蓋期之以廢銅。而某自別來一載，早夜育讀，反復尋究，僅得十余條，然庶几采山之銅也。」

要而論之，清代許多學術，都由亭林發其端，而後人衍其緒。亭林在清代學術界的特別位置，一在開學風，排斥理氣性命之玄學，專從客觀方面研察事務條理。二曰開治學方法。如勤搜資料，綜合研究。三曰開學術門類。如講求音韻，述説地理，研精金石之類皆是。獨有生平最注意的經世致用之學，後來因政治環境所壓迫竟没有傳人。他的精神一直到晚清才漸漸復活，而尤在其人格之崇峻。（梁啟超《中國近三百年學術史》朱維錚校注，頁一百六十五）。至於他的感化力所以能歷久長新者，不徒在其學術之淵粹。

梁啟超《清代學術概論》第四節對顧炎武治學方法做了總結。這三個方法是梁啟超遍讀顧炎武書感悟出來的，對後人讀書成才具有啟發引導意義。

梁啟超指出：

炎武所以能當一代開派宗師之名者何在？在其能建設研究之方法而已。約舉有三。第一，貴創。

炎武之言曰：「有明一代之人，其所著書，無非盜竊而已。」（《日知録》卷十八）其論著書之難曰：「必古人之所未及就，後世之所不可無，而後爲之。」（《日知録卷十九》）其《日知録》自序云：「愚自少讀書，有所得輒記之。其有不合，時復改定。或先我而有者，則遂削之。」故凡炎武所著書，可決其無一語蹈襲古人。其論文也亦然。曰：「近代文章之病，全在模仿，即使逼肖古人，已非極詣。」（《日知録》卷十九）又曰：「君詩之病，在於有杜；君文之病，在於有韓、歐。有此蹊徑於胸中，便終身不脱依傍二字。」（《亭林文集·與人書第十七》）觀此知模仿依傍，炎武所最惡也。

第二，博征。

《四庫全書·日知録提要》云：「炎武學有本源，博贍而能貫通。每一事必求其始末，參以佐證，而後筆之於書，故引證浩繁，而抵牾者少。」此語最能傳炎武治學法門。全祖望（一七〇五—一七五五）云：「凡先生之游，載書自隨。所至扼塞，即呼老兵退卒詢其曲折，或與平日所聞不合，即發書而對勘之。」（《鮚埼亭集·亭林先生神道表》）蓋炎武研學之要訣在是。論一事必舉證，猶不以孤證自足，必取之甚博，證備然後自表其所信。其自述治音韻之學也，曰：「列本證、旁證二條。本證者，《詩》自相證也。旁證者，采之他書也。二者俱無，則婉轉以審其音，參伍以諧其韻。」（《音論》）此所用者，皆近代科學的研究法。乾嘉以還，學者固所共習，在當時則固炎武所自創也。

第三，致用。

炎武之言曰：「孔子删述六經，即伊尹、太公救民水火之心，故曰：『載諸空言，不如見諸行事。』愚不揣，有見於此，凡文之不關六經之旨、當世之務者，一切不爲。」（《亭林文集·與人書三》）彼誠能踐其言。其終身所撰著，蓋不越此範圍。此實對於晚明帖括派施一大鍼砭。清代儒者以樸學自命以示别於文人，實自炎武啓之。近代數十年以經術而影響於政體，亦遠紹炎武之精神也。

上述引文見梁啓超《清代學術概論》第四節頁九、頁十。

研究顧炎武治學方法、探討他成才的奥秘，是民國初期的一個熱門話題。在梁啓超撰寫《清代學術概論》的同時，胡適作《戴震的哲學》一文，對顧炎武的治學方法與治學精神做了深入的研究。這篇文章收在二十世紀二十年代出版的《戴東原集》的前面，當時是研究顧炎武、戴震學術思想的頗有價值的論文。一九八〇年中華書局出版的《戴震文集》没有收載胡適這篇文章，很可惜！

關於顧炎武的治學特點，胡適説：

經學并不是清朝獨有的學問，但清朝的經學却有獨到之處，可以説是與前代的經學大不相同。漢朝的經學重訓詁。名爲近訓詁，而時多臆説。唐朝經學重株守，多注「注」而少注經。宋朝的經學重見解，多新意，而往往失經本義。清朝的經學有四個特點：㈠歷史的眼光；㈡工具的發明；㈢歸納的研究；㈣證據的注重。因爲清朝的經學具有這四個特點，所以它的成績最大而價值最高。

第一，歷史的眼光。尋源溯流，認清時代的關係。

顧炎武説：「經學自有源流。自漢而六朝而唐宋，必一一考究，而後及於近儒之師著，然後可以知其異同離合之指。如論字者必本于《説文》，未有據隸楷而説古文者也。」（《顧亭林文集·與人書四》）

論字必本于《説文》，治經必本於古訓，論音必知古今音之不同，這就是歷史的眼光。懂得「經」有時代的關係，然後可以把宋儒的話還給宋儒，把唐儒的話還給唐儒，把漢儒的話還給漢儒。清朝的經師後來趨重漢儒，表彰漢學，雖然也有過當之處，然而他們的動機只是一種歷史的眼光，認定治古書應該根據最古的詁訓，漢儒去古未遠，所以特别受他們看重。

第二，清儒治經，最能明了「工具」的重要。

治經的工具就是文字學（包括聲音、形體、訓詁）和校勘。顧炎武説：「愚以爲讀九經自考文始，考文自知音始。以至諸子百家之書，亦莫不然。」（《答李子德書》）閻若璩（一六三六—一七〇四）説：「疏於校讎，則多脱文訛字而失聖人手定之本經。昧於聲音訓詁，則不識古人之語言文字，而無以得聖人之真意。」（《臧琳經義雜記序》）

清朝的經學所以有那麽大的成績，全靠這兩種（文字學、校勘學）重要工具的發達。

第三，歸納的研究，是清儒治經的根本方法。凡比較同類的事實，推求出它們共同的涵義來，都可以説是歸納。例如《尚書・洪範》「無偏無頗，遵王之義」，唐明皇改「頗」爲「陂」以便和「義」協韻。顧炎武説：「蓋不知古人之讀『義』爲『我』(e)，爲『頗』之未嘗誤也。《易・象傳》：『鼎千革，失其義也。』『覆公餗，信如何也。』《禮記・表記》：『仁者右也，道者左也。仁也人也，道者義也。』是『義』之讀爲『我』，而其見於他書者，遽數之不能終也。」(《音學五書・答李子德書》)

這是把古書互相比較，求出它們相互的關係或共同的意義。顧炎武研究古韻，戴震以下的學者研究古義，都是用這種方法。

第四，清朝的經學最注重證據。證據是推理立説所根據的東西。顧炎武作《詩本音》，於「服」字下舉出本證十七條，旁證十五條。顧氏作《唐韻正》於「服」字下共舉出一百六十二個證據！爲了要證明「服古音逼」，肯去搜集一百六十二個證據，這種精神、這種方法是從古以來不曾有過的。有了一百六十二個證據，這就叫人不得不相信了。顧炎武提出這個求證據的方法，開創了中國學術史的新紀元，從此以後，「考據」的時代開始了。顧炎武以後的經學與前代便大不相同了。主觀的臆説，穿鑿的手段，一概不中用了。搜求事實，不嫌其博；比較參謬，不嫌其多；審查證據，不嫌其嚴；歸納引申，不嫌其大膽。用這種方法去治古書，真如同新的汽船飛艇，深入不曾開闢的奇境，日有所得，而年有所成。才大的可以有創造發現，才小的也可以盡一點「襞積補苴」的微勞。經學竟成了一個有趣味的新世界了。我們必須明白這一層，然後才可以明白清朝的經學居然可以牢籠無數第一流人才。

（胡適：《戴東原的哲學》頁十三—十四。作於一九二五年八月十三日。收於二十世紀二十年代鉛印出版的《戴東原集》之首。胡適《作者附記》説：「此稿作於一九二三年十二月，中間屢作屢輟，改削無數次，凡歷二十個月方才脱稿，中間行款格式有不一律之處，文字有重復繁瑣之處，見解也許有先後不完全一致之處，都因爲隨作隨排印，不及一一改正。請讀者原諒。胡適。」）

（三）顧炎武的民族氣節

第一，不仕異朝

炎武少年時過繼給亡叔家。其叔十八歲未娶而卒，未婚王氏女誓爲顧家婦。女于顧家十餘年，炎武生，過繼亡叔，王氏女抱以爲嗣，視同己出。

顧炎武《先妣王碩人行狀》：

兵入南京。其時炎武奉母僑居常熟之語濂涇，介於兩縣之間。而七月乙卯，昆山陷；癸亥，常熟陷。吾母聞之，遂不食，絶粒者十有五日，至己卯而吾母卒。遺言曰：「我雖婦人，身受國恩，與國俱亡，義也。汝無爲異國臣子，無負世世國恩，無忘先祖遺訓，則吾可以瞑於地下！」嗚呼，痛哉！

顧炎武《聞詔》詩云：「聞道今天子，中興自福州。二京皆望幸，四海願同仇。滅虜須名將，尊五仗列侯。殊方傳尺一，不覺淚頻流。」（《顧亭林詩文集》頁二百六十七）

顧母好讀《史記》《資治通鑒》《孟子》。《孟子》曰：「魚，我所欲也；熊掌，亦我所欲也。二者不可得兼，捨魚而取熊掌者也。生，亦我所欲也；義，亦我所欲也。二者不可得兼，捨生而取義者也。」顧母捨生取義，毫無徘徊猶豫，展現了人生的偉大品格。顧炎武牢記母親遺訓，嚴辨華夷，不仕異朝，恪守終生，從未動摇。

第二，堅守氣節

1　參與抗清義軍。清兵南下，佔領常熟，縣令楊永炎起兵抵抗，顧炎武、歸莊參與抗清。

2　明幼帝魯王、唐王相繼封顧炎武爲兵部司務、職方郎，顧受職，因母待葬，未赴任。

3　六謁南京明孝陵，六謁昌平十三陵。

4　堅拒參與修《明史》之請。《蔣山傭殘稿》卷三《與蘇易公》一文説：「都下來書，言史局方開，有議物色及弟者，弟述先妣遺命，以死拒之。」《蔣山傭殘稿》卷二《記與孝感熊先生語》，熊賜履（一六三五—一七〇九）擬參與史館，覺得資料不熟，請炎武出山協助編寫，顧答：「果有此舉，不爲介推之逃，則爲屈原之死。」熊愕然。余又曰「…即老先生亦不當做此。」熊退出史館。《蔣山傭殘稿》卷三《與施愚山》一文曰：

乙酉（一六四五）之夏，先妣時年六十，避兵於常熟縣之語濂涇。謂不孝曰：「我雖婦人，身受國恩，義不可辱。」及聞兩京皆破，絶粒不食。以七月三十日卒於寓室之内寢。遺命炎武讀書隱居，無仕二姓。迄今三十五年，每一念及，不知涕之沾襟也。

炎武寧可自殺，亦不參加博學鴻儒科考試。《顧亭林文集》卷三《與葉訒庵書》：

> 去冬韓元少書來，言曾欲與執事薦及鄙人，已而終止。頃聞史局中復有物色及之者。無論昏髦之資不能黽勉從事，而同里人也，一生懷抱，敢不直陳之左右。先妣未嫁過門，養姑抱嗣，爲吴中第一奇節，蒙朝廷旌表。國亡絶粒，以女子而蹈首陽之烈，臨終遺命，有「無仕異代」之言，載於志狀，故人人可出，而炎武必不可出矣。《記》曰：「將貽父母令名，必果；將貽父母羞辱，必不果。」七十老翁何所求，正欠一死。若必相逼，則以命殉之矣。一死而先妣之大節愈彰於天下，使不類之子得附以成名，此亦人生難得之遭逢也。

顧炎武好友傅山（一六〇七—一六九〇）被挐掠到京師逼迫參與博學鴻辭考試，傅山寧死不屈，居於北京城外圓通寺稱病，皇帝賜以中書舍人之稱不謝，與炎武同一骨氣，高風亮節，光耀天地。顧炎武對傅山被挐到京，被授予中書舍人之稱感到惋惜，曰：

> 比者，人情浮競，鮮能自堅。不但同志中人多赴金門之招，而敝門人亦遂不能守其初志。即青主中書一授（「一授」謂授「中書舍人」之稱也），反覺多此一番辛苦也。（《蔣山傭

殘稿》卷三《與易公》頁二〇七）

5　拒絶與錢謙益建立師生關係。顧炎武家僕人陸恩告顧炎武「通海」，炎武遠出避禍，抽暇回家，將惡奴沉之江，陸恩之婿告之太守，賄以千金，欲殺之。顧某友人求救于錢謙益。錢謙益（一五八二—一六六四），常熟人，號牧齋。明萬曆三十八年進士，福王時官禮部尚書。降清，官禮部右侍郎兼管秘書院事，充修《明史》副總裁，任職僅六個月，告病歸，康熙三年卒，終年八十三。顧賤視之。錢牧齋云，可以紓解，但需顧以生徒拜之。顧怒，申斥友人。友人自書一帖願有師生之禮。顧要求索回該帖，否則張揭帖於通衢以揭露之。牧齋曰，炎武何必如此性急？

6　與抗清志士傅青主結爲好友。《顧亭林詩文集》卷四有《贈傅處士山》《又酬傅處士次韻》（頁三五九），各抒家國之恨。

贈傅處士山

爲問明王夢，何時到傅岩？臨風吹長笛，斸雪荷長鑱。
老去肱頻折，愁深口自緘。相逢江上客，有淚濕青衫。

又酬傅處士次韻

清切頻吹越石笳，窮愁猶駕阮生車。時當漢臘遺臣祭，義激韓仇舊相家。

陵闕生哀回夕照，河山垂淚發春花。相將便是天涯侣，不用虛乘犯鬥槎。
愁聽關塞遍吹笳，不見中原有戰車。三户已亡熊繹國，一成猶啟少康家。
蒼龍日暮還行雨，老樹春深更著花。待得漢庭明詔近，五湖同覓釣魚槎。

（四）清代學術開山

1　批判宋明理學，宣導「理學即經學」。

「理學」又稱「道學」，該學派的特點是將佛家、道家思想摻雜在儒家經典中。江藩《漢學師承記・序》指出：「宋明道學家所講之經學乃混有佛老見解者」。戴東原云：「宋以來，孔孟之書，盡失其解，儒者雜襲老釋之言以解之。」顧炎武云：「古之所謂理學，經學也。今之所謂理學，禪學也。不取之五經，但資之語録，較之帖括之文尤易也。」顧炎武把明末清初墮入歧途的經學撥亂反正，納入正確的途徑，爲整個清代的經學研究指出正確的方向。

2　開考據學之學風。

明自中期以來，學風窳敗，剽竊膚淺，多圖虛名，不用真功。

顧云：

窮年所習，不過應試之文，而問以本經，猶茫然不知爲何語。語之以五經則不願學，語之以白沙、陽明之語録，則欣然矣，以其襲而取之易也。

面對如此學風，顧炎武艱苦治學，不求虛名，求爲世範。其《日知録》《音學五書》完整展現考據學之學風、方法與成果。《音學五書·後序》：「余纂輯此書，三十餘年，所過山川亭鄣，無日不以自隨，凡五易稿而手書者三矣。」

開山采銅的讀書法、撰著法，影響後世深深。

3　開清代金石學之學風。

研究金石以證古史，宋歐陽修《集古録》已開之，顧炎武擴大金石考證之學，有專注。《金石文字記序》：

余自少時，即好訪求古人金石之文，而猶不甚解。及讀歐陽公《集古録》，乃知其事多與史書相證明。可以闡幽表微，補缺正誤，不但詞翰之工而已。比二十餘年間，周遊天下，所至名山巨鎮，祠廟伽藍之跡，無不訪求，登危峰，探窈壑，捫落石，履荒榛，伐頽垣，畚朽壤，其可讀者，必手自鈔録，得一文爲前人所未見者，輒喜而不寐（顧炎武《金石文字記·序》）。

4　首開古韻部之研究。

明陳第（一五四一——一六一七）《毛詩古音考》説：「時有古今，地有南北，字有更革，音有轉移」，這一理論，把古音學研究領上正路。王力《漢語音韻》指出：

如果説陳第是開路先鋒，顧炎武就是古韻學奠基人。顧氏把古韻分爲十部，他的離析工作，直到今天還是大家所公認的。顧氏所定古韻十部當中，後代成爲定論者，共有四部，即歌部、陽部、耕部、蒸部。其他各部也粗具規模，只是分得不夠細罷了。後來江永分爲十三部、段玉裁分爲十七部、孔廣森分爲十八部，王念孫、江有誥各分爲二十一部，章太炎、王力各分爲二十三部，都是在這個基礎上分出來的。

(五)首開《黄帝内經》古韻研究之先河

1 江永《古韻標準》在顧炎武十部的基礎上更加細密化，把古韻劃爲十三部，并説顧氏「考古之功深，審音之功淺」。江永弟子戴震把古韻劃爲二十五部，戴震弟子王念孫分古韻爲二十一部，撰有《素問合韻譜》；江有誥分古韻爲二十一部，撰有《素問韻讀》《靈樞韻讀》；朱駿聲分古韻爲十八部，把《素問》《靈樞》韻脚字收入到《説文通訓定聲》裏；段玉裁分古韻十七部，收在《六書音均表》裏；戴震弟子孔廣森分古韻爲十八部，等等，都是在顧炎武韻部影響下完成的。這些古韻著作都涉及《黄帝内經》的入韻字。顧炎武爲《黄帝内經》古韻研究奠定了基礎。

2 運用古韻學研究《素問》某些篇章的成書時代。如《音學五書》「明」字條，根據《素問》「明」字押韻特點，證明《四氣調神大論》成於漢代。先秦時代「明」音近miáng，漢代逐漸轉爲máng音。

3 首倡七言古詩存於《靈樞·刺節真邪論》。現行《中國文學史》説，現存七言古詩首見曹丕《燕歌行》：

秋風蕭瑟天氣涼，草木摇落露爲霜，群雁辭歸雁南翔。
念君客遊思斷腸，慊慊思歸戀故鄉，君何淹留寄他方？
賤妾煢煢守空房，憂來思君不敢忘，不覺淚下沾衣裳。
援琴鳴弦發清商，短歌微吟不能長。明月皎皎照我床，
星漢西流夜未央。牽牛織女遥相望，爾獨何辜限河梁？

《日知録》卷二十一《七言之始》云：

余考七言之興，自漢以前，故多有之。如《靈樞·刺節真邪論篇》：「凡刺小邪日以大，補其不足乃無害，視其所在迎之界。凡刺寒邪日以温，徐往疾出致其神，門户已閉氣不分，虚實得調其氣存。」皆七言祖。

《刺節真邪論》七言古詩還有多句，惜竄入之字及訛字多，顧炎武未遑舉證，筆者依照

古韻加以校勘，發現「凡刺癰邪無迎隴，易俗移性不得膿」至「虛實得調其氣存」這一大段皆爲七言古詩。

4　清人篡改顧炎武《日知録》卷五《醫師》一文，在《醫師》段落中插入幾段文字，稱《醫師》是顧炎武爲《産後須知》及《大小諸證方論》所寫的序言，并指稱《産後須知》及《大小諸證方論》是傅山著作，造成傅山醫書著作的真僞難辨。勘破僞託傅山之名的醫學僞作，當從辨别《醫師》與《産後須知》及《大小諸證方論》的關係做起。筆者寫有專文考辨，刊於二〇一三年上海《中醫文獻雜誌》，又見《傅山醫書考辨》（廣西師範大學出版社二〇一五年七月第一版）。筆者認爲《傅青主女科》不出於傅山之手。

5　大約從嘉慶開始，學者運用前代古韻成果研究《内經》字義，取得重大成就。顧尚之（一七九九—一八六二）《素問校勘記》《靈樞校勘記》、胡澍（一八二五—一八七二）《内經校義》、張文虎（一八〇八—一八八五）《舒藝室續筆》、孫詒讓（一八四八—一九〇八）《札迻》、俞曲園（一八二一—一九〇七）《讀書餘録》、劉師培（一八八四—一九一九）《左盦集序》等，都利用古韻知識研究《黄帝内經》訓詁，取得重大成果，至今仍有重大影響。這段文化遺産，今天已經到了總結的時候了。

有鑒於此，筆者于二〇一五年九月十六日開始主編《清儒〈黄帝内經〉小學研究叢書》，所收之書爲顧觀光《素問校勘記》《靈樞校勘記》、馮承熙《校餘偶識》、張文虎《舒藝室續筆》、孫詒讓《札迻》、陸懋修《内經難字音義》、王念孫《易林新語素問合韻譜》、胡澍《素問校義》、俞樾《内經辨言》、于鬯《香草續校書》、江有誥《江氏音學十書·内經韻讀》、夏炘《詩古韻廿二部集説》、田晉蕃《内經素問校證》、鄭文焯《醫故》等，上述諸書凡涉及《素問》《靈樞》者皆將原文録入，書末附研究者後記，給清代儒家之《靈樞》《素問》研究初步做一總結，爲今後進一步研究提供資料。筆者負責撰寫《清儒〈黄帝内經〉古韻研究簡史》。這項工作的學術基礎無不導源于顧炎武。

（六）《顧亭林文集》中的醫學資料

《顧亭林文集》一書一九五九年由中華書局出版，該文集收有顧炎武在中醫學方面的論述資料。顧炎武在中醫學上的論述應該引起中醫界人士的關注。

1　《錢生肅潤之父出示所輯方書》

和扁日以遥，治術多瞀亂。方書浩無涯，其言比河漢。
彭鏗有後賢，物理資探玩。恥爲俗人學，特發仁者歎。
五勞與七傷，大抵同所患。循方以治之，於事亦得半。
條列三十餘，有目皆可看。略知病所起，可以方理斷。

哀哉末世醫，誤人已無算。頗似郭舍人，射覆徒誇讚。信口道熱寒，師心作湯散。未達敢嘗之，不死乃如線。豈如讀古方，猶得依畔岸。在漢有孝文，仁心周里閈。下詔問淳於，一篇著醫案。如君静者流，嗣子况才彦。何時遇英明，大化同參贊。（《顧亭林詩文集》頁三百一十二）

2《規友人納妾書》

炎武年五十九，未有繼嗣，在太原遇傅青主，俾之診脉，云尚可得子，勸令置妾，遂于静樂買之。不一二年，而衆疾交侵，始思董子之言而瞿然自悔。嘗與張稷若言，青主之爲人，大雅君子也。稷若曰：「豈有勸六十老人娶妾而可以爲君子者乎？」愚無以應也。（頁一三七）

3《答遲屏萬（諱維城，華陰令）》

弟至曲沃三日而大病，嘔泄幾危，幸遇儒醫郭自狹，三五劑而起。近飲食已得如常，唯末疾未愈，艱於步履……令服豨苓丸，稍有效驗。（頁一百九十二）

4《與三侄書》

秦人慕經學，重處士，持清議，實與他省不同。黄精、松花，山中所産，沙苑、蒺藜，只隔一水，終日服餌，便可不肉不茗。（頁八十七）

（七）《日知録》《音學五書》中的醫學資料

顧炎武《日知録》《音學五書》有一些關於《黄帝内經》的文獻資料。《音學五書》是講古韻分部的書，顧氏把古韻分爲十部，雖然後世有所補足，但顧氏十部爲清代音韻學家韻部的建立奠定了基礎。清代古韻學家無不在《音學五書》基礎上加深加密。顧氏根據他所劃分的古韻部的理論，認爲《素問·四氣調神大論》是漢代的作品。《日知録》論古韻的篇章將《靈樞·刺節真邪論》的押韻句認定爲先秦時代的七言古詩。這些理論對我國詩歌史的研究，以及對《黄帝内經》音韻的研究都有巨大的啟發意義。

我們研究先賢的學術成就，不是看他們收集多少資料，收集的資料有無遺漏，而是看他們在理論上提示了哪些新的方向，對後代産生了哪些影響和啟發。太炎先生説過這樣的話：「從來提倡學術者，但指示方向，使人不迷，開通道路，使人得入而已。至於轉精轉密，往往在其門下與夫聞風私淑之人，不足慮也。」顧炎武就是爲學術開通道路和指示方向的人。

（八）首開《内經》古韻研究之先河

《黃帝内經》古音資料按顧炎武《音學五書》前後順序排序。下表❶由筆者的學生姜燕教授制表録入并校字，謹致誠摯謝意。

序號	字頭	讀音	書名	篇名	例句	卷次	韻目	頁碼	備註（多爲顧氏按語）
1	雄	羽弓切，古音羽陵反	素問	著至教論	此皆陰陽表裏上下雌雄相輸應也	《唐韻正》上平聲卷之一	一東	223	誤入東韻
2	移	弋支切，古音弋多切	靈樞	根結	天地相感，寒暖相移，陰陽之道，孰少孰多，陰道偶，陽道奇	《唐韻正》上平聲卷之二	五支	239	《説文》移，從禾多聲，徐鉉曰多與移聲不相近，蓋不知古音也

❶「書名」「篇名」「例句」來自《黃帝内經》，其中《素問》使用日本森立之本，《靈樞》使用趙府居敬堂本；「卷次」「韻目」「頁碼」爲《音學五書》的，使用的是中華書局一九八二年六月第一版，二〇〇五年二月北京第二次印刷。

3	爲	遠支切，古音訛	素問	生氣通天論	故病久則傳化，上下不并，良醫弗爲	《唐韻正》上平聲卷之二	五支	241	《韻補》爲，吾禾切。《史記》引《書》南訛字作「爲」。陳第曰爲音訛，《説文》訛，訛言也，從言爲聲，據此見爲加方讀訛，訛去言亦讀訛
4	隨	旬爲切，古音旬禾反	素問	五常政大論	陽和布化，陰氣乃隨	《唐韻正》上平聲卷之二	五支	244	
5	隨	旬爲切，古音旬禾反	靈樞	九鍼十二原	迎之隨之，以意和之	《唐韻正》上平聲卷之二	五支	244	
6	隨	旬爲切，古音旬禾反	靈樞	終結	知迎知隨，氣可令和	《唐韻正》上平聲卷之二	五支	244	

7	隨	旬爲切，古音旬禾反	靈樞	脹論	陰陽相隨，乃得天和。五藏更始，四時循序，五穀乃化	《唐韻正》上平聲卷之二	五支	244	
8	隨	旬爲切，古音旬禾反	素問	天元紀大論	知迎知隨，氣可與期	《唐韻正》上平聲卷之二	五支	244	
9	宐	魚羈切，古音魚何反	素問	示從容論	子別試通五藏之過，六府之所不和，鍼石之敗，毒藥所宐	《唐韻正》上平聲卷之二	五支	245	（顧按）《説文》宐，所安也，從（原文使用了簡體的，轉繁時需注意的地方）宀，之下一，之上多省聲。元周伯琦《六書正譌》曰：宐上從宀，屋也，下從一，地也。上屋下地爲宐，會意，中從多聲。案：詩中「宐」字皆

10	
邪	
以遮、似嗟二切，韻中有二音，以遮切者，古音餘，似嗟切者，古音徐	
靈樞	
邪客	
補其不足，寫其有餘，調其虛實，以通其道，而去其邪	
《唐韻正》下平聲卷之四	
九麻	
263	
以上音徐	此音，則從多爲諧聲明矣。今讀爲疑羈切，後人之音也。傳記中多字亦有作章移切者，二字本皆哥韻，後世叶入支韻，迷其初矣。世俗篆字省作「宐」，注云多省聲，已非古，而俗字又作「宜」，從且，大謬矣。維秦泰山石刻可考，李斯所書也，今以爲正

11	12	13
邪	橫	橫
以遮、似嗟二切，韻中有二音，以遮切者，古音餘，似嗟切者，古音徐	户盲切，古音黄	户盲切，古音黄
靈樞	靈樞	靈樞
官能	師傳	論勇
審於虛實，無犯其邪，是得天之露遇歲之虛	鼻隧以長，以候大腸；脣厚，人中長，以候小腸；目下果大，其膽乃橫	其肝大以堅，其膽滿以傍，怒則氣盛而胸脹，肝舉而膽橫，眥裂而目揚，毛起而面蒼
《唐韻正》下平聲卷之四	《唐韻正》下平聲卷之五	《唐韻正》下平聲卷之五
九麻	十二庚	十二庚
263	275	275
以上音徐		

14	明	武兵切，古音謨郎反，今以字母求之，似當作彌郎反	素問	生氣通天論	陽氣者若天與日，失其所則折壽而不彰，故天運當以日光明	《唐韻正》下平聲卷之五	十二庚	280	
15	明	武兵切，古音謨郎反，今以字母求之，似當作彌郎反	素問	陰陽應象大論	天不足西北，故西北方陰也，而人右耳目不如左明也；地不滿東南，故東南方陽也，而人左手足不如右强也	《唐韻正》下平聲卷之五	十二庚	280	
16	明	武兵切，古音謨郎反，今以字母求之，似當作彌郎反	素問	六節藏象論	五氣入鼻，藏於心肺，上使五色修明，音聲能彰	《唐韻正》下平聲卷之五	十二庚	280	

17	明	武兵切，古音謨郎反，今以字母求之，似當作彌郎反	素問	著至教論	別而未能明，明而未能彰，足以治群僚，不足治侯王。願得受樹天之度，四時陰陽合之，別星辰與日月光，以彰經術，後世益明，上通神農，著至教疑於二皇	《唐韻正》下平聲卷之五	十二庚	280	
18	明	武兵切，古音謨郎反，今以字母求之，似當作彌郎反	素問	示從容論	今夫脉浮大虚者，是脾氣之外絶，去胃外歸陽明也。夫二火不勝三水，是以脉亂而無常也。四支解墮，此脾精之不行也。喘咳者，是水	《唐韻正》下平聲卷之五	十二庚	280	

19	
明	
武兵切，古音謨郎反，今以字母求之，似當作彌郎反	
素問	
疏五過論	
診病不審，是謂失常，謹守此治，與經相明。《上經》《下經》，《揆度》《陰陽》，《奇恒》《五中》，決以明堂，審於終始，可以横行	氣并陽明也。血瀉者，脉急血無所行也。若夫以爲傷肺者，由失以狂也。不引比類，是知不明也。
《唐韻正》下平聲卷之五	
十二庚	
280	

21	20
明	明
武兵切，古音謨郎反，今以字母求之，似當作彌郎反	武兵切，古音謨郎反，今以字母求之，似當作彌郎反
素問	素問
方盛衰論	方盛衰論
是以診有大方，坐起有常，出入有行，以轉神明	脉動無常，散陰頗陽，脉脱不具，診無常行。診必上下，度民君卿，受師不卒，使術不明，不察逆從，是爲妄行，持雌失雄，棄陰附陽，不知并合，診故不明，傳之後世，反論自章
《唐韻正》下平聲卷之五	《唐韻正》下平聲卷之五
十二庚	十二庚
280	280

22	明	武兵切，古音謨郎反，今以字母求之，似當作彌郎反	靈樞	終始	凡刺之道，氣調而止，補陰寫陽，音氣益彰，耳目聰明。反此者，血氣不行	《唐韻正》下平聲卷之五	十二庚	280	
23	明	武兵切，古音謨郎反，今以字母求之，似當作彌郎反	靈樞	外揣	五音不彰，五色不明，五藏波蕩	《唐韻正》下平聲卷之五	十二庚	280	
24	明	武兵切，古音謨郎反，今以字母求之，似當作彌郎反	靈樞	陰陽二十五人	余願得而明之，金匱藏之，不敢揚之	《唐韻正》下平聲卷之五	十二庚	280	
25	明	武兵切，古音謨郎反，今以字母求之，似當作彌郎反	靈樞	大惑論	是故瞳子、黑眼，法于陰；白眼、赤脉，法于陽也。故陰陽合摶而精明也	《唐韻正》下平聲卷之五	十二庚	280	

26	明	武兵切，古音謨郎反，今以字母求之，似當作彌郎反	素問	四氣調神大論	秋三月，此謂容平，天氣以急，地氣以明，早卧早起，與雞俱興，使志安寧，以緩秋刑，收斂神氣，使秋氣平，無外其志，使肺氣清	《唐韻正》下平聲卷之五	十二庚	280	按：明字自《素問·四氣調神大論》「秋三月，此謂容平，天氣以急，地氣以明，早卧早起，與雞俱興，使志安寧，以緩秋刑，收斂神氣，使秋氣平，無外其志，使肺氣清」，始雜入平清等字爲韻，然古文中亦有一二不拘者，此篇明興二字亦可不入韻……自此以後，庚耕清青四韻中字雜然同用矣
27	盟	古音同上	靈樞	終始	和氣之方，必通陰陽，五藏爲陰，六府爲陽，傳之後世，以血爲盟。敬之者昌，慢之者亡，無道行私，必得夭殃	《唐韻正》下平聲卷之五	十二庚	286	

28	卿	去京切，古音羌	素問	方盛衰論	脉動無常，散陰頗陽，脉脱不具，診無常行。診必上下，度民君卿，受師不卒，使術不明，不察逆從，是爲妄行，持雌失雄，棄陰附陽，不知并合，診故不明，傳之後世，反論自章	《唐韻正》下平聲卷之五	十二庚	288	
29	行	户庚切，古音杭	素問	標本病傳論	知標本者，萬舉萬當；不知標本，是謂妄行	《唐韻正》下平聲卷之五	十二庚	289	

30	行	户庚切，古音杭	素問	疏五過論	外爲柔弱，亂至失常；病不能移，則醫事不行	《唐韻正》下平聲卷之五	十二庚	289	
31	行	户庚切，古音杭	素問	疏五過論	診病不審，是謂失常，謹守此治，與經相明。《上經》《下經》，《揆度》《陰陽》，《奇恒》《五中》，決以明堂，審於終始，可以横行	《唐韻正》下平聲卷之五	十二庚	289	
32	行	户庚切，古音杭	素問	示從容論	今夫脉浮大虚者，是脾氣之外絶，去胃外歸陽明也。夫二火不勝三水，是以脉亂而無常也。四支解墮，此脾精之不行也	《唐韻正》下平聲卷之五	十二庚	289	

33	
行	
户庚切，古音杭	
素問	
方盛衰論	
脉動無常，散陰頗陽，脉脱不具，診無常行。診必上下，度民君卿，受師不卒，使術不明，不察逆從，是爲妄行，持雌失雄，棄陰附陽，不知并合，診故不明，傳之後世，反論自章	喘咳者，是水氣并陽明也。血瀉者，脉急血無所行也。若夫以爲傷肺者，由失以狂也。不引《比類》，是知不明也
《唐韻正》下平聲卷之五	
十二庚	
289	

34	行	户庚切，古音杭	靈樞	九鍼十二原	刺諸熱者，如以手探湯。刺寒清者，如人不欲行	《唐韻正》下平聲卷之五	十二庚	289	
35	行	户庚切，古音杭	靈樞	終始	凡刺之道，氣調而止，補陰瀉陽，音氣益彰，耳目聰明。反此者，血氣不行	《唐韻正》下平聲卷之五	十二庚	289	
36	行	户庚切，古音杭	靈樞	師傳	余聞先師有所心藏，弗著于方，余願聞而藏之，則而行之	《唐韻正》下平聲卷之五	十二庚	289	
37	行	户庚切，古音杭	靈樞	五亂	清氣在陰，濁氣在陽，營氣順脉，衛氣逆行	《唐韻正》下平聲卷之五	十二庚	289	

38	行	户庚切，古音杭	靈樞	陰陽系日月	此天地之陰陽也，非四時五行之以次行也	《唐韻正》下平聲卷之五	十二庚	289
39	行	户庚切，古音杭	靈樞	病傳	諸方者，衆人之方也，非一人之所盡行也	《唐韻正》下平聲卷之五	十二庚	289
40	行	户庚切，古音杭	靈樞	天年	營衛之行，不失其常；呼吸微徐，氣以度行；六府化穀，津液布揚，各如其常	《唐韻正》下平聲卷之五	十二庚	289
41	行	户庚切，古音杭	靈樞	憂恚無言	何道之塞，何氣出行，使音不彰，顧聞其方	《唐韻正》下平聲卷之五	十二庚	289

42	行	户庚切，古音杭	靈樞	邪客	離而入陰，別而入陽，此何道而從行，願盡聞其方	《唐韻正》下平聲卷之五	十二庚	289
43	行	户庚切，古音杭	靈樞	官能	言陰與陽，合於五行，五藏六府，亦有所藏，四時八風，盡有陰陽，各得其位，合於明堂	《唐韻正》下平聲卷之五	十二庚	289
44	行	户庚切，古音杭	靈樞	官能	寒入於中，推而行之；經陷下者，火則當之	《唐韻正》下平聲卷之五	十二庚	289
45	行	户庚切，古音杭	靈樞	官能	各得其能，方乃可行，其名乃彰。不得其人，其功不成，其師無名	《唐韻正》下平聲卷之五	十二庚	289

46	
行	
户庚切，古音杭	
靈樞	
癰疽	
陰陽已張，因息乃行	
《唐韻正》下平聲卷之五	
十二庚	
289	
顧按：行字漢以上唯《淮南子·説林訓》兔絲無根而生，蛇無足而行，魚無耳而聽，蟬無口而鳴。入後人❶清青韻，後漢則曹昭《東征賦》維永初之有七兮，余隨子兮東征，時孟春之吉日兮，撰良辰而將行。其始變也。今人以行止之行音户耕反，行列之行音户郎反，不知行本音户庚反，庚音岡，户庚即户郎	

❶「入」疑爲衍文。「人」當作「入」。

47	
榮	
永兵切，當作永平	
素問	
四氣調神大論	
天地俱生，萬物以榮，夜卧早起，廣步於庭，被髮緩形，以使志生	
《唐韻正》下平聲卷之五	
十二庚	
297	
	也。又觀《史記》《六韜》《靈樞經》《淮南子》《文子》《鶡冠子》、東思王夏桀贊《黄庭經》則五行之行亦音杭，故太行山古名五行之山，其無異音可知。今吴人讀行爲胡良反。此字四收于十一唐十二庚四十二宕四十三映部中

48	能	奴登切，古音奴來、奴代二反	素問	陰陽應象大論	能冬不能夏，能夏不能冬。又曰：能毒者以厚藥	《唐韻正》下平聲卷之六	十七登	300	讀作「耐」。
49	能	奴登切，古音奴來、代二反	素問	五常政大論	能毒者以厚藥	《唐韻正》下平聲卷之六	十七登	300	讀作「耐」。顧按：……古者以「耐」字爲今之「能」字，能字爲三台之字，後世以來廢古耐字以三台之能替耐字之變字而爲能也。又更作三台之字，是古今變也。是『能』與『台』音相近，故《春秋元命苞》謂三能，能之爲言耐也。晉時音未改，江左以降，始以方音讀爲奴登反，而又不可盡没

50	
能	
奴登切，古音奴來、代二反	
靈樞	
陰陽二十五人	
能春夏不能秋冬，能秋冬不能春夏	
《唐韻正》下平聲卷之六	
十七登	
300	
讀作「耐」	古人奴來奴代之音，故兼收之。咍代登三韻後之注釋者於咍韻止云三足鼈，而能字始移之登部矣。今當削去并入咍代二韻。按：『能』字音奴登反始自宋齊，……唐時古音尚存，能，堪也，能即耐字，不必贅解。《唐書》能元皓董沖釋音：能，音奴代反

51	謀	莫侯切，古音媒	素問	陰陽別論	別于陽者，知病忌時；別于陰者，知死生之期。謹熟陰陽，無與衆謀	《唐韻正》下平聲卷之六	十八尤	306	顧按：謀字自魏文帝「煌煌京雒行賢矣，陳軫忠而有謀」始與救爲韻。以上字當與五支之半及六脂七之通爲一韻
52	浮	縛謀切，當作縛牟	素問	平人氣象	死肺脉來，如物之浮，如風吹毛	《唐韻正》下平聲卷之六	十八尤	314	
53	漚	古音嫗	靈樞	營衛生會	余聞上焦如霧，中焦如漚，下焦如瀆	《唐韻正》下平聲卷之六	十九侯	318	
54	鉤	古侯切，古音拘	素問	平人氣象論	死心脉來，前曲後居，如操帶鉤	《唐韻正》下平聲卷之六	十九侯	322	

55	陰	讀陰爲雍	素問	調經論	血并于陰，氣并于陽，故爲驚狂；血并于陽，氣并于陰，乃爲炅中	《唐韻正》下平聲卷之七	二十一侵	325	
56	下	胡雅切，古音户	素問	脉要精微論	彼春之暖，爲夏之暑；彼秋之忿，爲冬之怒；四變之動，脉與之上下	《唐韻正》上聲卷之九	三十五馬	343	[顧按]：《韻補》下，後五切，《毛詩》下字一十有七，陸德明雲：皆當讀如户。陳第引魏了翁云：六經凡下皆音户，舍皆音暑，不特六經，古音皆然。《禮記·間傳》「苄翦不納」，苄音下，今苄字在十姥韻，音户，《説文》云：苄從艸下聲

57	下	胡雅切，古音户	素問	平人氣象論	病肺脉來，不上不下，如循雞羽	《唐韻正》上聲卷之九	三十五馬	343	[顧按]：《韻補》下，後五切，《毛詩》下字一十有七，陸德明云：皆當讀如户。陳第引魏了翁云：六經凡下皆音户，舍皆音暑，不特六經，古音皆然。《禮記・間傳》「苄翦不納」，苄音下，今苄字在十姥韻，音户，《説文》云：苄從艸下聲
58	下	胡雅切，古音户	素問	離合真邪論	彈而怒之，抓而下之，通而取之	《唐韻正》上聲卷之九	三十五馬	343	[顧按]：《韻補》下，後五切，《毛詩》下字一十有七，陸德明云：皆當讀如户。陳第引魏了翁云：六經凡下皆音户，

	59
	下
	胡雅切，古音户
	素問
	調經論
	血并於上，氣并於下，心煩惋善怒。血并於下，氣并於上，亂而喜忘
	《唐韻正》上聲卷之九
	三十五馬
	343
舍皆音暑，不特六經，古音皆然。《禮記・間傳》「苄蒴不納」，苄音下，今苄字在十姥韻，音户，《說文》云：苄從艸下聲	［顧按］：《韻補》下，後五切，《毛詩》下字一十有七，陸德明云：皆當讀如户。陳第引魏了翁云：六經凡下皆音户，舍皆音暑，不特六經，古音皆然。《禮記・間傳》「苄蒴不納」，苄音下，今苄字在十姥韻，音户，《說文》云：苄從艸下聲

60	下	胡雅切，古音户	素問	天元紀大論	然天地者，萬物之上下也；左右者，陰陽之道路也	《唐韻正》上聲卷之九	三十五馬	343	[顧按]：《韻補》下，後五切，《毛詩》下字一十有七，陸德明云：皆當讀如户。陳第引魏了翁云：六經凡下皆音户，舍皆音暑，不特六經，古音皆然。《禮記・間傳》「苄翦不納」，苄音下，今苄字在十姥韻，音户，《説文》云：苄從艸下聲
61	下	胡雅切，古音户	素問	五常政大論	吐之，下之，補之，瀉之	《唐韻正》上聲卷之九	三十五馬	343	[顧按]：《韻補》下，後五切，《毛詩》下字一十有七，陸德明云：皆當讀如户。陳第引魏了翁云：六經凡下皆音户，

62	
下	
胡雅切，古音户	
素問	
至真要大論	
上之下之，摩之浴之	
《唐韻正》上聲卷之九	
三十五馬	
343	
[顧按]：《韻補》下，後五切，《毛詩》下字一十有七，陸德明云：皆當讀如户。陳第引魏了翁云：六經凡下皆音户，舍皆音暑，不特六經，古音皆然。《禮記・間傳》「苄翦不納」，苄音下，今苄字在十姥韻，音户，《説文》云：苄從艸下聲	舍皆音暑，不特六經，古音皆然。《禮記・間傳》「苄翦不納」，苄音下，今苄字在十姥韻，音户，《説文》云：苄從艸下聲

63	下	胡雅切，古音户	靈樞	四時氣篇	在上脘，則刺抑而下之；在下脘，則散而去之。小腹痛腫，不得小便，邪在三焦，約取之	《唐韻正》上聲卷之九	三十五馬	343	［顧按］：《韻補》下，後五切，《毛詩》下字一十有七，陸德明云：皆當讀如户。陳第引魏了翁云：六經凡下皆音户，舍皆音暑，不特六經，古音皆然。《禮記·間傳》「苄翦不納」，苄音下，今苄字在十姥韻，音户，《說文》云：苄從艸下聲
64	下	胡雅切，古音户	靈樞	周痹	隨脉以上，隨脉以下，不能左右，各當其所	《唐韻正》上聲卷之九	三十五馬	343	［顧按］：《韻補》下，後五切，《毛詩》下字一十有七，陸德明云：皆當讀如户。陳第引魏了翁云：六經凡下皆音户，舍皆

65	
下	
胡雅切，古音户	
靈樞	
脹論	
營氣循脉，衛氣逆爲脉脹，衛氣并脉循分爲膚脹，三里而寫，近者一下，遠者三下，無問虛實，工在疾寫。」「肝脹者，脅下滿而痛引小腹。」「膽脹者，脅下痛脹，口中苦，善太息。」「然後厥氣在下，營衛留止，寒氣逆	
《唐韻正》上聲卷之九	
三十五馬	
343	
［顧按］：《韻補》下，後五切，《毛詩》下字一十有七，陸德明云：皆當讀如户。陳第引魏了翁云：六經凡下皆音户，舍皆音暑，不特六經，古音皆然。《禮記・間傳》「苄蒻不納」，苄音下，今苄字在十姥韻，音户，《説文》云：苄從艸下聲	音暑，不特六經，古音皆然。《禮記・間傳》「苄蒻不納」，苄音下，今苄字在十姥韻，音户，《説文》云：苄從艸下聲

66	
下	
胡雅切，古音户	
靈樞	
五閱五使	
五官不辨，闕庭不張，小其朙堂，蕃蔽不見，又埤其牆	上，真邪相攻，兩氣相搏，乃合爲脹也。」「《脹論》言無問虛實，工在疾寫，近者一下，遠者三下，今有其三而不下者，其過焉在？」「當寫不寫，氣故不下，三而不下，必更其道，氣下乃止，不下復始，可以萬全，烏有殆者乎
《唐韻正》上聲卷之九	
三十五馬	
343	
［顧按］：《韻補》下，後五切，《毛詩》下字一十有七，陸德明云：皆	

	67
	下
	胡雅切，古音户
	靈樞
	論勇
牆下無基，垂角去外，如是者，雖平，常殆，況加疾哉	肝肺雖舉，氣衰復下，故不能久怒
	《唐韻正》上聲卷之九
	三十五馬
	343
當讀如户。陳第引魏了翁云：六經凡下皆音户，舍皆音暑，不特六經，古音皆然。《禮記·間傳》「苄蒻不納」，苄音下，今苄字在十姥韻，音户，《説文》云：苄從艸下聲	〔顧按〕：《韻補》下，後五切，《毛詩》下字一十有七，陸德明云：皆當讀如户。陳第引魏了翁云：六經凡下皆音户，舍皆音暑，不特六經，古音皆然。《禮記·間傳》「苄蒻不納」，苄

68	
下	
胡雅切，古音户	
靈樞	
官能	
各處色部，五藏六府，察其所痛，左右上下	
《唐韻正》上聲卷之九	
三十五馬	
343	
［顧按］：《韻補》下，後五切，《毛詩》下字一十有七，陸德明云：皆當讀如户。陳第引魏了翁云：六經凡下皆音户，舍皆音暑，不特六經，古音皆然。《禮記・間傳》「苄翦不納」，苄音下，今苄字在十姥韻，音户，《説文》云：苄從艸下聲	音下，今苄字在十姥韻，音户，《説文》云：苄從艸下聲

	69	70
	下	下
	胡雅切，古音户	胡雅切，古音户
	靈樞	靈樞
	官能	官能
	大熱在上，推而下之，從下上者，引而去之，視前痛者，常先取之，大寒在外，留而補之，入於中者，從合寫之。各處色部，五藏六府，察其所痛，左右上下	不知所苦，兩蹻之下
	《唐韻正》上聲卷之九	《唐韻正》上聲卷之九
	三十五馬	三十五馬
	343	343
	［顧按］：《韻補》下，後五切，《毛詩》下字一十有七，陸德明云：皆當讀如户。陳第引魏了翁云：六經凡下皆音户，舍皆音暑，不特六經，古音皆然。《禮記·間傳》「苄蒻不納」，苄音下，今苄字在十姥韻，音户，《説文》云：苄從艸下聲	［顧按］：《韻補》下，後五切，《毛詩》下字一十有七，陸德明云：皆當讀如户。陳第引魏了翁云：六經凡下皆音户，

									舍皆音暑，不特六經，古音皆然。《禮記・間傳》「苄翦不納」，苄音下，今苄字在十姥韻，音户，《說文》云：苄從艸下聲
71	夏	古音户	素問	生氣通天論	凡陰陽之要，陽密乃固。兩者不和，若春無秋，冬無夏。因而和之，是謂聖度	《唐韻正》上聲卷之九	三十五馬	347	
72	寫	悉姐切，古音滑	素問	三部九候論	實則寫之，虚則補之	《唐韻正》上聲卷之九	三十五馬	347	

73	寫	悉姐切，古音湑	素問	離合真邪論	候呼引鍼，呼盡乃去，大氣皆出，故命曰寫	《唐韻正》上聲卷之九	三十五馬	347	
74	寫	悉姐切，古音湑	素問	離合真邪論	止而取之，無逢其沖而寫之	《唐韻正》上聲卷之九	三十五馬	347	
75	寫	悉姐切，古音湑	素問	厥論	盛則寫之，虛則補之，不盛不虛，以經取之	《唐韻正》上聲卷之九	三十五馬	347	
76	寫	悉姐切，古音湑	素問	骨空論	治在風府，調其陰陽，不足則補，有餘則寫	《唐韻正》上聲卷之九	三十五馬	347	
77	寫	悉姐切，古音湑	素問	五常政大論	吐之，下之，補之，寫之	《唐韻正》上聲卷之九	三十五馬	347	

78	寫	悉姐切，古音湑	靈樞	脹論	當寫則寫，當補則補，如鼓應桴，惡有不下者乎	《唐韻正》上聲卷之九	三十五馬	347	
79	寫	悉姐切，古音湑	靈樞	邪客	謂因沖而寫，因衰而補。如是者，邪氣得去，真氣堅固，是謂因天之序	《唐韻正》上聲卷之九	三十五馬	347	
80	寫	悉姐切，古音湑	靈樞	官能	大熱在上，推而下之，從下上者，引而去之，視前痛者，常先取之，大寒在外，留而補之，入於中者，從合寫之	《唐韻正》上聲卷之九	三十五馬	347	
81	寫	悉姐切，古音湑	靈樞	大惑論	盛者寫之，虛者補之，必先明知其形志之苦樂，定乃取之	《唐韻正》上聲卷之九	三十五馬	347	

82
舍
書冶切，古音暑
素問
氣穴論
積寒留舍，榮衛不居
《唐韻正》上聲卷之九
三十五馬
348
[顧按]：《韻補》舍，商居切。《説文》舒郚皆以捨得聲，又曰余語之舒也，舍省聲。《公羊傳・哀六年》齊陳乞弒其君，「舍」《左氏》《谷梁傳》皆作荼，音舒。宋魏了翁曰：六經凡舍皆音暑，平讀則音舒。《史記・律書》舍者，日月所舍，舍者舒氣也。《後漢書・竇融傳》金城太守庫鈞，注曰：今羌中有姓庫，音舍

83	舍	書冶切，古音暑	靈樞	五閲五使	府藏之在中也，各以次舍，左右上下各如其度也	《唐韻正》上聲卷之九	三十五馬	348	〔顧按〕：《韻補》舍，商居切。《説文》舒郐皆以捨得聲，又曰余語之舒也，舍省聲。《公羊傳·哀六年》齊陳乞弑其君，「舍」《左氏》《谷梁傳》皆作荼，音舒。宋魏了翁曰：六經凡舍皆音暑，平讀則音舒。《史記·律書》舍者，日月所舍，舍者舒氣也。《後漢書·竇融傳》金城太守庫鈞，注曰：今羌中有姓庫，音舍

84
舍
書冶切，古音暑
靈樞
淫邪發夢
正邪從外襲內，而未有定舍，反淫于藏，不得定處
《唐韻正》上聲卷之九
三十五馬
348
［顧按］：《韻補》舍，商居切。《説文》舒郤皆以捨得聲，又曰余語之舒也，舍省聲。《公羊傳·哀六年》齊陳乞弒其君，「舍」《左氏》《谷梁傳》皆作荼，音舒。宋魏了翁曰：六經凡舍皆音暑，平讀則音舒。《史記·律書》舍者，日月所舍，舍者舒氣也。《後漢書·竇融傳》金城太守庫鈞，注曰：今羌中有姓庫，音舍

85	影	於丙切，古音於兩反。	素問	寶命全形論	和之者若響，隨之者若影。道無鬼神，獨來獨往	《唐韻正》上聲卷之九	三十八梗	356	
86	右	雲九切，古音以。	素問	陰陽應象大論	以右治左，以左治右；以我知彼，以表知裏；以觀過與不及之理，見微得過，用之不殆	《唐韻正》上聲卷之十	四十四有	356	
87	右	雲九切，古音以	素問	刺禁論	肝生於左，肺藏於右，心部於表，腎治於裏，脾爲之使，胃爲之市，鬲肓之上，中有父母	《唐韻正》上聲卷之十	四十四有	356	

88	右	雲九切，古音以	靈樞	九鍼十二原	令左屬右，其氣故止	《唐韻正》上聲卷之十	四十四有	356	
89	右	雲九切，古音以	靈樞	周痹篇	更發更止，更居更起，以右應左，以左應右	《唐韻正》上聲卷之十	四十四有	356	
90	久	舉有切，古音幾	素問	通評虛實論	夫虛實者，皆從其物類始，故五藏骨肉滑利可以長久也	《唐韻正》上聲卷之十	四十四有	357	
91	久	舉有切，古音幾	素問	氣交變大論	夫道者，上知天文，下知地理，中知人事，可以長久	《唐韻正》上聲卷之十	四十四有	357	
92	久	舉有切，古音幾	素問	方盛衰論	道甚明察，故能長久，不知此道，失經絶理	《唐韻正》上聲卷之十	四十四有	357	

93	久	舉有切，古音幾	靈樞	壽夭剛柔	此爲不表不裏，其形不久	《唐韻正》上聲卷之十	四十四有	357	
94	咎	其久切，	素問	征四失論	謬言爲道，更名自巧，妄用砭石，後遺身咎	《唐韻正》上聲卷之十	四十四有	363	
95	部	蒲口切，古音蒲五反	靈樞	官能	各處色部，五藏六府，察其所痛，左右上下	《唐韻正》上聲卷之十	四十五厚	366	
96	走	子苟切，古音祖	靈樞	根結	陰陽相移，何寫何補；奇邪離經，不可勝數；不知根結，五藏六府；折關敗樞，開闔而走；陰陽大失，不可復取	《唐韻正》上聲卷之十	四十五厚	370	

97	母	莫厚切，古音滿以反	素問	陰陽應象大論	萬物之綱紀，變化之父母，生殺之本始	《唐韻正》上聲卷之十	四十五厚	372	顧按：母字定以讀滿以反爲正，然亦有讀滿補反者。故收入止韻而於厚韻當兼存其一
98	母	莫厚切，古音滿以反	素問	天元紀大論	夫五運陰陽者，天地之道也，萬物之綱紀，變化之父母，生殺之本始，神明之府也，可不通乎	《唐韻正》上聲卷之十	四十五厚	372	顧按：母字定以讀滿以反爲正，然亦有讀滿補反者。故收入止韻而於厚韻當兼存其一
99	母	莫厚切，古音滿以反	素問	天元紀大論	天有八紀，地有五裏，故能爲萬物之父母	《唐韻正》上聲卷之十	四十五厚	372	顧按：母字定以讀滿以反爲正，然亦有讀滿補反者。故收入止韻而於厚韻當兼存其一

100	母	莫厚切，古音滿以反	素問	五藏生成	診病之始，五決爲紀，欲知其始，先建其母	《唐韻正》上聲卷之十	四十五厚	372	顧按：母字定以讀滿以反爲正，然亦有讀滿補反者。故收入止韻而於厚韻當兼存其一
101	母	莫厚切，古音滿以反	素問	寶命全形論	人能應四時者，天地爲之父母；知萬物者，謂之天子	《唐韻正》上聲卷之十	四十五厚	372	顧按：母字定以讀滿以反爲正，然亦有讀滿補反者。故收入止韻而於厚韻當兼存其一
102	母	莫厚切，古音滿以反	素問	刺禁論	肝生於左，肺藏於右，心部於表，腎治於裏，脾爲之使，胃爲之市，鬲肓之上，中有父母	《唐韻正》上聲卷之十	四十五厚	372	顧按：母字定以讀滿以反爲正，然亦有讀滿補反者。故收入止韻而於厚韻當兼存其一

103	母	莫厚切，古音滿以反	靈樞	禁服	審察衛氣爲百病母，調其虛實，虛實乃至，寫其血絡，血盡不殆矣	《唐韻正》上聲卷之十	四十五厚	372	顧按：母字定以讀滿以反爲正，然亦有讀滿補反者。故收入止韻而於厚韻當兼存其一
104	地	徒四切，古音沱	素問	平人氣象論	平脾脉來，和柔相離，如雞踐地	《唐韻正》上聲卷之十一	六至	380	顧按：以上字當與三十八個三十九過通爲一韻，入化字入平聲歌韻
105	化	呼霸切，古音毁禾反	素問	生氣通天論	故病久則傳化，上下不并，良醫弗爲	《唐韻正》去聲卷之十二	四十禡	389	顧按：以上字當與三十八個三十九過通爲一韻，入化字入平聲歌韻
106	化	呼霸切，古音毁禾反	素問	六節藏象論	天地之運，陰陽之化，其於萬物，孰少孰多	《唐韻正》去聲卷之十二	四十禡	389	顧按：以上字當與三十八個三十九過通爲一韻，入化字入平聲歌韻

107	化	呼霸切，古音毁禾反	素問	五運行大論	寒暑燥濕風火，在人合之奈何？其于萬物何以生化	《唐韻正》去聲卷之十二	四十禡	389	顧按：以上字當與三十八個三十九過通爲一韻，入化字入平聲歌韻
108	化	呼霸切，古音毁禾反	素問	五常政大論	陽和布化，陰氣乃隨	《唐韻正》去聲卷之十二	四十禡	389	顧按：以上字當與三十八個三十九過通爲一韻，入化字入平聲歌韻
109	化	呼霸切，古音毁禾反	靈樞	脹論	陰陽相隨，乃得天和，五藏更始，四時循序，五穀乃化	《唐韻正》去聲卷之十二	四十禡	389	顧按：以上字當與三十八個三十九過通爲一韻，入化字入平聲歌韻
110	病	皮命切，古音平漾反	素問	生氣通天論	冬傷於寒，春必温病。四時之氣，更傷五藏	《唐韻正》去聲卷之十二	四十三映	391	

111	病	皮命切，古音平漾反	素問	刺要論	淺深不得，反爲大賊，内動五藏，後生大病	《唐韻正》去聲卷之十二	四十三映	391	
112	病	皮命切，古音平漾反	素問	至真要大論	病反其本，得標之病；治反其本，得標之方	《唐韻正》去聲卷之十二	四十三映	391	
113	候	胡遘切，古音胡故反	素問	離合真邪論	在陰與陽，不可爲度，從而察之，三部九候；卒然逢之，早遏其路，吸則内鍼，無令氣忤，静以久留，無令邪布，吸則轉鍼，以得氣爲故	《唐韻正》去聲卷之十三	五十候	399	
114	腠	古音倉故反	素問	生氣通天論	乃生大僂，陷脉爲瘺，留連肉腠	《唐韻正》去聲卷之十三	五十候	401	

115	瘺	古音縷	素問	生氣通天論	乃生大僂，陷脉爲瘺，留連肉腠	《唐韻正》去聲卷之十三	五十候	402	
116	瀆	去聲則音渡	靈樞	營衛生會	余聞上焦如霧，中焦如漚，下焦如瀆	《唐韻正》入聲卷之十四	一屋	404	漚音嫗
117	伏	房六切，古音蒲北反	素問	調經論	適人必革，精氣自伏，邪氣散亂，無所休息，氣泄腠理，真氣乃相得	《唐韻正》入聲卷之十四	一屋	416	
118	伏	房六切，古音蒲北反	靈樞	五亂	故氣亂於心，則煩心密嘿，俛首静伏	《唐韻正》入聲卷之十四	一屋	416	
119	伏	房六切，古音蒲北反	靈樞	動輸	氣之過於寸口也，上十焉息，下八焉伏，何道從還，不知其極	《唐韻正》入聲卷之十四	一屋	416	

120	伏	房六切，古音蒲北反	靈樞	刺節真邪	輕重不得，傾側宛伏，不知東西，不知南北	《唐韻正》入聲卷之十四	一屋	416	
121	服	古音蒲北反	素問	移精變氣論	標本已得，邪氣乃服	《唐韻正》入聲卷之十四	一屋	418	
122	服	古音蒲北反	靈樞	病傳	畢將服之，神自得之	《唐韻正》入聲卷之十四	一屋	418	
123	服	古音蒲北反	靈樞	官能	用鍼之服，必有法則	《唐韻正》入聲卷之十四	一屋	418	
124	屬	之欲市玉二切，之欲切去聲則音注	靈樞	衛氣失常	夫百病變化，不可勝數，皮有部，肉有柱，血氣有輸，骨有屬	《唐韻正》入聲卷之十五	三燭	425	
125	欲	餘讀切，上聲則餘矩反	素問	血氣形志	凡治病，必先去其血，乃去其所苦，伺之所欲，然後寫有餘，補不足	《唐韻正》入聲卷之十五	三燭	426	

126	浴	上聲則音與	素問	至真要大論	上之下之，摩之浴之	《唐韻正》入聲卷之十五	三燭	427	
127	足	即玉切，上聲則即汝反	素問	血氣形志	凡治病，必先去其血，乃去其所苦，伺之所欲，然後瀉有餘補不足	《唐韻正》入聲卷之十五	三燭	428	
128	濯	去聲則直教反。	素問	靈蘭秘典	肖者濯濯，孰知其要？閔閔之當，孰者爲良	《唐韻正》入聲卷之十五	四覺	432	
129	數	古音所禄反	素問	平人氣象論	病脾脉來，實而盈數，如雞舉足	《唐韻正》入聲卷之十五	四覺	436	
130	溢	去聲則夷二反	素問	氣穴論	孫絡三百六十五穴，會亦以應一歲以溢，奇邪以通榮衛稽留，衛散榮溢	《唐韻正》入聲卷之十六	五質	444	

131	室	去聲則音試	靈樞	外揣	是謂陰陽之極，天地之蓋，請藏之靈蘭之室，弗敢使泄也	《唐韻正》入聲卷之十六	五質	445	
132	術	食聿切，去聲則音遂	素問	疏五過論	視深淵尚可測，迎浮雲莫知其際。聖人之術，爲萬民式，論裁志意，必有法則，循經守數，按循醫事，爲萬民副，故事有五過四德	《唐韻正》入聲卷之十六	六術	448	
133	出	赤律切，去聲則赤至反	素問	氣穴論	然余願聞夫子溢志盡言其處，令解其意，請藏之金匱，不敢復出	《唐韻正》入聲卷之十六	六術	450	

137	罰	去聲則房廢反	素問	五常政大論	故生而勿殺，長而勿罰，化而勿制，收而勿害，藏而勿抑，是謂平氣	《唐韻正》入聲卷之十六	十月	455	
136	髴	去聲則音沸	靈樞	官能	麤之所不見，良工之所貴，莫知其形，若神髣髴	《唐韻正》入聲卷之十六	八物	453	
135	髴	去聲則音沸	素問	八正神明論	視之無形，嘗之無味，故謂冥冥，若神髣髴	《唐韻正》入聲卷之十六	八物	453	
134	出	赤律切，去聲則赤至反	靈樞	終始	男内女外，堅拒勿出，謹守勿内，是謂得氣	《唐韻正》入聲卷之十六	六術	450	

138	噦	於月切，去聲則於會反	《素問》見泄字下	宣明五氣篇 至真要大論篇	胃爲氣逆爲噦爲恐，大腸小腸爲泄，下焦溢爲水，膀胱不利爲癃，不約爲遺溺，膽爲怒，是謂五病 陽明之复，清氣大舉，森木蒼乾，毛蟲乃厲，病生胠脅，氣歸於左，善太息，甚則心痛否滿，腹脹而泄，嘔苦欬噦，煩心	《唐韻正》入聲卷之十六	十月	456
139	發	去聲則方沛反	素問	寶命全形論	夫鹽之味鹹者，其氣令器津泄；弦絶者，其音嘶敗；木敷者，其叶發；病深者，其聲噦	《唐韻正》入聲卷之十六	十月	457

140	竭	其謁切，去聲則其例反	素問	生氣通天論	四維相代，陽氣乃竭	《唐韻正》入聲卷之十六	十月	458
141	拔	蒲八切，去聲則蒲内反	靈樞	九鍼十二原	刺雖久猶可拔也，汙雖久猶可雪也，結雖久猶可解也，閉雖久猶可決也	《唐韻正》入聲卷之十七	十四黠	469
142	殺	所八切，去聲則所介反	素問	五常政大論	故生而勿殺，長而勿罰，化而勿制，收而勿害，藏而勿抑，是謂平氣	《唐韻正》入聲卷之十七	十四黠	470
143	決	去聲則古惠反	靈樞	九鍼十二原	刺雖久猶可拔也，汙雖久猶可雪也，結雖久猶可解也，閉雖久猶可決也	《唐韻正》入聲卷之十七	十六屑	475

144	泄	去聲則以制私制二反	素問	三部九候論	余願聞要道，以屬子孫，傳之後世，著之骨髓，傳之肝肺，歃血而受，不敢妄泄	《唐韻正》入聲卷之十七	十七薛	481	
145	泄	去聲則以制私制二反	素問	寶命全形論	夫鹽之味鹹者，其氣令器津泄；弦絶者，其音嘶敗；木敷者，其叶發；病深者，其聲噦	《唐韻正》入聲卷之十七	十七薛	481	
146	泄	去聲則以制私制二反	靈樞	九鍼十二原	害中而不去，則精泄，害中而去，則致氣	《唐韻正》入聲卷之十七	十七薛	481	
147	泄	去聲則以制私制二反	靈樞	外揣	是謂陰陽之極，天地之蓋，請藏之靈蘭之室，弗敢使泄也	《唐韻正》入聲卷之十七	十七薛	481	

148	雪	相絶切，去聲則相例反	靈樞	九鍼十二原	刺雖久猶可拔也，汙雖久猶可雪也，結雖久猶可解也，閉雖久猶可决也	《唐韻正》入聲卷之十七	十七薛	487
149	絡	去聲則音路	靈樞	動輸篇	夫四末陰陽之會者，此氣之大絡也，四街者，氣之徑路也	《唐韻正》入聲卷之十八	十九鐸	497
150	薄	去聲則旁故反	素問	生氣通天論	是故暮而收拒，無擾筋骨，無見霧露，反此三時，形乃困薄	《唐韻正》入聲卷之十八	十九鐸	500
151	百	古音博	素問	標本病傳論	少而多，淺而博，可以言一而知百也	《唐韻正》入聲卷之十八	二十陌	506

152	逆	宜戟切，古音宜略反	素問	四時刺逆從	病之所生，以從爲逆；正氣內亂，與精相薄	《唐韻正》入聲卷之十八	二十陌	508	
153	逆	宜戟切，古音宜略反	素問	示從容論	夫浮而弦者，是腎不足也；沈而石者，是腎氣內著也。怯然少氣者，是水道不行，形器消索也。咳嗽煩寃者，是腎氣之逆也	《唐韻正》入聲卷之十八	二十陌	508	
154	脉		素問	移精變氣論	治之要極，無失色脉；用之不惑，治之大則。逆從倒行，標本不得，亡神失國	《唐韻正》入聲卷之十九	二十一麥	514	

155	脉		素問	疏五過論	嘗富大傷，斬筋絶脉，身體復行，令澤不息	《唐韻正》入聲卷之十九	二十一麥	514	
156	石	常只切，常只切	素問	平人氣象論	死腎脉來發如奪索，辟辟如彈石	《唐韻正》入聲卷之十九	二十二昔	521	
157	式	去聲則音試	素問	疏五過論	視深淵尚可測，迎浮雲莫知其際。聖人之術，爲萬民式，論裁志意，必有法則，循經守數，按循醫事，爲萬民副，故事有五過四德	《唐韻正》入聲卷之十九	二十四職	534	
158	極	渠力切，去聲則渠記反	靈樞	外揣	是謂陰陽之極，天地之蓋，請藏之靈蘭之室，弗敢使泄也	《唐韻正》入聲卷之十九	二十四職	534	

159	匿	女力切，去聲則女計反	素問	四氣調神大論	使志若伏若匿，若有私意	《唐韻正》入聲卷之十九	二十四職	534	
160	抑	去聲則音懿	素問	五常政大論	故生而勿殺，長而勿罰，化而勿制，收而勿害，藏而勿抑，是謂平氣	《唐韻正》入聲卷之十九	二十四職	535	
161	副	芒逼切，去聲則方二反	素問	疏五過論	視深淵尚可測，迎浮雲莫知其際。聖人之術，爲萬民式，論裁志意，必有法則，循經守數，按循醫事，爲萬民副，故事有五過四德	《唐韻正》入聲卷之十九	二十四職	537	

162	德	多則切，去聲則多隊反	素問	疏五過論	視深淵尚可測，迎浮雲莫知其際。聖人之術，爲萬民式，論裁志意，必有法則，循經守數，按循醫事，爲萬民副，故事有五過四德	《唐韻正》入聲卷之十九	二十五德	538	
163	則	子德切，去聲則子隊反	素問	疏五過論	視深淵尚可測，迎浮雲莫知其際。聖人之術，爲萬民式，論裁志意，必有法則，循經守數，按循醫事，爲萬民副，故事有五過四德	《唐韻正》入聲卷之十九	二十五德	538	

164	賊	昨則切，上聲則昨末反	素問	寶命全形論	余念其痛，心爲之亂惑，反甚其病，不可更代，百姓聞之，以爲殘賊	《唐韻正》入聲卷之十九	二十五德	539	

顧炎武把古韻分爲十部，雖然不夠精密，但爲後世古音學家的古音分部奠定了堅實基礎。顧氏未給古韻部立名，而以第一部、第二部……第十部等稱之。這裏我們把顧炎武韻部名稱與今天通用的王力先生的韻部名稱統一起來，在顧氏序號的後面寫上王力先生的部名，如第一部後面寫東部，表示顧氏第一部相當於王力先生的東部。段玉裁韻部名稱放在括弧内。

第一部　東部　（第九部）
第二部　脂部　（第十五部）
第三部　魚部　（第四部、第五部）
第四部　真部　（第十二、第十三）
第五部　蕭部　（第二部、第三部）
第六部　歌部　（第十七部）

第七部　陽部　（第十部）
第八部　耕部　（第十一部）
第九部　蒸部　（第六部）
第十部　侵部　（第七部第八部）

顧炎武最偉大的功績是離析《唐韻》，爲研究古韻部的劃分找到了可行的方法。顧氏没有把入聲獨立出來，江永説他「考古之功深，審音之功淺」，江永是考古派的開創者。王力先生《清代古音學》對顧炎武的古音成就及不足有恰當評説。

二 段玉裁

考察《黄帝内經》音韻特點需要考察其合韻，段玉裁對先秦古籍的合韻做了研究。《六書音韻表》第四表《詩經韻分十七部表》按古韻十七部分析《詩經》韻脚字，每部之末設《古合韻》一節，分析每個韻部的合韻特點，這對於研究合韻規律頗有啟發。段氏無專論《黄帝内經》音韻之文，但他的《古合韻》對於研究分析《黄帝内經》合韻頗有啟發。《六書音韻表》之第五表《群經韻分十七部表》分析群經用韻特點，尤重群經合韻的研究，故《清儒〈黄帝内經〉古韻研究簡史》亦以一定篇幅論述段氏之合韻，作爲研究《黄帝内經》合韻的參考。

（一）段玉裁論《詩經》合韻

段玉裁《六書音韻表》第四表下之《古合韻》專論《詩經》合韻。第四表的結構是：

1 在每個韻部名稱之下注上此部包括《廣韻》哪些韻目。例如：「第一部」下面注曰:「陸韻平聲之咍、上聲止海、去聲志代、入聲職德」,意指古韻第一部所收《詩經》韻脚字見於陸韻(即隋陸法言的《廣韻》)的何部。段玉裁在《六書音韻表》卷一《音韻隨時代遷移説》指出:「今人概曰古韻不同今韻而已。唐虞而下隋唐而上,其中變更正多,概曰古不同今,尚皮傅之説也。音韻之不同,必論其世。約而言之,唐虞夏商周秦漢初爲一時,漢武帝後洎漢末爲一時,魏晉宋齊梁陳隋爲一時。古人之文俱在,凡音轉音變四聲其轉移之時代皆可尋究。」段玉裁在古韻部名字之下注上與《廣韻》的關係,是為了告訴讀者,音韻不是固定不變、古今一如的,而是隨時代變遷而變化的。明代陳第説:「時有古今,地有南北,字有更革,音有轉移,亦勢所必至也。」,段玉裁接受了這個觀點并且加以發揮,爲音韻變遷劃分大略時代。

2 分析古韻四聲。段氏認爲古韻只有平上入三聲,没有去聲。如第一部分析《詩經》平聲韻脚、上聲韻脚、入聲韻脚都有哪些字,没有去聲。

3 分析古本音。什麼是「古本音」? 段玉裁在第四表小序中説:「凡與今韻異部者,古本音也。」例如:「謀」字從「某」得聲,「某」字在第一部(今稱之部),則「謀」字亦必在第一部之韻,而《廣韻》(音韻學家習慣上稱它爲「今韻」)把「謀」字收在「尤」韻裏。收在尤韻是今韻,古韻學家把「謀」收在之韻,就是古本韻。比如《詩經》的《泉水》《氓》《皇皇者華》《巷伯》《綿》凡五見及《左傳》三見「謀」字都在之韻,這就是它的古本音,而讀爲尤韻,是「謀」字的中古時代的音。細細閲讀「古本音」一節,可以領會到古今聲音慢慢變化的情況。

4 分析古合韻。什麽是「古合韻」？段玉裁在第四表小序中説：「其于古本音有齟齬不合者，古合韻也。」例如「造」字古韻在幽部，而《詩經》的《思齊》「造」（幽部）字與「士」（之韻）字押韻，這就是幽部與之部合韻了。段氏説：「考古第一部（之）與第三部（幽）合用不可枚數，如《老子》『持而盈之』節『已』『保』『守』『咎』『道』爲韻（按，『保』『守』『道』在幽部，『咎』在之部）」，「是以之咍内部字多轉入尤韻」，「知古合韻即音轉之權輿也」。合韻是韻部轉變的樞紐。例如「明」字先秦屬於陽部字，但是它常與耕部合韻，到了漢代轉入耕部。先秦時代魚侯兩部界畔分明，但是它們時常合韻，到了漢代這兩個韻部有合一的趨勢，在《靈樞》《素問》裏反映得較明顯。

5 怎樣確定合韻的韻脚字？在清代音韻學家裏，段玉裁對合韻研究傾注的力量尤爲重大，他寫了《詩經韻分十七部表》（表四）專門研究《詩經》的合韻。他寫了《群經韻分十七部表》（表五）專門研究群經的合韻。他在合韻字的外面畫上圈，以便尋查。他在《詩經》合韻表的「古合韻」欄的許多合韻字的下面附小注，説明合韻的依據，以便搜尋。

6 本文對段玉裁《詩經》合韻的分析方式是：第一，列出合韻的韻部名稱，如之魚合韻侯東合韻等。段玉裁有通韻的名稱，如他説「合韻之通變，如唐宋詩用通韻，不以本音蔑合韻，不以合韻惑本音」，但是他没有對「通韻」例證進行仔細分析，所以本文只列合韻一個欄目，不列通韻欄目。本節合韻裏包含通韻。第二，對段玉裁關於合韻的舉例，若有不同看法，則稍加辨證。

下面是段玉裁對《詩經》合韻的分析。

第一部　之部

1　之魚合韻

2　之支合韻不能成立。段氏引證的資料見《詩經·小雅·節南山之什·十月之交》第四章：「皇父卿士，番維司徒。家伯維宰，仲允膳夫。聚子内史，蹶維趣馬。楀維師氏，豔妻煽方處。」段玉裁認爲此段的韻式是AOAO式（A表示入韻句，O表示非入韻句），即第一句、第三句、第五句、第七句入韻，韻脚分别是「士」「宰」「史」「氏」，爲第一部與第十六部合韻。「士」「宰」「史」屬於古韻第一部（之部），「氏」字屬於古韻第十六部（支部）。段氏的結論是「第一部與第十六部合韻」。筆者按：之支合韻不能成立。這段詩的韻式應該是OAOA式，即二、四、六、八句入韻，「徒」「夫」「馬」「處」是韻脚字，這一段文字應該是魚部相押。

段氏已經説明「之」「支」「脂」三部讀音不同，不能互相押韻，這一發現是音韻史上石破天驚的貢獻，當然在合韻裏也不能突破這個原則。因此可知，判斷合韻與否，首在準確確定韻脚字。

3　之脂合韻不能成立。段玉裁舉「出」「世」「沫」三字爲證，認爲之部與脂部可以合韻。他説：「出，本音在第十五部。屈賦《思美人》與佩、異、態、竢合韻」；「世，本音在第十五部。《讒鼎銘》『世』『態』合韻。錢辛楣詹士説」;「沬,本音在第十五部。《離騷》與兹字合韻」。按,「出」「世」「沬」三字屬段氏第十五部脂部。「之」「脂」「支」三部讀音差别巨大。《六書音韻表》載《戴東原先生來書》説:「大著辨别五支、六脂、七之如清真蒸之不相通,能發自唐以來講韻者所未發。」合韻也不能突破這個原則。之脂合韻説不能成立。

4 之幽合韻。《説文》第四表《古合韻》段氏注:「造,考古音第一部與第三部(幽)合用不可枚數,之、咍與尤、幽合韻,而支、脂二部合尤、幽者絶少。知古今合韻即音轉之權輿也。」

5 職幽合韻。

6 職緝合韻。見《小雅·南有嘉魚之什·六月》:「六月棲棲,戎車既飭。四牡騤騤,載是常服。玁狁孔熾,我是用急。王于出征,以匡王國。」「飭、服、國」都在職韻,「急」屬緝韻,爲職緝合韻。

7 職蒸合韻。

8 職覺合韻。

9 之蒸合韻。

10 之東合韻。

第二部　宵部

1　宵藥合韻。
2　宵幽合韻。
3　宵侵合韻。

第三部　幽部

1　幽覺合韻。
2　幽宵合韻。
3　幽侯合韻。
4　幽魚合韻。
5　幽冬(東)合韻。
6　幽緝合韻。
7　幽之合韻。
8　幽侵合韻。

第四部　侯部

1　侯藥合韻。
2　侯屋合韻。
3　侯魚合韻。
4　侯東合韻。

第五部　魚部

1　魚緝合韻。
2　魚之合韻。
3　魚屋合韻。
4　魚東（冬）合韻。
5　魚叶合韻。
6　魚鐸合韻。

段玉裁關於魚、歌兩部之分析：「第五部之字，漢、晉、宋人入於第十七部合用，皆讀如歌、戈韻之音。至梁陳間，第十七部音變析麻韻，而皆在麻韻矣。」（見第五部《古本音》末「啞」字注）。這是説，兩漢魏晉第五部魚韻有些字漸變爲歌部韻，讀音與歌、麻讀音趨同。

（「麻」屬歌部）。

第六部　蒸部

1　蒸之合韻。

2　蒸侵合韻。

第七部　侵部

3　蒸侵合韻。

4　蒸緝合韻。

5　侵緝合韻。

第八部　談部

1　談陽合韻。

2　談緝合韻。

3　談叶合韻。

第九部　東部

1　東侵合韻。

2　東侯合韻。

3　東幽合韻。

4　東陽合韻。

第十部　陽部

1　陽談合韻。

2　陽耕合韻。

3　陽蒸合韻。

關於「行」字，段云「行」字《詩》三十二見，《易》四十六見，皆在陽部，「今兼入庚韻」。「今」者，廣韻也。

關於「明」字，《詩》十六見，《書》一見，《易》十五見，皆在陽部，「今入庚」。「今」者，廣韻也。

第十一部　耕部

1 耕東合韻。
2 耕之合韻。
3 耕侵合韻。
4 耕陽合韻。
5 耕真合韻。
6 耕元合韻。

第十二部　真部

1 真陽合韻。
2 真東合韻。
3 真元合韻。
4 真幽合韻。
5 真文合韻。
6 真耕合韻。
7 真月合韻。

8 真之合韻。

第十三部 文部

1 文耕合韻。
2 文東合韻。
3 文元合韻。

第十四部 元部

1 元東合韻。
2 元耕合韻。
3 元質合韻。
4 元文合韻。
5 元歌合韻。

第十五部（脂部 微部 物部 月部）

段氏第十五部包含王力先生「脂」「微」「物」「月」四部。合韻情況如下：

1 脂之合韻，不能成立。

段玉裁根據《詩經·大雅·蕩之什·桑柔》二章「國步蔑資，天不我將，靡所止疑，云徂何往？君子實維，秉心無競，誰生厲階，至今爲梗」，「資」「維」「階」在脂韻，「疑」字在之韻，認爲這段詩是脂之合韻。王力《詩經韻讀》第五十三頁指出：這段詩的韻脚字是「將」「往」「競」「梗」屬於陽部字相押，「維」屬微部，「階」屬脂部，二字是脂微合韻。「疑」屬之部，它與「資」「階」相隔太遠，「疑」字不是韻脚。」段氏認爲「疑」字是韻脚，是找錯了韻脚，所以才誤認爲這段詩是脂之合韻。

2 脂文合韻。

3 脂元合韻。

4 脂質合韻。

5 脂錫合韻。

6 脂緝合韻。

第十六部　支部

1 支屋合韻。

2 支月合韻。

3 支錫合韻。

4 支藥合韻。

第十七部　歌部

1　歌元合韻。

2　歌錫合韻。

3　歌屋合韻。

爲了便於了解《詩經》哪些韻部可以合韻，下面劃表顯示之。對於段氏存疑之合韻，則標以「？」

1部（之）	之魚	之支（？）	之幽
	職幽	之脂（？）	
	職蒸	職緝	
	之蒸	職覺	
		之東	
2部（宵）	宵幽		
	宵侵		

3部(幽)	幽宵		
	幽之		
	幽侯		
	幽魚		
	幽東(冬)		
	幽緝		
	幽侵		
4部(侯)	侯魚		
	侯東		
	侯屋		
	侯藥		
5部(魚)	魚之		
	魚東		
	魚緝		
	魚屋		
	魚叶		

6部(蒸)	蒸之		
	蒸侵		
7部(侵)	侵蒸		
	侵緝		
8部(談)	談陽		
	談緝		
9部(東)	東侵		
	東陽		
	東侯		
	東幽		
10部(陽)	陽談		
	陽蒸		
	陽耕		
11部(耕)	耕東		

14部（元）	元質		
	元歌		
	元耕		
	元文		
	元東		
13部（文）	文元		
	文耕		
	文東		
12部（真）	真月		
	真幽、真耕		
	真陽、真東		
	真文、真元		
	真之		

15部（脂）	脂之		
	脂文		
	脂元		
	脂緝		
	脂錫		
	脂質		
16部（支）	支藥		
	支月		
	支屋		
17部（歌）	歌元		
	歌錫		
	歌屋		

以上是據《六書音韻表》第四表《詩經》合韻歸納出來的合韻表。段氏據《詩經》合韻而寫第四表，不是當時所有合韻資料。此表可作《靈樞》判韻參考。王力《詩經韻讀》（中華書局，二〇一四年版）第五十二至五十八頁糾正段氏合韻的一些錯誤。王力先生對段氏第四表、第五表逐一核對原文，重審韻脚，學習先人成説，指出前賢瑕疵，從而使學術大進一

步。王力先生對段氏的評述啟悟多多。治音韻訓詁之學，其細如發，而目光如電，視此。

（二）段玉裁論《群經》合韻

段氏所據「群經」主要有：《周易》《尚書》《大戴禮》《禮記》《左傳》《列子》《國語》《楚辭》《論語》《孟子》《爾雅》《考工記》《樂記》《大學》，成書時代大多晚於《詩經》，其合韻通韻與《詩經》又有不同，對《黄帝内經》判韻啟發尤多。

第一部　之部

1　之幽合韻。
2　之月合韻。
3　之物合韻。
4　之屋合韻。
5　之緝合韻。
6　之覺合韻。
7　之質合韻。

第二部　宵部

段氏《群經韻表·第五表》第二部（宵）無合韻資料。

第三部　幽部

1　幽之合韻。

2　幽宵合韻。

3　幽侯合韻。

4　幽侵合韻。

5　幽東合韻。

第四部　侯部

1　侯屋合韻。

第五部　魚部

1　魚之合韻。

2　魚幽合韻。

3 魚陽合韻。

4 魚鐸合韻。

第六部　蒸部

1 蒸元合韻。

2 蒸魚合韻。

第七部　侵部

無合韻資料。

第八部　談部

無合韻資料。

第九部　東部

1 東蒸合韻。

2 東侵合韻。

3 東談合韻

4 東陽合韻。

5 東耕合韻。

6 東幽合韻。

第十部　陽部

1 陽蒸合韻。

2 陽冬合韻。

3 陽談合韻。

4 陽東合韻。

第十一部　耕部

1 耕真合韻。

2 耕元合韻。

3 耕冬合韻。

4 耕陽合韻。

5 耕侵合韻。

6 耕鐸合韻。

7 耕職合韻。

第十二部 真部

1 真陽合韻。

2 真耕合韻。

3 真文合韻。

第十三部 文部

1 文蒸合韻。

2 文陽合韻。

3 文真合韻。

4 文元合韻。

5 文物合韻。

第十四部 元部

1 元文合韻。

2 元真合韻。

3 元質合韻。

第十五部　脂部

1 脂歌合韻。
2 脂幽合韻。
3 脂質合韻。
4 脂職合韻。

第十六部　支部

1 支歌合韻。
2 支之合韻。
3 支微合韻。
4 支鐸合韻。

第十七部　歌部

1 歌覺合韻。
2 歌藥合韻。
3 歌鐸合韻。
4 歌鐸合韻。

爲了便於了解「群經」哪些韻部可以合韻，下面劃表顯示之。有疑者標以「（？）」

1部（之）	之幽		
	之月		
	之物		
	之屋		
	之緝		
	之覺		
	之質		
2部（宵）	無合韻資料		
3部（幽）	幽之		
	幽宵		
	幽侯		
	幽侵		
	幽東		
4部（侯）	侯屋		
5部（魚）	魚之		
	魚幽		
	魚陽		
	魚鐸		

6部(蒸)	蒸元		
	蒸魚		
7部(侵)	無合韻資料		
8部(談)	無合韻資料		
9部(東)	東蒸		
	東侵		
	東談		
	東陽		
	東耕		
	東幽		
10部(陽)	陽蒸		
	陽冬		
	陽談		
	陽東		

13部(文)	文物		
	文元		
	文真		
	文陽		
	文蒸		
12部(真)	真文		
	真耕		
	真陽		
11部(耕)	耕職		
	耕鐸		
	耕侵		
	耕陽		
	耕冬		
	耕元		
	耕真		

14部(元)	元文		
	元真		
	元質		
15部(脂)	脂歌		
	脂幽		
	脂質		
	脂職		
16部(支)	支歌		
	支之(?)		
	支微		
	支鐸		
17部(歌)	歌覺		
	歌藥		
	歌鐸		
	歌鐸		

三　王念孫

（一）《黄帝内經》古音研究的歷史回顧

王念孫（一七四四—一八三二），清代傑出訓詁學家，同時也是成就卓著的古韻學家。他的古韻成就在他的《廣雅疏證》《讀書雜誌》反映得具體而突出，其子王引之（一七六六—一八三四）在《經義述聞》裏也有闡述。先師陸宗達先生在二十世紀三十年代撰寫的《王石臞先生韻譜合韻譜遺稿跋》《王石臞先生韻譜合韻譜遺稿後記》將王念孫的古韻理論和韻部劃分做了整理歸納，收於一九三二年北京大學《國學季刊》第三卷第一號。一九六六年北京師範大學出版社《陸宗達語言學論文集》也收入了他早年所撰的這兩篇重要論文。王念孫的《素問合韻譜》對於分析《黄帝内經》成書時代和依韻校勘，具有重要指導意義。段玉裁的《六書音韻表》也是研究《黄帝内經》用韻特點及校勘《黄帝内經》重要理論的指導書。本文依照王念孫及段玉裁的古韻理論對《素問》《靈樞》的押韻特點進行較爲詳密的研究，作爲對先師陸宗達先生百年誕辰的紀念。

《黄帝内經》，是一部散文著作，而不是一部韻文著作。但具體而微地對該書的語言進行分析觀察，在以散文體爲主要表現形式之中，又有大量的有韻之文。無論是《素問》還是《靈樞》，這一寫作特點都表現得極爲鮮明。掌握《黄帝内經》用韻特點，對於深入研究這部偉大的醫學經典著作，極有意義。

在先秦兩漢的散文著作裏，行文中間很自然地穿插進押韻的句子，是當時的風尚和普遍的寫作風格，不獨《黄帝内經》爲然。顧炎武《日知録》卷二十一《五經中多有用韻》指出：「古人之文化工也，自然而合於音，則雖無韻之文而往往有韻」。比如《易》之《文言》《系辭》《説卦》《序卦》等篇，屬於散文之體，但其中亦有大量押韻之句。《文言》：「坤至柔而動也剛，至静而德方，後得主而有常，含萬物而化光。坤道其順乎，承天而時行。積善之家，必有餘慶；積不善之家，必有餘殃。」上述十句，「剛」「方」「常」「光」「行」「慶」「殃」押韻。古音「慶」音爲qiāng。所以這幾句話的音韻是很和諧的。「慶」屬古韻陽部，到中古轉到耕韻念爲qìng音，而在先秦兩漢時代，它與「剛」「方」等字都屬於古韻陽部字，屬於同韻部字相押。《系辭上》：「鼓之以雷霆，潤之以風雨。日月運行，一寒一暑。乾道成男，坤道成女。」上述六句，「雨」「暑」「女」相押，均屬上古韻部魚韻字。《系辭下》：「易之爲書也不可遠，爲道也屢遷，變動不居，周流六虚。」其中「遠」與「遷」相押，「居」與「虚」相押。

《尚書》是古代文告和政治文獻，這種文體，本不用韻，但在一些篇章中也不乏有韻之句。

《大禹謨》：「帝德廣運，乃聖乃神，乃武乃文。皇天眷命，奄有四海，爲天下君。」其中「神」「文」「君」三字押韻。《伊訓》：「聖謨洋洋，嘉言孔彰，惟上帝不常，作善降之百祥，作不善降之百殃，爾惟德罔小，萬邦惟慶。爾惟不德罔大，墜厥宗」。其中「宗」字古屬冬韻，與陽部字的聲音相近，可以與「洋」「彰」「常」「祥」「殃」「慶」等字合韻相押。

《禮記・樂記下》：

今君之所問者樂也，所好者音也。夫樂者與音相近而不同。文侯曰：敢問何如？子夏對曰：夫古者天地順而四時當，民有德而五穀昌，疾疢不作，而爲妖祥，此之謂大當。然後聖人作，爲父子君臣，以爲紀綱。紀綱既正，天下大定。

子夏的回答，全用韻語。「當」「昌」「祥」「綱」皆屬古韻陽部字。「正」與「定」相押，屬於古韻耕部字。

《爾雅》是一部訓詁專書，這種體裁不宜用韻，可是其中一些條目也使用了韻語。《爾雅・釋天》：「春爲青陽，夏爲朱明，秋爲白藏，冬爲玄英。」又：「春爲發生，夏爲長嬴，秋爲收成，冬爲安寧」，「陽」「明」「藏」「英」屬於古韻陽部字。「生」「嬴」「成」「寧」屬於古韻耕部字。

不但經書中存在大量押韻的句段，而且在秦漢諸子書中也有許多押韻的段落。《荀子・勸學》：

物類之起，必有所始。榮辱之來，必象其德。肉腐出蟲，魚枯生蠹，怠慢忘身，禍災乃作。强自取柱，柔自取束，邪穢在身，怨之所構。

其中「起」「始」「來」「德」屬於之部字與職部字相押，「德」字屬於入聲職部，與屬於之部字的「起」「始」「來」的聲音很接近，因此可以相押。「蠹」「作」屬於古韻鐸部字，「柱」「構」屬於古韻侯部字，與屬於屋韻的「東」字古音很相近，屬於侯部與屋部的平入相押。還是《勸學》這篇文章，下面的一段也是有韻之文：

積土成山，風雨興焉；積水成淵，蛟龍生焉。積善成德，而神明自得，聖心備焉。故不積跬步，無以至千里；不積小流，無以成江海。

由於古今音韻的變化，今天讀起這段文字來，覺得不押韻，若是先秦人讀起來，卻是韻律鏗鏘。「興」與「生」今天讀來屬於押韻字，古代「興」字屬於蒸韻，「生」字屬於耕韻，兩字不能相押。在「積土成山，風雨興焉；積水成淵，蛟龍生焉」中，「山」與「淵」分別屬於古韻元部與真部。在古韻中，真、元兩部的聲音接近，所以「山」與「淵」相押。「德、得、備」屬於古韻職部，三字相押。「裏、海」屬於古韻之部，這兩字相押。而之部韻與職部韻的字，主要元音相同，所以之部韻中的字又可以與職部韻裏的字相押。這樣看來，把「德」「得」「備」

「裏」「海」看成是同一個韻部裏的字，也是可以的。段玉裁的《六書音均表》第一部包括之部和職部，認爲之、職通押，不必細分。可見在《荀子》這篇大論文裏，押韻的文字竟如此之多。

漢人散文著作，有韻之文同樣十分普遍。漢初陸賈的《新語》，乃爲高祖陳述秦之所以亡、漢之所以興的理論著作。《史記·陸賈傳》説：

陸生時時前説稱《詩》《書》。高帝罵之曰：「乃公居馬上而得之，安事《詩》《書》！」陸生曰：「居馬上得之，寧可以馬上治之乎？且湯武逆取而以順守之，文武并用，長久之術也。昔者吴王夫差、智伯極武而亡；秦任刑法不變，卒滅趙氏。向使秦已并天下，行仁義，法先聖，陛下安得而有之？」高帝不懌而有慚色。乃謂陸生曰：「試爲我著秦所以失天下、吾所以得之者何，及古成敗之國。」陸生乃粗述存亡之徵，凡著十二篇。每奏一篇，高帝未嘗不稱善。左右呼萬歲，號其書曰《新語》。

這類論述文章，最宜散文之體。《新語》十二篇，皆爲散文，而其中穿插許多押韻的句子。《道基第一》：

序四時，調陰陽，布氣治性，次置五行。春生夏長，秋收冬藏。陽生雷電，陰成雪霜。養育群生，一茂一亡。潤之以風雨，曝之以日光。温之以節氣，降之以殞霜。位之以衆星，制之以斗衡。苞之以六合，羅之以紀綱。改之以災變，告之以禎祥。動之以生殺，悟之以文章。故在天者可見，在地者可量。在物者可紀，在人者可相。

又如《術事第二》：

立事者不離道德，調弦者不失宫商。天道調四時，人道治五常。周公與堯舜合符瑞，二世與桀紂同禍殃。文王生於東夷，大禹出於西羌。世殊而地絶，法合而度同。故聖賢與道合，愚者與禍同。懷德者應以福，挾惡者報以凶。德薄者位危，去道者身亡。萬世不易法，古今同紀綱。故良馬非獨騏驥，利劍非唯干將。美女非獨西施，忠臣非獨吕望。

這兩段文章，今人讀來，也琅琅上口，韻律和諧。

就是在《史記》當中，司馬遷有時也使用押韻的句子，《扁鵲倉公列傳》：

太史公曰：女無美惡，居宫見妒，士無賢不肖，入朝見疑。故扁鵲以其伎見殃，倉公乃匿跡自隱而當刑。緹縈通尺牘，父得以後寧。

在這段文字中，「惡」與「妒」相押。「惡」在鐸韻，「妒」在魚韻，魚韻的入聲韻就是鐸韻。也就是説，「惡」與「妒」古音很近，所以兩字相押。「肖」在古韻宵部，「疑」在古韻之部，兩字的韻部雖然不同，但在古音系統裏，之、宵兩部卻可以通押，所以「肖」「疑」二字亦可視爲押韻。「殃」在陽韻，「刑」「寧」在耕韻，這兩個韻部在漢代亦可構成合韻。

這些史料説明，在經史諸子散文體之書中，確實存在大量押韻的段落或句子。從先秦到兩漢，都保存著這種寫作體例。也可以説，在散文體的理論著作裏，穿插許多押韻的文句，是一種具有時代特徵的表現方法。

現在，我們把《黄帝内經》放在這個歷史時代來觀察，發現它的文體與經史諸子的表現方法有許多相似之處，這就是在敍述和闡發理論的時候，在長短錯落的散文句子當中，融合進韻律和諧的韻文。這種表現方法，構成了《黄帝内經》文體的一個突出特點。

《四氣調神大論》：「春三月，此謂發陳。天地俱生，萬物以榮，夜卧早起，廣步於庭。被髮緩形，以使志生。生而勿殺，予而勿奪，賞而勿罰」。

其中「生」「榮」「庭」「形」「生」均在古韻耕部，故可相押。「殺」「奪」「罰」均在古韻月部，故可相押。另外，關於「秋三月」和「冬三月」的養生特點，也是用韻文表達的：

秋三月，此謂容平，天氣以急，地氣以明，早卧早起，與雞俱興，使志安寧，以緩秋刑，收斂神氣，使秋氣平，無外其志，使肺氣清。

冬三月，此謂閉藏，水冰地坼，無擾乎陽，早卧晚起，必待日光，使志若伏若匿，若有私意，若已有得。

「秋三月」的一段，系耕韻諸字相押。「冬三月」的一段，中間换了一次韻。「藏」「陽」「光」屬陽部韻，「匿」「意」「得」均在職部韻。

《素問·疏五過論》用韻很多：

聖人之治病也，必知天地陰陽，四時經紀，五藏六府，雌雄表裏，刺灸砭石，毒藥所主，從容人事，以明經道，貴賤貧富，各異品理，問年少長，勇怯之理，審於分部，知病本始，八正九候，診必副矣。治病之道，氣内爲寶，循求其理，求之不得，過在表裏。守數據治，無失俞理，能行此術，終身不殆。不知俞理，五藏菀熟，癰發六府。診病不審，是謂失常，謹守此治，與經相明，《上經》《下經》，《揆度》《陰陽》，《奇恒》《五中》，决以明堂，審於終始，可以横行。

文中「紀」「理」「事」「理」「始」「副」「理」「治」「殆」都是古韻之部字；「常」「明」「陽」「堂」「行」是古韻陽部字。這是一段很典型的有韻文字。

《靈樞》的用韻也很普遍。如《終始》：

瀉者迎之，補者隨之，知迎知隨，氣可令和。和氣之方，必通陰陽，五藏爲陰，六府爲陽。傳之後世，以血爲盟，敬之者昌，慢之者亡，無道行私，必得天殃。

「隨」「和」屬歌部字相押，「陽」「盟」「亡」「殃」屬於陽部字相押。

凡刺之理，經脉爲始，營其所行，知其度量，内次五藏，外别六府，願盡聞其道。黄帝曰：「人始生，先成精，精成而腦髓生，骨爲幹，脉爲營，筋爲剛，肉爲牆，皮膚堅而毛髮長，穀入於胃，脉道以通，血氣乃行。」

此段文字見《靈樞·經脉》。「理」與「始」爲之部字相押。「行」（hánɡ）與「量」爲陽部字相押。「生」「精」「生」「營」屬耕部字相押，「剛」「牆」「長」「行」屬陽部字相押。

綜上所述，《黄帝内經》的寫作風格和特點，與秦漢的散文著作是一致的，在散文之中有許多韻文。韻文的字數，可長可短，有時一韻到底，有時换韻，有時還出現韻部交錯相押的現象。因此，研究《靈樞》《素問》的用韻特點，具有廣泛的用途和重要的意義。

宋、明學者對《黄帝内經》的語言特點風格已很注意。宋程顥説：「觀《素問》文字氣象，只是戰國時人作，謂之三墳書則非也。」（《二程全書》）。明顧從德重雕《素問·序》：「今世所傳《内經·素問》，即黄帝之脉書，廣衍于秦越人、陽慶、淳于意諸長老，其文遂似漢人語，而旨意所從來遠矣。」這些學者只是從總體上很簡要地説明了《素問》的語言特點，當然也把《素問》多韻文的特點包括在内，但是他們還没有專就《素問》的音韻進行分析探討。

對《黄帝内經》的音韻予以充分注意，并以明確的語句加以説明的是馮舒。馮舒，明末人。他在《詩紀匡謬》中説：「《素問》一書，通篇有韻。」《素問》八十一篇，其中兩篇有目無文，現存七十九篇。這七十九篇中，有的篇没有押韻之句，如《宣明五氣》《刺齊論》等，但大多數篇章，都可找出押韻的句子或段落。因此，馮舒説「素問通篇有韻」，是符合實際情況的。

對《黄帝内經》的音韻進行比較全面、系統研究的，當推清代學者顧炎武、王念孫、江有誥、朱駿聲。

清代的學術，以文字音韻訓詁考據之學爲極盛，顧炎武是清代學術的開山者。他在明代學者陳第《毛詩古音考》《讀詩拙言》《屈宋古音義》開拓的道路上，繼續前進，擴大研究領域，涉獵更多書籍，爲清代古音之學奠定了基礎。顧炎武在音韻學上最重要的著作是《音學五書》。他在《答李子德書》中説，古人的聲音不能保存下來，古人的韻書也亡佚許多，後人不能通曉古代的音韻，讀古書就發生了困難，甚至出現按今音改古書的事：「三代六經之音，失其傳也久矣。其文之存於世者，多後人所不能通，以其不能通，而執以今世之音改之，於是乎有改經之病。」他慨歎道：「嗟夫！學者讀聖人之經與古人之作，而不能通其音，不知今人之音不同乎古也，而改古人之文以就之，可不謂之大惑乎？」他得出的結論是：「故愚以爲讀九經自考文始，考文自知音始，以至諸子百家之説，亦莫不然。」這就是説，要想讀懂古代文獻，不出現妄改妄注的毛病，就必須通曉古音。

顧炎武把古音分爲十個韻部。以今天的學術發展水準來衡量，顧氏古韻十部，當然還不夠精密。有的屬於分部不精密，有的屬於字的歸屬不妥當。顧氏以後，江永、戴震、段玉裁、王念孫、孔廣森、江有誥諸古音學家繼續研究，使古音的面貌越來越清楚，中間經過一百八九十年，古韻的分部才漸趨精密。創始者之艱難，於此可見一斑。

顧氏的古韻分部雖然有不精密處，但他在《黄帝内經》音韻的研究，材料的搜集與整理上，卻給我們提供了許多方便，并且指示了研究《黄帝内經》音韻的方法。

顧氏研究《黄帝内經》音韻的方法是，系統地分析《黄帝内經》用韻現象，并把入韻字放在有關字之下。例如他在《唐韻正》「爲」字下説，今音薳支切（wéi），「古音訛」（é）。這是一個總的結論。然後匯集先秦兩漢有關材料，對這個結論加以證明。他首舉《詩・相鼠》爲例：「《詩・相鼠》首章：『相鼠有皮，人而無儀，人而無儀，不死何爲。』」古音「皮」蒲何切，「儀」古音近「俄」，所以「爲」字的古音當讀「訛」。在「爲」字下，顧炎武又舉了《素問》的例子：「《素問・生氣通天論》：『故病久則轉化，上下不并，良醫弗爲。』」（按古音「化」「與」爲相押）又比如「邪」字，顧氏説，在口語裏「邪」有「以遮切、似嗟」兩個讀音，而上古時代的讀音與今音不同。他説：「韻中有二音，以遮切者古音餘，似嗟切者古音徐。」在大量的舉例當中，有《靈樞》中的兩例。「《靈樞經・邪客》篇：『補其不足，寫其有餘，調其虚實，以通其道，而去其邪。』《官能》篇：『審於虚實，無犯其邪，是得天之露，遇歲之虚。』」當然，顧氏舉《黄帝内經》用韻之例，目的是研究古代韻部，爲他的古音研究服務的。但是在他使用《黄帝内經》古韻材料的同時，也就把《黄帝内經》中典型的押韻句子做了歸納與分析。

以上使用的這種方法是歸納法。顧氏在研究《黄帝内經》音韻時，還注意到《黄帝内經》音韻的時代特點，以及《黄帝内經》音韻在音韻學發展史上的重要意義。我們認爲，這一個研究重點和方法，對《黄帝内經》的研究來講，是十分重要的，是極有啟發的。因爲它啟示我們，《黄帝内經》的音韻特點，對於考察該書的成書年代，是有重要參考價值的。比如「隨」字，今音旬爲切（suí），他認爲古音讀徒禾反（duó，「反」即「切」）。他舉《素問》《靈樞》爲例：「《素問・五常政大論》：『陽和布化，陰氣乃隨。』《靈樞・九鍼十二原》：『迎之隨之，以意和之。』《終始》篇：『知迎知隨，氣可令和。』《脹論》篇：『陰陽相隨，乃得天和，五藏更始，四時循序，五穀乃化。』」上面這幾例，用來證明「隨」字在秦漢時代的讀音應該是「徒禾反」。然後，他根據「隨」字又與「朗」押韻提出一個重要論點：「按『隨』字自《素問・天元紀大論》『知迎知隨，氣可與期』始入之韻。按古韻之部字與歌部字，在先秦時代是不能相押的，就是在漢代，雖然語言發生了較大變化，歌部字通常也只是與魚部字相押，而不大與之部字相押。

段玉裁在《六書音均表》中說：

古韻第十七部（按，即歌部），古獨用無異辭。漢以後多以魚虞之字韻入于歌戈。鄭氏以魚、虞、歌、麻合爲一部，乃漢魏晉之韻，非三百篇之韻也。

現在再來觀察「知迎知隨，氣可與期」這句押韻句，這兩句無疑是押韻的，而且也沒有錯簡和訛字，我們只能承認這兩句話的客觀真實性。「知迎知隨，氣可與期」既然押韻，而又與先秦押韻規律不符，與漢代歌部字一般不與之部字相押的普遍規律不符，那麽，我們從中只能得出這樣的看法：「隨」與「期」相押的現象不存在於先秦時期，在漢代也不普遍，而是一個較爲特殊的押韻現象。儘管歌部與之部押韻的字不多，但是這個例子足以使我們窺見，《天元紀大論》斷然非先秦時代的作品，它應屬於漢人之作。

下面再舉「明」字爲例。「明」（míng）字，顧炎武認爲「古音謨郎反」（miáng），他列舉大量例子加以論證，證據確鑿。其中《素問》的《生氣通天論》《陰陽應象大論》《六節藏象論》《著至教論》《示從容論》《疏五過論》《方盛衰論》，《靈樞經》的《終始》《外揣》《陰陽二十五人》《大惑論》，這些篇章中的「明」字都讀如「謨郎反」。我們在這裏還可以補充一段文字作爲例證，證明顧氏的考證是完全正確的。一九七三年底馬王堆三號漢墓發掘出土的《養生方》説：

王期見秦昭王問道焉。曰：寡人聞客食陰以爲動强，翕氣以爲精明，寡人何處而壽可長？王期答曰：必朝日月，而翕其精光，食松柏，飲走獸泉英，可以卻老復莊，寧澤有光。夏三月去火，以日炊亨，則神慧而聰明。按明陽之道，以静爲强，平心如水，靈路内藏，款以玉筴，心勿怵蕩，五音進合，孰短孰長。

試朗讀這段文字，「明」字只有念miáng 才聲調和諧鏗鏘。這就證明，古音「明」確實應如顧氏所説讀爲「謨郎反」(miáng)。但是,在顧氏通盤研究《黄帝内經》音韻的時候,他發現一個值得注意的例子,就是《素問·四氣調神大論》中的「明」,與「平」「興」「寧」「清」等押韻,顯然已讀成míng了。顧氏説:

按「明」字自《素問·四氣調神大論》「秋三月,此謂容平,天氣以急,地氣以明,早卧早起,與雞俱興,使志安寧,以緩秋刑,收斂神氣,使秋氣平,無外其志,使肺氣清」,始雜入「平」「清」等字爲韻。

按「明」字屬古韻陽部,「平」「寧」「刑」「清」諸字屬古韻耕部,在先秦時代,陽部字可以與東部字構成合韻,耕部字可以與真部字相押,正如段玉裁所説:「第十一部(耕)與第十二部(真)合用最近」,而陽部字不與耕部字相押。到了漢代,陽部字的「明」才轉入耕部字中。段玉裁把「明」字用韻的情況做了一番統計:

明字在此部(按陽部,段氏又稱第十部)。《詩》雞鳴、東方未明,《小雅》黄鳥、大東、楚茨、信南山、甫田、大明、既醉、民勞、板、蕩、蒸民、執敬、敬之、有駜十六見,《書》一見,《易》十五見。今入庚。

《詩》《書》《易》「明」字共出現三十二次,皆屬陽韻,讀音如miáng,後來才轉入庚韻。

是何代開始發生變化的呢？ 無疑是在漢代，《四氣調神大論》就是最好的例證。我們認爲，顧氏在研究《黄帝内經》音韻的時候，就注意到了《黄帝内經》音韻的時代特徵。這也是一個重要方法。在漢代，「明」字轉入耕庚韻，可以找到許多證據。顧氏又指出：

班婕妤《自悼賦》「蒙聖皇之渥惠兮，當日月之聖明」，與「靈」「庭」「成」爲韻，《漢書敘傳》「龔行天罰，赫赫明明」，與「經」「平」爲韻。

清代音韻學家江有誥（一七七三—一八五一年）著《音學十書》，《先秦韻讀》收有《素問韻讀》《靈樞韻讀》，每書各解析二十余篇古韻狀況，還有一些據韻校勘之處，研究《黄帝内經》古韻者，宜詳讀之。

朱駿聲（一七八八—一八五八）在《説文通訓定聲》中對《靈樞》《素問》的押韻字做了較爲充分的分析。根據該書的體例，朱氏没有引證《黄帝内經》原文，只是把互相押韻的韻脚字收入有關字的「古韻」項下。如《説文通訓定聲》屯部「雲」字「古韻」一項下説：「《素問·八正神明論》叶神、聞、先、言、昏、雲、原、論、存。」現在，我們把《素問·八正神明論》中的一段原文引在下面：

岐伯曰：請言神，神乎神，耳不聞，目明心開而志先，慧然獨悟，口弗能言，俱視獨見，適若昏，昭然獨明，若風吹雲，故曰神。三部九候爲之原，九鍼之論不必存也。

又比如《説文通訓定聲》坤部「顛」字「古韻」項下説：「《素問・寶命全形論》叶真、神、存、聞、先、人。」現把有關原文引在下面：

岐伯曰：凡刺之真，必先治神，五藏已定，九候已備，後乃存鍼，衆脉不見，衆凶弗聞，外内相得，無以形先，可玩往來，乃施於人。

原文「後乃存鍼」一句有倒字。「鍼」字在古音裏不能與「真」「神」押韻，由於後人誤抄而致誤，原句當作「後乃鍼存」。

在清代，對《黄帝内經》音韻研究下過很深功夫的還有王念孫（一七四四—一八三二）。王念孫有一部分手稿尚未刊行，保藏在北京大學圖書館裏。其中與音韻學有關的手稿有《韻譜》七種共十八册，《合韻譜》九種共二十五册。《合韻譜》收録《易林》《新語》《素問》用韻情况，共四册，皆以紙捻穿訂，尚未用線裝成。從王念孫把《素問》與《易林》《新語》放在一起來看，王念孫把《素問》當作漢代著作，這是他與顧炎武、朱駿聲、江有誥的不同處。

王念孫關於《素問》合韻的研究資料，不但在音韻學方面具有重要意義，而且對研究《素問》也具有重要意義。首先，他不同于前代顧炎武和同代學者江有誥、朱駿聲，顧、江、朱幾乎是逐篇逐句分析《黄帝内經》韻脚字，從而考察和研究他們古韻的分部是否確當，而王念孫則研究《素問》中的合韻。知其分才能知其合。他要從調查材料入手，觀察哪些韻能夠合韻，哪些韻不能合韻；合韻現象的出現，與語音的時代變化有哪些關係等，這些問題的研究，是王念孫開拓的新領域。其次，我們從這張《素問合韻譜》中，可以窺見《素問》用韻的時代特徵。比如説，有些字在先秦時代不能合韻，而在漢代卻可以合韻，那麽，這份合韻譜對於我們研究《素問》成書的年代，無疑是一份極其有用的帶有工具書性質的寶貴材料。

現把王念孫這份極珍貴而罕見的《素問合韻譜》鈔録在下面。每行前面的序號爲今所加，以便稱説。每行後面的數字爲原譜所有，王氏用來標其出處，如序號第二十五「一之十四」，指《素問》第一卷第十四頁。王氏所用之《素問》系明顧從德影宋翻刻本，今考涵芬樓本之頁數與王氏所説之卷數頁碼亦相符。爲方便學者查閲對照，今參照涵芬樓本、人民衛生出版社《素問》横排本，在王念孫所標「出處」之後，標出《素問》横排本之頁數，如序號第二「出處」欄王氏「十七之四」，後標以三三九，指人民衛生出版社《素問》横排本第三百三十九頁。

此《素問合韻譜》是清儒研究《素問》音韻，并通過研究合韻以探討漢代音韻特點的最具有權威性的韻譜。

爲了對這個韻譜有更深刻的了解，并從中受到啟發，掌握研究《黄帝内經》音韻的方法，有必要對王念孫在本譜中所使用的韻目和他所劃分的韻部做一些必要的解釋。

王念孫有《詩經群經楚辭韻譜》，收在羅振玉所輯的《高郵王氏遺書》中。他的《韻譜》

與《合韻譜》未刊行。在乾嘉學者中，王念孫對音韻學極爲熟悉，能夠純熟地運用音韻學知識研究古書的訓詁，但是他没有把自己在古音學方面的專著公開刊印發表，也没有寫定之本。他論述音韻的文章，公開刊行的有《與李方伯書》，收在其子王引之《經義述聞》卷三十一裏。在《與李方伯書》裏，他把古韻分爲二十一部，晚年寫《合韻譜》時，又增了一個冬部，共爲二十二部。二十世紀三十年代，先師陸宗達先生對王念孫未刊行的《韻譜》和《合韻譜》進行整理考證，寫成《王石臞先生韻譜合韻譜稿後記》，載於一九三二年北京大學《國學季刊》第三卷第一號。陸先生根據《與李方伯書》和王念孫晚年改定的《合韻譜》，輯録王念孫古韻二十二部，如下：

第一部　東
第二部　冬
第三部　蒸
第四部　侵
第五部　談
第六部　陽
第七部　耕
第八部　真
第九部　諄

第十部　元

第十一部　歌

第十二部　支　紙　忮　錫

第十三部　　　　至　質

第十四部　脂　旨　（鞊）　術

第十五部　　　　祭　月

第十六部　　　　　　合

第十七部　　　　　　緝

第十八部　之　止　志　職

第十九部　魚　語　御　鐸

第廿部　侯　厚　候　屋

第廿一部　幽　有　黝　毒

第廿二部　蕭　小　笑　藥

王念孫分析《素問》合韻，所依據的就是這個韻表。

王氏這個合韻譜，對我們探討《黃帝内經》的語言特點，考證其成書時代，意義重大。

除上述四家外，清代一些學者及日本丹波元簡、丹波元堅、森立之等人，則是運用古音知識解釋《黃帝内經》中的字義，或是運用古音知識進行校勘。其中胡澍、顧尚之、俞曲園、孫詒讓等人，運用古音知識以闡釋《黄帝内經》疑難，均取得了較大成績。

（二）從音韻上考察《黄帝内經》的成書時代

研究《黄帝内經》音韻，可以從不同的角度進行。如顧炎武、朱駿聲、江有誥，爲了研究上古韻部的劃分，才著手研究《黄帝内經》音韻。王念孫則另闢蹊徑，專從合韻著眼，推想他的目的，大約在於分析漢代用韻的特點，進而考證兩漢用韻與先秦用韻的不同。今天，我們研究《黄帝内經》的音韻，不是要重新劃分古代的韻部，因爲劃分古代韻部的工作已經有了可以信賴的結論，不需要花費力量重復這項工作。今天研究《黄帝内經》音韻的目的，主要有以下兩方面：第一，從音韻上考察其成書時代；第二，利用音韻進行校勘。

關於《黄帝内經》的成書時代，一直是一個聚訟不已的問題。歸納起來，主要有下述四種意見：㈠成書于黄帝時代；㈡成書于戰國；㈢成書于秦漢之際；㈣結撰於漢代，主要是西漢，「七篇大论」成于東漢。

《黄帝内經》雖然以「黄帝問曰」「岐伯答曰」的形式闡述醫學理論，但是，它并不成于黄帝之手，也不可能成書于軒轅黄帝那個時代。前人囿于「黄帝曰」三字而認其爲黄帝所作，是不可信的。林億《鍼灸甲乙經・序》：「或曰：『《素問》《鍼經》《明堂》三部之書，非黄帝之書，似出於戰國。』」對於這種意見，林億提出反駁，指出：「人生天地之間，八尺之軀，藏之堅脆，府之大小，穀之多少，脉之長短，血之清濁，十二經之血氣大數，皮膚包絡其外，可剖而視之乎？非大聖上智，孰能知之？戰國之人何與焉？大哉，《黄帝内經》十八卷，《鍼經》三卷，最出遠古。」林億在《重廣補注黄帝内經素問·序》中也説：「黄帝『乃與岐伯上窮天紀，下極地理，遠取諸物，近取諸身，更相問難，垂法以福萬世。於是雷公之倫，授業傳之，而《黄帝内經》作矣。』」林億等關於《黄帝内經》出自黄帝之説，是不可信的。

宋代以來，有些學者認爲《黄帝内經》成于戰國時代。邵雍《皇極經世書》説：「《素問》《陰符》，七國時書也。」程顥《二程全書》：「觀《素問》文字氣象，只是戰國時人作，謂之三墳書則非也。」朱熹《古史餘論》説，《素問》乃「戰國之時，方術之士，遂筆之於書，以相傳授」。明初宋濂《宋學士全集》説：「《黄帝内經》雖疑先秦之士依仿而託之，其言深，其旨邃以弘，其考辨信而有徵，是當爲醫家之宗。」清魏荔彤《傷寒論本義·序》説：「軒岐之書，類春秋戰國人所爲，而託於上古」。

有些學者，則認爲其成于秦漢之際，或《黄帝内經》書中兼有先秦兩漢之作。竇蘋《酒譜》：「《黄帝内經》十八卷，言天地生育，人之壽夭係焉，信三墳之書也。然考其文章，知卒成是書者，六國秦漢之際也。」明方孝孺《遜志齋集》：「世之僞書衆矣，如《黄帝内經》稱黄帝，《汲冢書》稱周，皆出於戰國秦漢之人。」明顧從德重雕《素問·序》説「《黄帝内經》『廣衍于秦越人、陽慶、淳于意諸長老，其文遂似漢人語。』」《四庫全書簡明目録》：「《黄帝素問》，原本殘闕，王冰采《陰陽大論》以補之。其書云出於上古，固未必然。然亦必周秦間人，傳述舊聞，著之竹帛，故貫通三才，包括萬變。」姚際恒《古今僞書考》指出：「此書有失侯失王之語，秦滅六國，漢諸侯王國除，始有失侯王者。予按其中言黔首，又《藏氣法時論》曰夜半、曰平旦、曰日出、曰日中、曰日昳、曰下晡，不言十二支，當是秦人作。又有言歲甲子、言寅時，則又漢後人所作。故其中所言，有近古之分，未可一概論也。」

元明之際醫學家呂復認爲《黄帝内經》主要成于漢人之手。他在《九靈山房集・滄州翁傳》中指出：「《内經・素問》，世稱黄帝岐伯問答之書，乃觀其旨意，殆非一時之言。其所撰述，亦非一人之手。劉向指爲韓諸公子所著，程子謂出於戰國之末。而其大略，正如《禮記》之萃於漢儒，而與孔子、子思之言并傳也。」清儒郎英《七修類稿》以爲《素問》成于西漢淮南王劉安及其門客。他指出：「至於篇首曰上古、中古，而曰今世，則黄帝時果末世邪？又曰：以酒爲漿，以妄爲常，則儀狄是生其前，而彼時人已皆僞邪？《精微論》中羅裹雄黄，《禁服篇》中歃血而受，則羅與歃血，豈當時事耶？故予以爲岐黄問答，而淮南王成之耳。」

日本醫學家兼訓詁考據學家丹波元簡説：「是書實醫經之最古者，往聖之遺言存焉。晉皇甫謐以來，歷代醫家，斷爲岐黄所作，此殊不然也。醫之言陰陽尚矣。《莊子》謂疾爲陰陽之患，《左傳・醫和論六氣》曰：『陰淫寒疾，陽淫熱疾。』班固云：『醫經者，原人血脉經絡骨髓，陰陽表裏，以起百病之本，死生之分，可以見也。』而漢之時，凡説陰陽者，必系於黄帝。』《淮南子》曰：『黄帝生陰陽。』又云：『世俗之人，多尊古而賤今，故爲道者，必託之于神農、黄帝，而後能入説。』高誘注云：『説，言也。言爲二聖所作，乃能入其説於人，人乃用之。』劉向云：『言陰陽五行，以爲黄帝之道。』《漢志》陰陽醫卜之書，冠黄帝二字者，凡十有餘家，此其證也。是書設爲黄帝岐伯之問答者，亦漢人所撰著無疑。方今醫家，或牽合衍贅，以爲三墳之一，或者詆毁排斥，以爲贋僞之書者，俱爲失矣。」

以上四説，從目前醫家的認識和心態分析，相信第一種意見——《黄帝内經》成于黄帝，殆已無幾。相信第四種意見——《黄帝内經》成於漢代，尚不如相信第二種和第三種意見者居多，但第四種意見往往證據確鑿，因此很值得重視。

從上面簡單的歷史回顧中足以看到，關於《黄帝内經》成書的確切時代，大多是疑以傳疑，模棱兩可，缺乏確切考證，因而，這個問題實際上還没有從理論上得到説明，没有得到解决。

《黄帝内經》的成書，即通過書面語言把中醫學的理論記録下來，使之成爲書卷，這個「成書」的概念，必須與醫學理論的形成與流傳區别開來。從《史記·扁鵲倉公列傳》中可以看出，在戰國末年和秦代，中醫的理論已經形成，并通過口傳和師徒授受傳遞下來。但是，這種情况與「成書」——形成書面語言，畢竟是兩回事。前人往往把這兩件事混爲一談，給考證《黄帝内經》形成書面語言的時代，造成混亂。如明顧從德説：「今世所傳《内經·素問》，即黄帝之脉書，廣衍于秦越人、陽慶、淳于意諸長老，其文遂似漢人語，而旨意所從來遠矣。」清黄省曾《五嶽山人集·内經注辨序》也把二者牽混在一起：「農黄以來，其法已久，考其嗣流，則周之矯之俞之盧，秦之和之緩之竘，宋之文摯、鄭之扁鵲，漢之樓護、陽慶、倉公，皆以黄帝之書，相爲祖述。其倉公診切之驗，獨幸詳于太史，而候名脉理，往往契符於《素問》。以是知《素問》之書，其文不必盡古，而其法則出於古也。」

我們暫且拋開醫學理論、診候脉象等不談，僅從語言中的一個方面——音韻來考察一下《黄帝内經》的特點，即從《黄帝内經》的音韻本身出發，運用音韻學已有的、得到公認的結論，對《黄帝内經》的音韻特點做出説明，從而確定《黄帝内經》成書的時代。

説到這裏，應該補充一點，以免給人們造成一種誤解，似乎音韻是萬能的、唯一的，只有它才能驗證和鑒别《黄帝内經》成書的時代。事實并非這樣。其實，考證《黄帝内經》的成書時代，可以從多層次、多角度進行，例如筆者曾從訓詁（見《内經語言研究》《黄帝内經太素研究》）、曆法（見《北京中醫學院學報》之《内經漢曆考》）等方面探討過《黄帝内經》成書時代。現在，從古音學方面探討《黄帝内經》的著作時代，只是綜合考證中的一個組成部分，它將對從其他角度進行的考證予以啟發、證明。

下面，讓我們考察一下《黄帝内經》的音韻特點。

當我們深入考察《黄帝内經》音韻的時候，發現一個很重要的問題：《黄帝内經》某些韻部的分合及合韻，與《詩經》這部著作裏的音韻特徵有不少區别。比如，在《詩經》裏，魚部和侯部是有明顯區别的，魚部字與魚部字相押，侯部字與侯部字相押，兩部合用的現象很少。以《詩經·國風》爲例，其中侯部字相押者共有以下幾例：

1 翹翹錯薪，言刈其蔞（侯）。之子於歸，言秣其駒（侯）。（《漢廣》）

2 毋逝我梁，毋發我笱（侯）。我躬不閲，遑恤我後（侯）。（《穀風》）

3 静女其姝（侯），俟我於城隅（侯）。愛而不見，搔首踟躕（侯）。（《静女》）

4 載馳載驅（侯），歸唁衛侯（侯）。（《載馳》）

5 伯也執殳（侯），爲王前驅（侯）。（《伯兮》）

6 羔裘如濡（侯），洵直且侯（侯）。彼其之子，捨命不渝（侯）。（《羔裘》）

7 山有樞（侯），隰有榆（侯）。子有衣裳，弗曳弗婁（侯）。子有車馬，弗馳弗驅（侯）。宛其死矣，他人是愉（侯）。（《山有樞》）

8 綢繆束芻（侯），三星在隅（侯）。今夕何夕？見此邂逅（侯）。子兮子兮！如此邂逅（侯）何！（《綢繆》）

9 維鵜在梁，不濡其咮（侯）。彼其之子，不遂其媾（侯）。（《候人》）

侯部字與侯部字相押，在《國風》中共有九例；至於魚部字與魚部字相押，例子極多，如《周南·桃夭》：「桃之夭夭，灼灼其華（魚），之子於歸，宜其室家（魚）。」《召南·何彼襛矣》：「何彼襛矣，唐棣之華（魚），曷不肅雝，王姬之車（魚）。」魚部字互相押韻，《詩經》中太多了，其例不能備舉，略引以上二詩以見例。從上面的引證中會自然得出這樣的結論：在先秦時代，魚部和侯部是有嚴格區别的，因爲它們的主要母音不同。王力先生《詩經韻讀》把魚部的主要母音擬構爲ɑ，侯部的主要母音擬構爲o，值得參考。

還有一個現象可以作爲判斷魚侯不同的標準，就是魚部字與鐸部字合韻，稱爲魚鐸合韻；侯部字與屋部字合韻，稱爲侯屋合韻。在《詩經》中，没有魚屋合韻或侯鐸合韻的例子。從這裏也可以看出，在先秦時代，魚部和侯部的讀音是有較大區别的。例如：《召南·鵲巢》：「維鵲有巢，維鳩居（魚）之。之子於歸，百兩御（魚）之。」《小雅·黍苗》：「我徒我御（鐸），我師我旅（魚）。我行既集，蓋云歸處（魚）？」可見魚部字與鐸部字可以相押。同樣，侯部字可以與屋部字相押，而决不與鐸部字相押。例如《小雅·角弓》：「此令兄弟，綽綽有裕（魚），不令弟弟，交相爲愈（魚）。」《角弓》第六章：「毋教猱升木（屋），如塗塗附（侯）。君子有徽猷，小人與屬（屋）。」

我們舉出以上諸例，説明一點：在先秦時代，魚部與侯部界限森森，不相混淆。而到了漢代，這兩部字的讀音十分接近，在漢代有的作家的詩文中，魚部字與侯部字可以合用，幾乎没有區别，因此，有的音韻學家指出，在西漢和東漢，魚侯已經合爲一部。對於這個意見，有的音韻學家雖有一些保留，但是也不能不承認，在漢代，魚侯兩部的區别已經不大了。段玉裁《六書音均表》指出，魚部和侯部，「《詩經》及周秦文字，分用畫然」。又説：「漢人以第四部（侯）第五部（魚）合用者，如《天于何所》之歌，以『口』『後』『斗』與『所』『雨』『黍』韻；《日出東南隅》之曲，以『隅』『樓』『鉤』『襦』『頭』『愚』『躕』『姝』『趨』『須』『駒』與『敷』『鋤』『餘』『夫』『居』韻。」音韻學家把魚侯兩部是否合用，當作區分先秦音與兩漢音的一個重要標誌。羅常培、周祖謨兩位先生合著的《漢魏晉南北朝韻部演變研究》一書指出：「有些古書或文學作品的時代不十分明確的，也可以根據這個韻部表加以確定。因爲一個時代的作品，自有它一定的思想、風格、辭彙和音韻，作者儘管託古或擬古，在語音上總會有些漏洞的，所以根據語音史來辨別真僞，也是一個辨法。」根據我們對《黄帝内經》全書——包括《素問》《靈樞》兩部書的音韻進行分析觀察，確實看到了魚侯兩部已無甚區別的現象。這種情形，不可能出現在先秦，它只能是漢代的語音特點的體現。

羅常培、周祖謨在合著的《漢魏晉南北朝韻部演變研究》一書中，对漢代音韻的特點做了如下概括：

根據我們整理兩漢詩文韻字的結果，兩漢音和周秦音頗有不同。主要的不同有兩方面：㈠韻部的分合不同；㈡同部之内的字類有變動。

韻部分合的不同，在西漢時期，最顯著的特點是魚侯合爲一部；脂微合爲一部；真文合爲一部；質術（物）合爲一部。其次是歌與支、幽與宵通押較多，但是彼此之間仍然保存分立的形勢。其餘各部大都和周秦音的類别相同。這樣陰陽入三聲共有二十七部。至於字類上的變動，在詩文用韻裏，表現得較清楚的是之部尤韻一類的「牛」「丘」「久」等字，和脂韻一類的「龜」類，開始轉入幽部。另外，魚部的麻韻字如「家」「華」之類，有轉入歌部的趨勢，蒸部的「雄」字，有轉入冬部的趨勢，都漸漸和周秦音不同。

到了東漢時期，韻部的部數和西漢相同。但是魚部麻韻一系的字（家、華）轉入歌部，歌部支韻一系的字（奇、爲）轉入支部，蒸部的東韻字（雄、弓）轉入冬部，陽部庚韻一系的字（京、明）轉入耕部，這都是很大的變動。

下面從四個方面——魚與侯、脂與微、質與物、文與真的用韻情況對《黄帝内經》古音進行考察。爲了便於閱讀，本書把有關例句引證出來。

甲　魚與侯

先秦魚部和侯部分爲兩部，古音學家對這個問題的認識有一個過程。顧炎武把魚部和侯部看成一個韻部，説這個韻部包括《廣韻》裏的魚、虞、模、侯及麻部的一部分字（見《音學五書·古音表》），當然這是不對的。他的學生江永著《古韻標準》，把侯部從魚部中獨立出來，可惜的是，江永又把侯部歸到幽部裏去了，他説：「侯字自當別出一韻，次於尤幽之間。」江永在把魚侯分爲兩部時，考證得不夠精密。他説，虞韻中凡從吴、從無、從巫、從于、從瞿、從夫、從臾、從夸的字都應歸到魚部裏去，這個工作做對了。但是他又説，凡禺、儒、需、須、朱、誅、俞、臾、廚、拘等字都歸到幽部裏去，這一點卻考之未精，做得不對了。後來，段玉裁在《六書音均表》裏，才正式把魚部和侯部分開，侯部既不歸魚，也不歸幽，它是獨立的一個韻部。段氏指出：「顧氏誤合侯於魚爲一部，江氏又誤合侯于尤爲一部，皆考之未精。顧氏合侯於魚，其所引據，皆漢後轉音，非古本音也。侯古音近尤，而别于尤。」後來的音韻學家都認爲段氏的分析是正確的。

古音魚部包括《廣韻》裏魚語御三韻全部字，模姥暮三韻全部字，虞麌遇三韻一部分字，麻馬禡三韻中一部分字。根據段玉裁《六書音均表》的諧聲表，凡屬於下列諸字或以下列諸字爲形聲字聲符者，都屬於古音魚部。這些字有：

魚 余 與 旅 者 古 車 足 巨 且 去 於 虍 父 瓜 乎 壺 無
圖 土 女 烏 叚 家 巴 牙 五 圉 寧 卸 鼠 黍 雨 午 户 吕 鼓
股 馬 下 寡 夏 吴 武 羽 禹 兔 素 亞 眔 翟 步 互 蠱 甫 毋
鹵 度 予

古音侯部包括《廣韻》裏侯厚候三韻全部字，及虞麌遇三韻一部分字，如愚、禺、隅、芻、株、濡、榆、趨、駒、主、愈、數、樹、附等。根據段氏《六書音均表》的諧聲表（段氏侯部有入聲，這裏把侯部的入聲去掉），凡是下列諸字，或以下列諸字爲形聲字聲符者，都屬於古音侯部。這些字有：

侯 區 句 婁 禺 芻 需 俞 殳 朱 取 豆 口 後 後 厚 斗 主
臾 侮 奏 冓 屬 具 付 尌

下面把《靈樞》《素問》中魚部字與魚部字相押、侯部字與侯部字相押、魚侯合韻的全部例子都列舉出來，然後加以分析。我們不采取只收韻脚字的寫作方式，這樣寫雖然可以節省篇幅，但是不便於讀者閱讀。顧炎武寫《唐韻正》就采用了引用完整例句的方法。

（甲）魚部字與魚部字相押

1 宛陳則除（魚）之，邪勝則虚（魚）之。（《九鍼十二原》）

2 言實與虚（魚），若有若無（魚）。（《九鍼十二原》）

3 無實實，無虚虚（魚），損不足而益有餘（魚）。（《九鍼十二原》）

4 右主推之，左持而御（魚）之，氣至而去（魚）之。（《九鍼十二原》）

5 五藏之所溜處（魚），闊數之度（魚）。（《本輸》）

6 若有所大怒（魚），氣上而不下（魚）。（《邪氣藏府病形》）

7 故補則實，瀉則虚（魚），痛雖不隨鍼減，病必衰去（魚）。（《終始》）

8 刺太陰以予（魚）之，取厥陰以下（魚）之，取巨虚下廉以去（魚）之。（《四時氣》）

9 治癲疾者，常與之居（魚），察其所當取之處（魚）。（《癲狂》）

10 男子如蠱（魚），女子如阻（魚）。（《熱病》）

11 周痹者，在於血脉之中，隨脉以上，隨脉以下（魚），不能左右，各當其所（魚）。（《周痹》）

12 此陰氣勝而陽氣虚（魚），陰氣疾而陽氣徐（魚）。（《口問》）

13 寒氣客於皮膚（魚），陰氣盛，陽氣虚（魚）。（《口問》）

14 開之以其所苦（魚），雖有無道之人，惡有不聽者乎（魚）？（《師傳》）

15 胃滿則腸虛（魚），腸滿則胃虛（魚），更虛更滿，故氣得上下（魚），五藏安定，血脈和利，精神乃居（魚）。（《平人絶穀》）

16 夫心系急肺不能常舉（魚），乍上乍下（魚）。（《五癃津液别》）

17 府藏之在中也，各以次舍（魚），左右上下（魚），各如其度（魚）也。（《五閲五使》）

18 血脈者，盛堅横以赤，上下無常處（魚），小者如鍼，大者如筋（魚）。（《血絡論》）

19 正邪從外襲内，而未有定舍（魚），反淫於藏，不得定處（魚）。（《淫邪發夢》）

20 肝氣盛則夢怒（魚），肺氣盛則夢恐懼（魚）。（《淫邪發夢》）

21 夫百病之所始生者，必起於燥濕寒暑風雨（魚），陰陽喜怒（魚），飲食居處（魚）。（《順氣一日分爲四時》）

22 髑骬小短舉（魚）者心下（魚）。（《本藏》）

23 視色上下（魚），以知病處（魚）。（《五色》）

24 屬意勿去（魚），乃知新故（魚）。（《五色》）

25 知候虛實之所在者，能得病之高下（魚）；知六府之氣街者，能知解結契紹於門户（魚）。（《衛氣》）

26 後以鹹苦（魚），化穀乃下矣（魚）。（《上膈》）

27 審按其道以予（魚）之，徐往徐來以去（魚）之。（《寒熱》）

28 天有風雨(魚),人有喜怒(魚)。(《邪客》)

29 余願盡聞其序(魚),别離之處(魚)。(《邪客》)

30 因衰而補(魚),如是者,邪氣得去(魚),真氣堅固(魚),是謂因天之序(魚)。(《邪客》)

31 補必閉膚(魚),輔鍼導氣,邪得淫泆,真氣得居(魚)。(《邪客》)

32 因其分肉,左别其膚(魚),微内而徐端之,適神不散,邪氣得去(魚)。(《邪客》)

33 太陽之人,居處于于(魚),好言大事,無能而虚説,志發於四野(魚)。(《通天》)

34 知其所苦(魚)。膈有上下(魚)。(《官能》)

35 是故工之用鍼也,知氣之所在,而守其門户(魚),明於調氣,補瀉所在,徐疾之意,所取之處(魚)。(《官能》)

36 泄奪其有餘(魚); 乃益虚(魚)。(《刺節真邪》)

37 下有漸洳(魚),上生葦蒲(魚)。(《刺節真邪》)

38 虚風之賊傷人也,其中人也深,不能自去(魚)。正風者,其中人也淺,合而自去(魚),其氣來柔弱,不能勝真氣,故自去(魚)。(《刺節真邪》)

39 寒與熱相摶,久留而内著(魚),寒勝其熱,則骨疼肉枯(魚)。(《刺節真邪》)

40 從實去虚(魚),補則有餘(魚)。(《癰疽》)

41 巷聚邑居,則别離異處(魚)。血氣猶然,請言其故(魚)。(《癰疽》)

42 下陷肌膚（魚），筋髓枯（魚），内連五藏，血氣竭，當其癰下（魚）筋骨良肉皆無餘（魚），故命曰疽（魚）。（《癰疽》）

以上是《靈樞》中魚部字與魚部字相押的例子，雖然不能説是該書中魚部字相押的全部，但絶大部分的例句都已彙聚於此。

下面是《素問》裏魚部字相押的例子。每例前面的序號是接《靈樞》排下來的。

43 蒼天之氣清浄，則志意治，順之則陽氣固（魚），雖有賊邪（魚），弗能害也，此因時之序（魚）。（《生氣通天論》）

44 清静則肉腠閉拒（魚），雖有大風苛毒，弗之能害，此因時之序（魚）也。（《生氣通天論》）

45 喜怒不節，寒暑過度（魚），生乃不固（魚）。（《陰陽應象大論》）

46 彼春之暖，爲夏之暑（魚），彼秋之忿，爲冬之怒（魚），四變之動，脉與之上下（魚）。（《脉要精微論》）

47 夏日在膚，泛泛乎萬物有餘（魚）；秋日下膚，蟄蟲將去（魚）。（《脉要精微論》）

48 來疾去徐（魚），上實下虚（魚）。（《脉要精微論》）

49 肝病者，兩脅下痛引少腹，令人善怒（魚）；虚則目䀮䀮無所見，耳無所聞，善恐如人將捕（魚）之。（《藏氣法時論》）

50 毒藥攻邪（魚），五穀爲養，五果爲助（魚）。（《藏氣法時論》）

51 吸則内鍼，無令氣忤（魚）；静以久留，無令邪布（魚），吸則轉鍼，以得氣爲故（魚），候呼引鍼，呼盡乃去（魚）；大氣皆出，故命曰寫（魚）。（《離合真邪論》）

52 其氣以至，適而自護（魚），候吸引鍼，氣不得出，各在其處（魚），推闔其門，令神氣存，大氣留止，故命曰補（魚）。（《離合真邪論》）

53 此所謂聖人易語（魚），良馬易御也（魚）。（《氣穴論》）

54 餘已知氣穴之處（魚），游鍼之居（魚）。（《氣穴論》）

55 其生於陽者，得之風雨寒暑（魚）；其生於陰者，得之飲食居處（魚），陰陽喜怒（魚）。（《調經論》）

56 凡欲診病者，必問飲食居處（魚），暴樂暴苦（魚），始樂後苦（魚），皆傷精氣，精氣竭絶，形體毁沮（魚）。（《疏五過論》）

57 悲哀喜怒（魚），燥濕寒暑（魚）。（《解精微论》）

58 雲朝北極，濕化乃布（魚），澤流萬物，寒敷於上，雷動於下（魚）。（《六元正紀大論》）

59 陽乃布（魚），民乃舒（魚）。（《六元正紀大論》）

60 化氣乃敷（魚），善爲時雨（魚）。（《六元正紀大論》）

61 彼春之暖，爲夏之暑（魚），彼秋之忿，爲冬之怒（魚）。（《至真要大論》）

《靈樞》《素問》魚部字相押者計六十一例，其中《靈樞》四十二例，《素問》十九例。入韻字是以下這些字：

除 虛 無 餘 御 去 處 怒 下 予 居 蠱 阻 所 徐 膚 苦 舉 舍 箸 懼 雨 者 序 補 於 野 户 茹 蒲 著 枯 暑 邪 故 固 拒 捕 助 忤 布 護 語 舒 敷

從上述六十一例魚部字相押中可以看到，《黄帝内經》的魚部字與《詩經》中的魚部字一樣，也是在一起相押的。《黄帝内經》的魚部字讀音，與先秦的魚部字讀音没有多大區别。

（乙）侯部字與侯部字相押

1 奇邪離經，不可勝數（侯），不知根結，五藏六府（侯），折關敗樞（侯），開闔而走（侯），陰陽大失，不可復取（侯）。（《根結》）

2 以知爲數（侯），以痛爲腧（侯）。（《經筋》）

3 暴攣癇眩，足不任身，取天柱（侯）。暴癉内逆，肝肺相搏，血溢鼻口（侯），取天府

（侯）。（《寒熱病》）

4　心痛不可刺者，中有盛聚（侯），不可取于腧（侯）。（《厥病》）

5　五藏六府（侯），心爲之主（侯）。（《師傳》）

6　故腸胃之中，常留穀二斗（侯），水一斗五升。故平人日再後（侯）。（《平人絶穀》）

7　五藏六府（侯），心爲之主（侯），耳爲之聽，目爲之候（侯）。（《五癃津液別》）

8　其端正敦厚（侯）者，其血氣和調，刺此者，無失常數（侯）也。（《逆順肥瘦》）

9　余聞刺有五變，以主五輸（侯），願聞其數（侯）。（《順氣一日分爲四時》）

10　通其營輸（侯），乃可傳於大數（侯）。（《禁服》）

11　夫百病變化，不可勝數（侯），然皮有部（侯），肉有柱（侯），血氣有腧（侯）。（《衛氣失常》）

12　五味入于口（侯）也，各有所走（侯）。（《五味論》）

13　鹹入於胃，其氣上走中焦，注於脉，則血氣走（侯）之，血與鹹相得則凝，凝則胃中汁注（侯）之。（《五味論》）

14　故本腧（侯）者，皆因其氣之虚實疾徐以取（侯）之。（《邪客》）

15　陰陽和平之人，其狀委委然，隨隨然，顒顒（侯）然，愉愉（侯）然，暶暶然，豆豆（侯）然。（《通天》）

以上十五例，是《靈樞》中侯部字與侯部字相押的例子，下面是《素問》中侯部字互相押的例子，序號承上。

16 膝者筋之府（侯），屈伸不能，行則僂附（侯）。（《脉要精微論》）

17 人有此三者，是謂壞府（侯），毒藥無治，短鍼無取（侯）。（《寶命全形論》）

18 夏亟治經俞（侯），秋亟治六府（侯）。（《通評虚實論》）

19 其谷豆（侯），其果栗，其實濡（侯）。（《五常政大論》）

《黄帝内經》中侯部字互相押韻者，共十九例，其中《靈樞》十五例，《素問》四例。侯部字互相押韻者遠較魚部字爲少。這與侯部中一部分字大量與魚韻相押構成魚侯合韻是分不開的。這一統計數字，對於研究兩漢音韻與先秦音韻的區别、觀察漢代魚韻和侯韻的關係、鑒别《黄帝内經》的成書時代，都有很大啟發。爲了説明《黄帝内經》中侯部字相押爲什麽這麽少，下面再把《黄帝内經》裏魚侯合用及與其有關的事項加以説明和比較。

《黄帝内經》裏侯部韻脚字主要是下面這些字：

數 樞 走 輸 柱 口 府 聚 俞 主 斗 後 候 厚 部 注 取 顒

愉 豆 附 濡 拄 府

前面已經説過，古韻侯部包括《廣韻》侯、厚、候三韻字及《廣韻》虞、麌、遇三韻裏的一部分字。下面分析一下《黄帝内經》裏侯部韻脚字的特點，這將對深入認識漢代魚侯韻部關係提供豐富資料。

虞韻合口三等字：樞愉俞濡取顒
麌韻合口三等字：數柱拄主府聚取
遇韻合口三等字：數注附
厚韻開口一等字：部走口斗後厚
侯韻開口一等字：豆候

（丙）魚侯合用

1 經脉十二，絡脉十五（魚），凡二十七氣以上下（魚），所出爲井，所溜爲滎，所注爲俞（侯）。（《九鍼十二原》）
2 此亦本末根叶之出候（侯）也，故根死則叶枯（魚）矣。（《邪氣藏府病形》）
3 刺之而氣不至，無問其數（侯）；刺之而氣至，乃去（魚）之。（《九鍼十二原》）
4 必審其五藏變化之病，五脉之應，經絡之實虚（魚），皮膚之柔粗（魚），而後取（侯）之也（《根結》）
5 内合于五藏六府（侯），外合於筋骨皮膚（魚）。（《壽夭剛柔》）
6 病在皮膚無常處（魚）者，取以鑱鍼於病所（魚），膚白勿取（侯）。（《官鍼》）

7 邪氣獨去（魚）者，陰與陽未能調，而病知愈（侯）也。（《終始》）

8 從腰以下（魚）者，足太陰陽明皆主（侯）之。（《終始》）

9 不盛不虛（魚），以經取（侯）之。（《經脉》）

10 獨閉户塞牖而處（魚），甚則欲上高而歌，棄衣而走（侯）。（《經脉》）

11 陽氣有餘（魚），陰氣不足（侯），則熱中善飢；陽氣不足（侯），陰氣有餘（魚），則腹中腸鳴腹痛。（《五邪》）

12 足髀不足舉（魚），側而取（侯）之。（《厥病》）

13 耳者，宗脉之所聚（侯）也，故胃中空則宗脉虛（魚），虛則下（魚）。（《口問》）

14 黄帝曰：六氣者，貴賤何如（魚）？岐伯曰：六氣者，各有部主（侯）也，其貴賤善惡，可爲常主（侯）。（《决氣》）

15 水谷入于口（侯），輸於腸胃，其液别爲五（魚）。（《五癃津液别》）

16 甚饑則夢取（侯），甚飽則夢予（魚）。（《淫邪發病》）

17 奇邪淫溢，不可勝數（侯），願聞其故（魚）（《五變》）

18 痹之高下有處（魚）乎？少俞答曰：欲知其高下（魚）者，各視其部（侯）。（《五變》）

19 五藏六府（侯），邪之舍（魚）也，請言其故（侯）。（《本藏》）

20 人生十歲，五藏始定，血氣已通，其氣在下（魚），故好走（侯）。（《天年》）

21 五穀之氣皆不能勝苦（魚），苦入下脘，三焦之道皆閉而不通，故變嘔（侯）。（《五

味論》）

22 願聞二十五人之形，血氣之所生，别而以候（侯），從外知内何如（魚）？（《陰陽二十五人》）

23 先立五形金木水火土（魚），别其五色，異其五形之人，而二十五人具（侯）矣。（《陰陽二十五人》）

24 脉之上下（魚），血氣之候（侯）。（《陰陽二十五人》）

25 血氣皆少則無髯（魚），感於寒濕則善痹，骨病爪枯（魚）也。（《陰陽二十五人》）

26 風雨襲虚（魚），則病起於上，是謂三部（侯）。（《百病始生》）

27 蟲寒則積聚（侯），守于下管，則腸胃充郭，衛氣不營，邪氣居（魚）之（《上調》）。

28 心者，五藏六府之大主（侯）也，精神之所舍（魚）也。（《邪客》）

29 人有八虚（魚），各何以候（侯）。（《邪客》）

30 各處色部，五藏六府（侯），察其所痛，左右上下（魚）。（《官能》）

31 左引其樞（侯），右推其膚（魚）。（《官能》）

32 夫子乃言刺府腧（侯），去府病，何腧使然，願聞其故（魚）。（《刺節真邪》）

33 不上不下（魚），鈹石所取（侯）。（《刺節真邪》）

34 盡刺諸陽之奇腧（侯），未有常處（魚）也。（《刺節真邪》）

35 邪客于風府（侯），病循膂而下（魚），衛氣一日一夜常大會於風府（侯），（《歲露》）

36 發於胸，名曰并疽（魚），其狀如大豆（侯）。（《癰疽》）

37 發于膺，名曰甘疽（魚），色青，其狀如穀實栝蔞（侯）。（《癰疽》）

以上是《靈樞》中魚侯合用的例子，下面是《素問》中魚侯合用的例子。序號承前。

38 其音羽（魚），其數六，其臭腐（侯）。（《金匱真言論》）

39 故邪風之至，疾如風雨（魚），故善治者治皮毛，其次治肌膚（魚），其次治筋脉，其次治六府（侯）。（《陰陽應象大論》）

40 視喘息，聽音聲，而知所苦（魚）；觀權衡規矩（魚），而知病所主（侯）。（《陰陽應象大論》）

41 未出地者，命曰陰處（魚），名曰陰中之陰；則出地者，命曰陰中之陽。陽予之正，陰爲之主（侯）。（《陰陽離合論》）

42 南方者，天地所長養，陽之所盛處（魚）也，其地下（魚），水土弱，霧露之所聚（侯）也，其民嗜酸而食胕（侯）。（《異法方宜論》）

43 夏刺絡俞（侯），見血而止，盡氣閉環，痛病必下（魚）。（《診要經終論》）

44 春刺冬分，邪氣著藏，令人脹，病不愈（侯），又且欲言語（魚）。（《診要經終論》）

45 夏刺秋分，病不愈（侯），令人心中欲無言，惕惕如人將捕（魚）之。（《診要經終

論》）

46 夏刺冬分，病不愈（侯），令人少氣，時欲怒（魚）。（《診要經終論》）

47 赤欲如帛裹朱（侯），不欲如赭（魚）。（《脉要精微論》）

48 甚飽則夢予（魚），甚饑則夢取（侯）。（《脉要精微論》）

49 病在肺，愈在冬，冬不愈（侯），甚于夏（魚）。（《藏氣法時論》）

50 兩隅在下（魚），當其下隅者，肺之俞（侯）也。（《血氣形志》）

51 復下一度（魚），心之俞（侯）也。（《血氣形志》）

52 復下一度（魚），左角肝之俞（侯）也，右角脾之俞（侯）也。（《血氣形志》）

53 復下一度（魚），腎之俞（侯）也。是謂五藏之俞（侯），灸刺之度（鐸）也。（《血氣形志》）

54 夫聖人之起度數（侯），必應於天地，故天有宿度（魚）。（《離合真邪論》）

55 彈而怒（魚）之，抓而下（魚）之，通而取（侯）之。（《離合真邪論》）

56 汗出頭痛，身重惡寒，治在風府（侯），調其陰陽，不足則補（魚），有餘則瀉，大風頸項痛，刺風府（侯）。（《骨空論》）

57 邪氣客于風府（侯），循膂而下（魚），衛氣一日一夜大會於風府（侯）。（《瘧論》）

58 此邪氣客于頭項，循膂而下（魚）者也，故虛實不同，邪中異所（魚），則不得當其風府（侯）也。（《瘧論》）

59 故循脉上下（魚），貫五藏，絡六府（侯）也。（《痹論》）

60 故膽虛氣上溢，而口爲之苦（魚）。治之以膽募俞（侯）。（《奇病論》）

61 夫子之開余道也，目未見其處（魚），耳未聞其數（侯）。（《氣穴論》）

62 余非聖人之易語（魚）也，世言真數開人意，今余所訪問者真數（侯）。（《氣穴論》）

63 水俞五十七處（魚）者，是何主（侯）也。（《水熱穴》）

64 夫子言治熱病五十九俞（侯），余論其意，未能領別其處（魚）。（《水熱穴》）

65 知上不知下（魚），知先不知後（侯）。（《方盛衰論》）

66 願夫子推而次之，從其類序（魚），分其部主（侯），別其宗司，昭其氣數（侯），明其正化，可得聞乎（魚）？（《六元正紀大論》）

67 金木水火土（魚）運行之數（侯）。（《六元正紀大論》）

68 陰陽卷舒（魚），近而無惑，數之可數（侯）者。（《六元正紀大論》）

69 雲趨雨府（侯），濕化乃敷（魚）。（《六元正紀大論》）

70 奇之不去（魚）則偶（侯）之，是謂重方。偶之不去（魚），則反佐以取（侯）之。（《至真要大論》）

71 差有數（侯）乎？ 岐伯曰：又凡三十度（魚）也。（《至真要大論》）

以上七十一例，是《黄帝内經》中魚侯合用的例證。其中《靈樞》三十七例，《素問》三十四例，與魚部字相押的侯部字是以下這些字：

府 住 候 數 取 愈 主 走 聚 口 部 嘔 具 須 樞 輸 豆 簍 腐 跗 朱 俞 後

有意思的是，這些字不但曾經互相押韻（見「侯部字與侯部字相押」一節），而且又與魚部相押，從數量上看，要遠遠超過侯部字本部相押的數量。這就不能不引起人們的思考：如果侯部字是獨立的，它就應該與本部字相押，最多也只能是與屋部字相押，構成侯屋對轉的押韻形式，而不能與魚部字相押，尤其不能出現這麽多魚侯合用的例子。這只能有一種合乎邏輯的解釋：在《黄帝内經》這部著作裏，原來曾經隸屬于侯部的這些字，已經合并到魚部裏去了。這些字可以分爲兩大類，一類是屬於《廣韻》虞、麌、遇三韻之字，包括：樞、輸、俞、腧、愈、取、聚、主、住、府、腑、跗、腐、數、具、須、朱、數等；另一類是屬於《廣韻》侯、厚、候三韻之字，包括：走、口、部、後、候、簍、嘔等，其中以虞、麌、遇三韻之字合并到魚部裏面去最爲明顯。這與古音魚部字主要爲《廣韻》三等字而虞、麌、遇也以三等字爲主是有關係的。

從《黄帝内經》這部著作分析，侯部字合并到魚部字中去的字，也有侯、厚、候三韻中的一部分字，但數量不多。

（丙）結論：《黄帝内經》魚侯合爲一部

通過上述分析，可以得出下述結論：《黄帝内經》中魚侯已合并爲魚部。爲了證明這個結論，還可以從下述兩個方面加以説明。

第一，在先秦時代，魚部可以與入聲鐸部相押，構成魚鐸合韻；侯部可以與入聲屋部相押，構成侯屋合韻，而没有魚屋相押、侯鐸相押的現象。可是在《黄帝内經》裏卻有不少這類例子，這更可證明，魚侯的界限已經不明顯，兩部的讀音已經很接近了。例如：

1 舉足取之；委陽者，屈伸而索（鐸）之；委中者，屈而取（侯）之。（《靈樞·邪氣藏府病形》）

2 形氣不足（屋），病氣有餘（魚），是邪勝也。急瀉（魚）之。（《靈樞·根結》）

3 凡刺之屬（屋），三刺至穀（屋）氣（「氣」爲衍字），邪僻妄合，陰陽易居（魚）。（《靈樞·終始》）

4 絡之别者爲孫，盛而血者疾誅（侯）之，盛者瀉（魚）之，虚者飲藥以補（魚）之。（《靈樞·脉度》）

5 血氣之腧（侯），腧于諸絡（鐸），氣血留居，則盛而起。（《靈樞·衛氣失常》）

6 有餘不足（屋），當補則補（魚），當瀉則瀉（魚）。（《靈樞·百病始生》）

7　補其不足（屋），瀉其有餘（魚）。（《靈樞・邪客》）

8　安其容儀，審有餘不足（屋），盛則瀉之，虛則補之，不盛不虛以經取（侯）之。（《靈樞・通天》）

9　視前痛者，常先取（侯）之。大寒在外，留而補之；入於中者，從合瀉（鐸）之。（《靈樞・官能》）

10　虛者不足（屋），實者有餘（魚）。（《靈樞・刺節真邪》）

11　智者察同，愚者察異；愚者不足（屋），智者有餘（魚）。（《素問・陰陽應象大論》）

12　表裏當俱瀉（鐸），取之下俞（侯）。（《素問・經脉别論》）

13　凡治病必先去其血，乃去其所苦，伺之所欲（屋），然後瀉有餘（魚），補不足（屋）。（《素問・血氣形志篇》）

14　從而察之，三部九候（侯），卒然逢之，早遏其路（鐸）。（《素問・離合真邪論》）

15　邪之所湊（屋），其氣必虛（魚）。（《素問・評熱病論》）

16　何謂有餘（魚）？何謂不足（屋）？（《素問・調經論》）

17　起所有餘（魚），知所不足（屋）。（《素問・方盛衰論》）

18　其化柔潤重澤（鐸），其變震驚飄驟（侯）。（《素問・六元正紀大論》）

19　風濕相薄（鐸），雨乃後（侯）。（《素問・六元正紀大論》）

20　急則氣味厚（侯），緩則氣味薄（鐸）。（《素問・至真要大論》）

21　其音羽（魚），其物濡（侯）。（《素問·五常政大論》）

上述二十一例的押韻情況，證明入聲屋鐸可以不受限制地與魚侯構成平入對轉關係，就是説，過去魚屋、侯鐸、屋鐸等不能相押，在《黄帝内經》裏已經可以相押了。當然，我們不是説在《黄帝内經》裏屋韻已經合并到鐸韻裏去了，其實二者在漢代還是分爲兩部的。但屋部作爲侯部的入聲反而能跟魚部相押，鐸部作爲魚部的入聲反而能跟侯部相押，這就給我們提供了侯部魚部已經合爲一個韻部——魚部的旁證。

段玉裁《六書音均表》的第四部和第五部有較嚴格的區别。第四部的入聲與第五部的入聲也有較嚴格的區别，這種情況可以描述先秦時代音韻；到了漢代，連第四部和第五部的入聲字有的也可以合韻通押了。這在《六書音均表》第四表中也略有説明。另外又當指出，「舄」古音在鐸部，而從「舄」得聲的形聲字「寫」卻在古音魚部，在分析古韻時，應加注意。

第二，在漢代的詩文裏，魚侯已經合爲一個韻部。羅常培、周祖謨《漢魏晉南北朝韻部演變研究》一書以大量翔實的材料，證明魚侯合用的情況。該書指出：

魚侯兩部合用是西漢時期普遍的現象，這是和周秦音最大的一種不同。作家之中除僅僅存下一兩篇文章的不算以外，像賈誼、韋孟、嚴忌、枚乘、孔臧、淮南王劉安、司馬相如、中

山王劉勝、東方朔、王褒、嚴遵、揚雄、崔篆這些人的作品，没有不是魚侯兩部同用的」(見該書《兩漢韻部分論》一章，二十一頁)

該書在《兩漢韻部之間通押的關係》一章中，就屋鐸與魚侯相押的情况，也做了分析。指出：

在《詩經》音裏魚與侯是分用的，到西漢時期，魚侯合用極其普遍，所以我們把魚侯合爲一部。但入聲鐸屋兩部并不相混，所以仍然分爲兩部。魚本與鐸相承，侯本與屋相承，現在把魚侯合爲一部，這樣在陰入相承的關係上就顯得不很整齊了。如果我們從魚侯與入聲鐸屋的押韻情形來看，也可以了解魚侯的確關係很密。例如，馬司相如《子虛賦》：垩坿(垩，鐸部字)；王褒《四子講德論》：射鏃處鶩欲拊兔僕寇(鏃欲，屋部字)；揚雄《羽獵賦》：與隃觸玃遽注怖胠獲聚(觸，屋部字。玃獲，鐸部字)；王褒《僮約》：獲芋輳(獲，鐸部字)；揚雄《解難》：鼓斲後睹(斲，屋部字)。

這表明魚部入聲字也可以跟屋部字相押，侯部入聲字也可以跟鐸部字相押，足見魚部、侯部是可以合爲一部的。

我們考察《黄帝内經》魚屋相押、侯鐸相押的情形，與羅常培、周祖謨二位先生研究的結論亦相吻合。

乙　真與文

真、文、元在《詩經》裏分爲三個韻部。關於這三個韻部的劃分，也經歷了一個發展過程。顧炎武《古音表》把真、文、元看成一個韻部，他認爲這個韻部包括《廣韻》裏的真、諄、臻、文、殷、元、魂、痕、寒、桓、删、山、仙（包括上去），當然顧氏的分部還不夠精密，與先秦古音不合。後來，江永《古韻標準》把從「真」至「仙」這十四韻分爲兩個韻部，把真部和元部分開。江永的真部包括《廣韻》的真、諄、臻、文、殷、魂、痕及先韻的一部分字，如先、千、天、堅、賢、田、闐、年、顛、巔、淵、玄等字。江永的元部包括《廣韻》的元、寒、桓、山、删、仙及先韻的一部分字。如肩、前、戔、箋、錢、燕、蓮、妍、連、研、駢、涓、邊、縣等字。江氏的劃分較顧氏爲嚴密，但於先秦古音猶有未合。段玉裁《六書音均表》繼承了江永的元部，把江永的真部一分爲二：一稱真部，包括《廣韻》的真、臻、先；一稱文部，包括《廣韻》的諄、文、欣、魂、痕。段玉裁把真文分爲兩部，是個創見，比江永所分更爲縝密，後來的音韻學家都認爲段氏的意見是正確的。

在《詩經》裏，真、文的分别是嚴格的，真部與耕部接近，文部與元部接近。段玉裁在《六書音均表》裏説：

第十一部（耕部）與第十二部（真部）合用最近。第十三部（文部）、第十四部（元部）合用最近。

江有誥《音學十書》卷首《复王石臞先生書》也指出：

真與耕通用爲多，文與元合用較廣，此真、文之界限也。

在周秦時代，真、文、元三部分用，已成定論。段玉裁説，這三個韻部「《三百篇》及群經《屈賦》分用畫然」。但是到了漢代，這三部的聲音有互相靠近的趨勢。語音隨著時代的發展而變化，這也是勢之必然。變化的情形怎樣呢？可以説這仍然是音韻學家应极力研究的一個課題。段玉裁是這樣分析真、文、元三部在漢代的情形的：

（真、文、元）《三百篇》及群經、《屈賦》分用畫然，漢以後用韻過寬，三部合用。鄭庠乃以真、文、元、寒、删、先爲一部，顧氏不能深考，亦合真以下十四韻爲一部，僅可以論漢魏間之古韻，而不可以論《三百篇》之韻也。（《六書音均表》第一表）

江永真、文不分，統稱真韻，他認爲漢代真、元兩部相混不分。他説：

漢魏以後，樂府詩歌，兩部紛然雜用者甚多。自《楚辭》濫觴之源既流後，則茫無崖畔矣。由漢魏以來，音韻已雜，元魂痕混用者多。（《古韻標準》平聲第四部《總論》）

近代致力於漢代音韻特點研究的是羅常培、周祖謨先生，他們的《漢魏晉南北朝韻部演變研究》是研究漢魏音韻的力作。羅常培、周祖謨二先生認爲，在漢代真、文合爲一部：其特點是文部字合到真部，稱之爲真部，但真部與元部并未合并，這種分部的情形，無形之中與江永的結論卻相合了，他們指出：

到了兩漢時代，這兩部就變得完全合用了。這和陰聲韻脂微合爲一部是相應的。這一部在兩漢和元部通押的例子也非常之多，所以段玉裁説漢以後用韻過寬，真、文、元三部合用。這話看似不錯。可是細心考察起來，漢人用韻真、文合爲一部，但真、文與元并没有完全混爲一部。（見該書《兩漢韻部分論》一章，三十六頁）

綜上所述，關於真、文、元三部在漢代的情形，自乾嘉以來至今，主要有兩種意見：㈠江永、段玉裁認爲三部出現合用現象；㈡羅常培、周祖謨認爲，真、文合爲真部，真部雖與元部大量合韻，但元部仍然應該獨立爲一個韻部。

現在我們就《靈樞》《素問》真、文、元的用韻情況，做一番認真考察。

（甲）真部字與真部字相押

1　上以治民（真），下以治身（真），使百姓無病，上下和親（真）。（《靈樞·師傳》）

2　何者爲神（真）？岐伯曰：血氣已和，營衛已通，五藏已成，神氣舍心，魂魄畢具，乃爲成人（真）。（《靈樞・天年》）

3　其形不小不大，各自稱其身（真），命曰衆人（真）。（《靈樞・衛氣失常》）

4　夫子乃言上合於天（真），下合於地，中合之於人（真）。（《靈樞・玉版》）

5　且夫人（真）者，天地之鎮（真）也。（《靈樞・玉版》）

6　以欲竭其精，以耗散其真（真），不知持滿，不時御神（真）。（《素問・上古天真論》）

7　其次有賢人（真）者，法則天地，象似日月，辨別星辰（真）。（《素問・上古天真論》）

8　夫人生於地，懸命於天（真），天地合氣，命之曰人（真）。（《素問・寶命全形論》）

9　歲位爲行令（真），太一天符爲貴人（真）。（《素問・六微旨大論》）

10　以辛潤（真）之，以苦堅（真）之。（《素問・至真要大論》）

11　太陽之復，治以鹹熱，佐以甘辛（真），以苦堅（真）之。（《素問・至真要大論》）

12　諸寒收引（真），皆屬於腎（真）。（《素問・至真要大論》）

13　去故就新（真），乃得真人（真）。（《素問・移精變氣論》）

在《黄帝内經》裏，真部字互相押韻者，是以下諸字：

民身親神人天鎮真辰令潤堅腎辛引新

(乙)文部字與文部字相押

1 往者爲逆，來者爲順(文)，明知逆順，正行無問(文)。(《靈樞・九鍼十二原》)

2 察後與先(文)，若存若亡(文)。(《靈樞・九鍼十二原》原文訛作「若存若亡」，依語例及音韻改)

3 肝悲哀動中則傷魂(文)。魂傷則狂妄不精，不精則不正，當人陰縮而攣筋(文)。(《靈樞・本神》)

4 足太陽之本(文)在跟以上五寸中，標在兩絡命門(文)。(《靈樞・衛氣》)

5 夫子之言鍼甚駿(文)，以配天地，上數天文(文)。(《靈樞・玉版》)

6 夫四時陰陽者，萬物之根本(文)也。所以聖人春夏養陽，秋冬養陰，以從其根(文)，故萬物沉浮於生長之門(文)。(《素問・四氣調神大論》)

7 知標與本(文)，用之不殆，明知逆順(文)，正行無問(文)。(《素問・至真要大論》)

8 言標與本(文)，易而勿損(文)。(《素問・至真要大論》)

9 收氣峻(文)，生氣下，草木斂，蒼於雕隕(文)。(《素問・氣交變大論》)

在《黄帝内經》裏，文部字互相押韻的是下面這些字：

順 問 先 存 魂 筋 本 門 駿 文 根 損 隕

（丙）真文合用

1 粗守形，上守神（真），神乎神，客在門（文）。（《靈樞·九鍼十二原》）

2 效之信（真），若風之吹雲（文）。（《靈樞·九鍼十二原》）

3 正邪之中人也微，先見於色，不知於其身（真），若有若無，若亡若存（文）。（《靈樞·官能》）

4 夫王公大人（真），血食之君（文）。（《靈樞·根結》）

5 兩神相摶謂之神（真），隨神往來謂之魂（文）。（《靈樞·本神》）

6 肩背頸項痛，時眩（真）。取之湧泉昆侖（文）。（《靈樞·五邪》）

7 善乎哉問（文）！ 請論以比匠人（真）。（《靈樞·五變》）

8 志意者，所以御精神（真），收魂魄，適寒温（文）。（《靈樞·本藏》）

9 聽而不聞（文），故似鬼神（真）。（《靈樞·賊風》）

10 余聞（文）之則爲不仁（真），然願聞其道，弗行於人（真）。（《靈樞·玉版》）

11 正邪之中人也微，先見於色，不知於其身（真），若有若無，若亡若存（文）。（《靈樞·官能》）

12 蓋其外門（文），真氣乃存（文）。用鍼之要，無忘其神（真）。（《靈樞・官能》）

13 凡刺寒邪日以温（文），徐往疾出致其神（真），門户已閉氣不分（文），虚實得調真氣存（文）。（《靈樞・刺節真邪論》）

14 逆其根（文），則伐其本（文），壞其真（真）矣。（《素問・四氣調神論》）

15 陽氣者，精則養神（真），柔則養筋（文）。（《素問・生氣通天論》）

16 放清陽爲天（真），濁陰爲地；地氣上爲雲（文），天氣下爲雨。（《素問・陰陽應象大論》）

17 病生於筋（文），治之以熨引（真）。（《素問・血氣形志篇》）

18 凡刺之真（真），必先治神（真），五藏已定，九候已備，後乃存（文）鍼，衆脉不見，衆凶弗聞（文），外内相得，無以形先（真），可玩往來，乃施于人（文）。（《素問・寶命全形論》）

19 外引其門（文），以閉其神（真）。（《素問・離合真邪論》）

20 天之道也！ 如迎浮雲（文），若視深淵（真）。（《素問・六微旨大論》）

21 余聞（文）之，善言天（真）者必應於人（真）。（《素問・气交變大論》）

22 悉乎哉問（文）也！ 與道合同，惟真人（真）也。（《素問・六微旨大論》）

23 濕以潤（文）之，寒以堅（真）之，火以温（文）之。（《素問・五運行大論》）

（丁）結論：《黄帝内經》真文合爲一部

通過上述統計材料觀察，真部字互相押韻的十三例，文部字互相押韻的九例，合起來二十二例，但真文合用的達二十三例，比真文兩部相加還要多。如果漢代詩文的用韻情况，真部字與文部字在讀音上有明顯差别的話，就絶對不會出現真文大量合用不分的現象。這些例證告訴我們：在《黄帝内經》裏，真文已經合爲一個韻部了。從這個意義上説，江永《古韻標準》没有把真文分開，其音雖不合于周秦，卻合于漢魏。羅常培、周祖謨二位先生考察漢代詩文的結論是真文合爲一個韻部，通過對《黄帝内經》音韻的分析，我們認爲這個結論是可靠的；反過來説，也可以證明《黄帝内經》的成書時代當在兩漢。

在先秦時代，真部與耕部相接近，因而可以與耕部構成合韻；真部與元部不相近，因而不能構成合韻。到了漢代，不但文部與元部大量合韻了，連真部也與元部合韻了，這種用韻的現象，在先秦時代是很少見的。下面是《黄帝内經》真元合用的例子：

1 持重遠行，汗出於腎（真）。疾走恐懼，汗出於肝（元）。（《素問·經脉别論》）

2 腎瘧者，令人洒洒然，腰脊痛宛轉（元），大便難（元），目眴眴（真）然。（《素問·刺瘧論》）

3 有所遠行勞倦（元），逢大熱而渴，渴則陽氣内伐，内伐則熱舍於腎（真），腎者水藏

也，今水不勝火，則骨枯而髓虛，故足不任身（真）。（《素問·痿論》）

4 太虛廖廓，肇基化元（元），萬物資始，五運終天（真），布氣真靈，總統坤元（元），九星懸朗，七曜周旋（元）。（《素問·天元紀大論》）

5 燥者潤（真）之，急者緩（元）之，堅者耎（元）之，脆者堅（真）之。（《素問·至真要大論》）

6 厥陰司天（真），客勝則耳鳴掉眩（真），甚則咳；主勝則胸脅痛，舌難以言（元）。（《素問·至真要大論》）

7 諸風掉眩（真），皆屬於肝（元）。（《素問·至真要大論》）

8 歲宜以鹹以苦以辛（真），汗之清之散（元）之，安其運氣，無使受邪，折其郁氣，資其化源（元）。（《素問·六元正紀大論》）。

9 病在中而不實不堅（真），且聚且散（元）。《素問·五常政大論》

10 逆則其病近（真），其害速；順則其病遠（元），其害微。（《素問·六微旨大論》）

11 診法常以平旦（元），陰氣未動，陽氣未散（元），飲食未進（真），經脉未盛，絡脉調勻（真），氣血未亂（元）。（《素問·脉要精微論》）

至於真、文、元三部合韻的現象，在先秦是没有的，而在《黄帝内經》裏，已不罕見：

1 人有虛實，五虛勿近（文），五實勿遠（元），至其當發，間不容瞚（真）。手動若務，

鍼耀而勻（真），静意視義，觀適之變（元）。（《素問・寶命全形論》）

2　神乎神（真），耳不聞（文），目明心開而志先（真），慧然獨悟，口弗能言（元），俱視獨見，適若昏（文），昭然獨明，若風吹雲（文），故曰神（真）。《三部九候》爲之原（元），《九鍼》之論不必存（文）也。（《素問・八正神明論》）

3　胞絡者系於腎（真），少陰之脉貫腎系舌本（文），故不能言（元）。（《素問・奇病論》）

4　其絡循陰器合篡間（元），繞篡後，別繞臀（文），至少陰與巨陽中絡者，合少陰上股内後廉，貫脊屬腎（真）。（《素問・骨空論》）

5　太虛深玄（真），氣猶麻散（元），微見而隱（文）。（《素問・六元正紀大論》）

真、文、元合韻，這顯然是漢代用韻的特點。

這裏應該指出：真、文、元三部雖然有合韻的例證，但這類例子在《黃帝内經》裏數量還不多，不能因此就得出《黃帝内經》中真、文、元三部合一的結論。

在《黃帝内經》裏，可以看得比較清楚的是真、文已合成一部，但元部還是獨立的。真、元的畔界不但可以從押韻的數量上分析，還可以從以下事實得到印證：

第一，真耕有不少合韻的例子，元部很少有單獨和耕部相押的。真耕相押的例子如：

1　骨氣以精（耕），謹導如法，長有天命（真）。（《素問・生氣通天論》）

2　以欲竭其精（耕），以耗散其真（真）。（《素問・上古天真论》）

3　無致邪，無失正（耕），絶人長命（真）。（《素問・五常政大論》）

4　魂魄不散，專意一神（真），精氣不分，毋聞人聲（耕）。（《靈樞・終始》）

第二，真部字有時可以和侵部字相押，元部字沒有和侵部字相押的。真侵相押的例子如：

1　故爲之治鍼（侵），必大其身（真）。（《靈樞・九鍼論》）

2　其生五，其氣三（侵），數犯此者，則邪氣傷人（真）。（《素問・生氣通天論》）

3　風氣通于肝，雷氣通於心（侵），谷氣通於脾，雨氣通於腎（真）。（《素問・陰陽應象大論》）

4　人有重身（真），九月而瘖（侵）。（《素問・奇病論》）

丙　脂與微

在《詩經》《楚辭》和先秦諸子的書裏，脂部與微部是分用的。雖然在《詩經》裏，脂微兩部也可以合韻，比如，《汝墳》：「遵被汝墳，伐其條枚（微），未見君子，惄如調饑（脂）。」「魴魚赬尾（微），王室如毀（微），雖則如毀，父母孔邇（脂）。」《北風》：「北風其喈（脂），雨雪其霏(微),惠而好我,攜手同歸(微)。」但是脂微合韻的例證不多。

脂與微的區别,簡單地説,《廣韻》裏「脂」「皆」兩類的開口和齊齒屬於一類,稱之爲脂部,《廣韻》裏「脂」「皆」兩類的合口及《廣韻》的微灰咍三韻的一部分字屬於一類,稱之爲微部。王力《詩經韻讀》把脂韻的聲音構擬爲ei,微韻的聲音構擬爲əi。

從諧聲字看,凡下列諸字以及以下列諸字爲聲符的字,都屬於脂部:

二　氏　匕　尸　夷　矢　弟　示　几　米　齊　妻　美　死　履　皆　眉　癸

伊　師　豈　耆　西　尼　稽　次　自

從諧聲字看,凡是下列諸字以及以下列諸字爲聲符的形聲字,都屬於微部:

追　堆　歸　錐　唯　崔　雷　累　責　虫(huǐ)　回　鬼　畏　韋　尾　罪　微

非　飛　希　衣　哀　水　毀　綏　枚　威　遲　幾　衰

現在我們來考察《靈樞》《素問》脂微兩部的情形。

(甲)微部字與微部字相押

很奇怪的是,在《靈樞》《素問》裏,脂微兩部作爲韻脚的字很少,脂部字與微部字互相押韻的例子更少。下面是微部字互相押韻的例子:

1　空中之機(微),清静而微(微),其來不可逢,其往不可追(微)。(《靈樞·九鍼十

二原》)

2 神轉不回(微),回則不轉,乃失其機(微)。至數之要,迫近於微(微),著之玉版,命曰合《玉機》(微)。(《素問・玉版論要篇》)

3 徒見其飛(微),不知其誰(微),伏如橫弩,起如發機(微)。(《素問・寶命全形論》)

4 知其可取如發機(微),不知其取如扣椎(微)。(《素問・離合真邪論》)

5 陰氣盛而陽氣衰(微),故莖叶枯槁,濕雨下歸(微)。(《靈樞・根結》)

6 至數之機(微),迫迮以微(微),其來可見,其往可追(微)。(《素問・天元紀大論》)

(乙)脂微合韻僅見一例

刺之微(微),在速遲(脂),粗守關,上守機(微)。(《靈樞・九鍼十二原》)

(丙)《黄帝内經》脂微十分接近

雖然脂部微部與本部字押韻的例證不多,但這兩部卻都能與入聲月部相押,證明脂、微讀音相近。例如:

1 逆而奪(月)之,惡得無虛,追而濟(脂)之,惡得無實?(《靈樞·九鍼十二原》)

2 而無邪僻之病,百年不衰(微),雖犯風雨卒寒大暑,猶弗能害(月)也。(《靈樞·本藏》)

3 余聞上古之人,春秋皆度百歲(月),而動作不衰(微)。(《素問·上古天真論》)

丁 質與物

在先秦時代,質部與物部有區别,而且區别比較嚴格,在晚周諸子的書裏,質、物兩部的字雖然偶有相押,但不太多。到了漢代,質物兩部已經很接近了。

質部在段玉裁的《六書音均表》裏歸在第十二部(真部),没有獨立出來。王念孫認爲,根據先秦有韻之文考察,質部既不是脂部的入聲,也不是真部的入聲,應該獨立成爲一部。他認爲質部字包括《廣韻》裏至、霽兩韻及入聲質、櫛、黠、屑、薛五韻中的一部分字。他在《與李方伯書》中説:

案去聲之至、霽二部,入聲之質、櫛、黠、屑、薛五部中,凡從至、從疐、從吉、從七、從日、從疾、從悉、從栗、從桼、從畢、從乙、從失、從八、從必、從卪、從節、從血、從徹、從設之字,及閉、實、逸、一、抑、别等字,皆以去入同用,而不與平上同用,因非脂部之入聲,亦非真部之入聲。《六書音均表》以爲真部之入聲,非也。

王念孫把這個分部原則告訴了江有誥，江有誥在《復王石臞先生書》中没有采納王念孫的意見，他們的往返書信收在《音學十書》卷首。可是後來的音韻學家都同意王氏的意見，認爲質部應該獨立。

物部包括的字，從形聲字的聲符來看，凡從勿聲、卒聲、没聲、孛聲、聿聲、术聲、出聲、弗聲、郁聲、气聲、既聲、愛聲、退聲、内聲、對聲、未聲、胃聲、隊聲、遂聲、位聲、類聲、尉聲，都屬於物部。

下面，對《黄帝内經》中質、物兩個韻部用韻的情况，做一番統計和研究。

（甲）質部字與質部字相押

1　外門已閉（質），中氣乃實（質），必無留血（質）。（《靈樞・九鍼十二原》）

2　刺之而氣不至（質），無問其數；刺之而氣至（質），乃去之。（《靈樞・九鍼十二原》）

3　今夫五藏之有疾（質）也，譬猶刺也，猶污也，猶結（質）也，猶閉（質）也。（《靈樞・九鍼十二原》）

4　刺此者，必中氣穴（質），無中肉節（質）。（《靈樞・邪氣藏府病形》）

5　凡此諸脹者，其道在一（質），明知逆順，鍼數不失（質）。寫虚補實，神去其室（質）。（《靈樞・脹論》）

6 不中氣穴（質），則氣内閉（質）。（《靈樞・脹論》）
7 此乃所謂守一勿失（質），萬物畢（質）者也。（《靈樞・病傳》）
8 衛氣和則分肉解利（質）。皮膚調柔，腠理緻密（質）矣。（《靈樞・本藏》）
9 知解結（質），知補虚寫實（質）。（《靈樞・官能》）
10 皮膚致（質），腠理閉（質）。（《靈樞・刺節真邪》）
11 經氣已至（質），慎守勿失（質），深淺在志，遠近若一（質）。（《素問・寶命全形論》）
12 外門不閉（質），以出其疾（質）。（《素問・調經論》）
13 入孫絡受血（質），皮膚充實（質）。（《素問・四時刺逆從論》）
14 氣門乃閉（質），剛木早雕，民避寒邪，君子周密（質）。（《素問・六元正紀大論》）
15 霜復降，風乃冽（質），陽氣鬱，民反周密（質）。（《素問・六元正紀大論》）

在《黄帝内經》裏，質部互相押韻的字是：

實　血　至　疾　結　閉　穴　節　一　失　室　畢　穴　利　密　致

（乙）物部字與物部字相押

1 其濁氣出於胃（物）走唇舌而爲味（物）。（《靈樞・邪氣藏府病形》）

2 必持内（物）之，放而出（物）之。（《靈樞・九鍼十二原》）

3 五藏之氣（物）已絶於内（物），而用鍼者反實其外（物）。（《靈樞・九鍼十二原》）

4 獨得行於經隧（物），命曰營氣（物）。黄帝曰：夫血之與氣（物），異名同類（物），何謂（物）也？（《靈樞・營衛生會》）

5 故血之與氣（物），異名同類（物）焉。（《靈樞・營衛生會》）

6 與勇士同類（物），不知避之，名曰酒悖（物）也。（《靈樞・論勇》）

7 用鍼之類（物），在於調氣（物）。（《靈樞・刺節真邪》）

8 氣有餘，則瀉其經隧（物），無傷其經，無出其血，無泄其氣（物）。不足則補其經隧（物），無出其氣（物）。（《素問・調經論》）

9 形不足者，温之以氣（物）；精不足者，補之以味（物）。（《素問・陰陽應象大論》）

10 必切而出（物），大氣乃屈（物）。（《素問・調經論》）

11 君火以明，相火以位（物），五六相合，而七百二十氣爲一紀（物）。（《素問・天元紀大論》）

《黄帝内經》中物部相押的字是：

胃 味 氣 位 出 屈 隧 類 悖 謂 内

(丙)質物合用

我們不但要看到質部、物部各自與本部字相押的現象，還要注意《黄帝内經》中質微合韻的事實。這些例證可以證明，在《黄帝内經》中，質部與微部已經相當接近，這正是漢代用韻的特徵。

質物合用例：

1 疾雖久，猶可畢(質)也。言不可治者，未得其術(物)也。(《靈樞·九鍼十二原》)
2 鍼以得氣(物)，密意守氣勿失(質)也。(《靈樞·小鍼解》)
3 徐而疾則實(質)者，言徐内而疾出(物)也。(《靈樞·小鍼解》)
4 飲食不節(質)，而病生於腸胃(物)。(《靈樞·小鍼解》)
5 刺大者，微寫其氣(物)，無出其血(質)。(《靈樞·邪氣藏府病形》)
6 血(質)者，神氣(物)也。(《靈樞·營衛生會》)
7 此氣慓悍滑疾(質)，見開而出(物)。(《靈樞·營衛生會》)
8 易脱於氣(物)，易損於血(質)，刺此者，淺而疾(質)之。(《靈樞·逆順肥瘦》)
9 《外揣》言渾束爲一(質)，未知所謂(物)也。(《靈樞·禁服》)
10 請藏之靈蘭之室(質)，不敢妄出(物)也。(《靈樞·刺節真邪》)

11 寒則皮膚急而腠理閉（質），暑則皮膚緩而腠理開（物）。（《靈樞·歲露論》）

12 有者爲實（質），無者爲虛，故氣并則無血（質），血并則無氣（物），今血與氣相失（質），故爲虛焉。（《素問·調經論》）

13 近氣不失（質），遠氣乃來，是謂追（物）之。（《素問·調經論》）

14 藏而勿抑（質），是謂平氣（物）。（《素問·五常政大論》）

（丁）結論：《黄帝内經》質物合爲一部

質物兩部均與月部合韻，從《黄帝内經》用韻看，月部是獨立的一部毫無疑問。《靈樞》《素問》有不少質月合韻、物月合韻的例子。上面已經以大量例證説明，質與物兩部在《黄帝内經》中已經合用不分，現在又發現質與物同時都能與月部相押。質物既然都能與同一個月部合韻，便足以證明質、物兩個韻部的聲音是十分接近的，在漢代已經合爲一個韻部了。

月部的獨立，是王念孫的功勞。他在《與李方伯書》中説，《廣韻》中的祭、泰、夬、廢四部，「考《三百篇》及群經《楚辭》，此四部之字，皆與入聲之月、曷、末、黠、轄、薛同用」，而不與平上聲相押，因此，月部應該獨立。音韻學家認爲王念孫立一個月部是正確的。通過我們對《黄帝内經》音韻的考察，發現《黄帝内經》中的月部也是一個獨立的韻部，月部字互相押韻的例子極多。月部既然是獨立存在的一個韻部，而質、物又都能與它合韻，那只能證明，質和物在《黄帝内經》裏已經合爲一個韻部了。

下面是質月合韻的例子：

1　凡用鍼者，虚則實（質），滿則泄（月）之。（《靈樞·九鍼十二原》）

2　能知終始，一言而畢（質），不知終始，鍼道咸絶（月）。（《靈樞·根結》）

3　髀不可以曲，膕如結（質），踹如裂（月），是爲踝厥（月）。（《靈樞·經脉》）

4　皮毛焦則津液去皮節（質），津液去皮節者，則爪枯毛折（月）。（《靈樞·經脉》）

5　請藏之靈蘭之室（質），弗敢使泄（月）也。（《靈樞·外揣》）

6　與道相失（質），則未央絶滅（月）。（《素問·四氣調神大論》）

7　萬物不失（質），生氣不竭（月）。（《素問·四氣調神大論》）

以下是物月合韻的例子：

1　欲以微鍼通其經脉，調其血氣（物），營其逆順出入之會（月），令可傳於後世（月）。必明爲之法，令終而不滅（月），久而不絶（月）。（《靈樞·九鍼十二原》）

2　鋒如黍粟之鋭（月），主按脉勿陷，以致其氣（物）。（《靈樞·九鍼十二原》）

3　異名同類（物），上下相會（月）。（《靈樞·邪氣藏府病形》）

4 老壯不同氣（物），陰陽異位（物），願聞其會（月）。（《靈樞・營衛生會》）

5 營在脉中，衛在脉外（物），營周不休，五十而復大會（月）。（《靈樞・營衛生會》）

6 營衛（月）者，精氣（物）也。（《靈樞・營衛生會》）

7 谷入於胃（物），胃氣上注於肺（月）。今有故寒氣與新穀氣（物），俱還入於胃（物）。（《靈樞・口問》）

8 夫九鍼者，小之則無内（物），大之則無外（月），深不可爲下，高不可爲蓋（月）。（《靈樞・外揣》）

9 故遠者司外揣内（物），近者司内揣外（月），是謂陰陽之極，天地之蓋（月）（《靈樞・外揣》）

10 審於調氣（物），明於經隧（物），左右支絡，盡知其會（月）。（《靈樞・官能》）

11 凡刺小邪曰以大（月），補其不足乃無害（月），視其所在迎之界（月），遠近盡至不得外（月），侵而行之乃自費（物）。（《靈樞・刺節真邪》）

12 氣積於胃（物），以通營衛（月）。（《靈樞・刺節真邪》）

13 勞則喘息汗出（物），外内皆越（月）。（《素問・舉痛論》）

14 刺此者取之經隧（物），取血于營，取氣于衛（月）。（《素問・調經論》）

15 二陰至肺（月），其氣歸膀胱，外連脾胃（物）。（《素問・陰陽類論》）

綜上所述，《黄帝内經》中質部和物部的界限已經不明顯了。我們從《黄帝内經》中質物兩部大量合用以及這兩部都能與月部合韻的事實就能夠得到證明，它們在漢代已經合爲一個韻部了。

戊　歌魚合韻

《黄帝内經》有一些歌魚合韻的例子，很值得注意。在西漢時代，魚部的麻韻字如「家」「華」有轉入歌部的趨勢，到了東漢，「家」「華」完全轉入歌部。如班固《北征賦》以「娑」「那」「加」「他」「邪」「圖」「峨」「家」「波」押韻，張衡《西京賦》「家」「過」「加」相押，足見「家」「華」已轉入歌部。到了東漢，麻韻的字與歌部字相押的更多，但是，魚部裏的模、姥、暮及魚、語、御和虞、麌、遇中的字，與歌部相押的很少。（詳見羅常培、周祖謨《漢魏晉南北朝韻部演變研究》）可是，在《黄帝内經》裏，卻有這類例子。這些例子應該引起研究語音史的人注意。下面把魚歌合韻的例子列舉出來：

1　皮肉筋脉，各有所處（魚），病各有所宜（歌），各不同形，各任其所宜（歌）。（《靈樞・九鍼十二原》）

2　此四時之序（魚），氣之所處（魚），病之所舍（魚），鍼之所宜（歌）。（《靈樞・本輸》）

3 陰陽相移（歌），何寫何補（魚）？（《靈樞·根結》）

4 陰盛而陽虛（魚），先補其陽，後寫其陰而和（歌）之。（《靈樞·終始》）

5 黄帝曰：余聞刺有五過（歌）。岐伯曰：補寫無過其度（魚）。（《靈樞·五禁》）

6 凡陰陽之要，陽密乃固（魚），兩者不和（歌），若春無秋，若冬無夏（魚），因而和（歌）之，是謂聖度（魚）。（《素問·生氣通天論》）

7 不適貧富貴賤之居（魚），坐之薄厚（魚），形之寒温，不適飲食之宜（歌），不别人之勇怯（魚）。（《素問·征四失論》）

8 陽復化（歌），草乃長，乃化乃成，民乃舒（魚）。（《素問·六元正紀大論》）

9 故治病者，必明六化分治，五味五色所生，五藏所宜（歌），乃可以言盈虛病生之緒（魚）也。（《素問·至真要大論》）

10 高者抑之，下者舉（魚）之，有餘折之，不足補（鐸）之，佐以所利，和以所宜（歌）。（《素問·至真要大論》）

11 生之有度（魚），四時爲宜（歌）。（《素問·脉要精微論》）

與歌部相押的魚部字可分爲三組：姥暮合口一等字——補、度、固；魚語御開口三等字——居、怯、舒、序、舉、緒、處；馬韻開口字——舍（三等字）、夏（二等字）。

在先秦時代，歌魚兩部分别很嚴格。段玉裁説：

古韻第十七部(歌)古獨用無異辭,漢以後多以魚虞之字韻入於歌戈。鄭氏以魚虞歌麻合爲一部,乃漢魏之韻,非《三百篇》之韻也。

從上舉例中,也可以看出漢代韻寬、押韻不嚴格的特點。

己 《黄帝内經》「行」「明」「風」三字韵部轉變的斷代意義

(甲)行

「行」字是段玉裁第十部字,古音學家都注意「行」字韻部的轉變,在判斷作品時代性上,「行」字韻部的歸屬極有啟發。段玉裁在第十部「古本音」中説:「行聲在此部。《詩》卷耳、擊鼓、雄雉、北風、載馳、氓、大叔于田、有女同車、豐、汾沮洳、鴇羽、秦黄鳥、秦無衣、七月、東山、鹿鳴、六月、沔彼流水、十月之交、大東、北山、車舝、何草不黄、大明、綿、公劉、蕩、崧高、天作、敬之三十二見,《易》四十六見。今兼入庚映。」《詩》三十二見、《易》四十六見,皆在陽部,其音爲háng,後世轉入個耕庚韻(「耕」與「庚」都在陽部見紐平聲,讀音相同,古音學家或稱耕韻,或稱庚韻,或稱庚耕韻,意義相同),讀音爲xíng。段玉裁云:「今兼入庚映韻。」(按,「映」字亦在陽部),「今」者,指《廣韻》也,謂《廣韻》收在庚韻和映韻。顧炎武《音學五書》對「行」字由陽韻轉入耕庚韻有詳考。《詩本音》卷一《葛覃》「置彼周行」注:「考行字《詩》凡三十二見,《書》三見,《易》四十四見,《左傳》一見,《禮記》三見,《孟子》一見，《楚辭》十三見，并户郎反（háng）。其行列之行，行止之行，五行之行，同是一音。後人誤於十二庚韻再出。」（《音學五書》，中華書局一九八二年版，頁五十七）《音學五書·唐韻正》云：「行，今音户庚切，古音杭。」如《尚書·泰誓》：「謂己有天命，謂敬不足行，謂祭無益，謂暴無傷。厥鑒惟不遠，在彼夏王。」「行」古音在陽韻，其例甚多。顧炎武爲了論證「行」字在先秦時代末皆讀「杭」音，屬於古韻陽部字，他幾乎讀遍先秦至漢末經傳子史所有書籍，發現一個共同的規律——都讀爲「杭」音，舉出三百八十五條例證，準確引證原文，使讀者自然而然地得出結論——「古音杭」，屬於陽部字。引證這麽豐富的文獻證據去證明一個字的讀音，這是一種什麽精神？這是實事求是的精神，這是開山采銅開拓未來的精神。讀者讀這些文獻資料，無不爲之震撼。段玉裁説，他讀《音學五書》爲之「驚怖」。段氏得其治學精神，學其治學方法，研究古韻十七部，亦多統計某字出現次數。顧炎武的這種開山采銅的精神與方法，非常值得學習。他在《顧亭林文集》裏説，有一位朋友問：《日知録》您今年又寫了幾卷？顧炎武回答：只寫了幾條。有的人寫作，好有一比，把收集來的舊銅錢舂碎鑄造新錢，新鑄的銅錢不但不能用，還把舊銅錢糟蹋了；我寫作好比開山取銅，雖然費時費力，但是增加了新銅。顧炎武的著作，都是開采出來的新銅。這種治學精神，爲整個清代所有學者治學寫作指明了方向與方法。錢大昕在《十駕齋養新録》裏説：「無慕虚名，勤修實學」，是對顧炎武治學精神的繼承和概括。

顧炎武通讀《靈樞》《素問》，把大部分「行」字屬於陽韻讀音爲「杭」者列舉出來，筆者全引如下，每條例句之首增加序號，以便閲讀：

1《素問·標本病傳論》：「知標本者，萬舉萬當（陽），不知標本，是謂妄行（陽）」；

2《疏五過論》：「外爲柔弱，亂至失常（陽），病不能移，則醫事不行（陽）」；

3《示從容論》《方盛衰論》并見上；

4《靈樞·九鍼十二原》：「刺諸熱者，如以手探湯（陽），刺寒清者，如人不欲行（陽）」；

5《靈樞·終始》見上；

6《靈樞·師傳》：「余聞先師，有所心藏（陽），弗著于方（陽）。余願聞而藏（陽）之，則而行（陽）之」；

7《靈樞·五亂》：「清氣在陰，濁氣在陽（陽），營氣順脉，衛氣逆行（陽）」；

8《靈樞·陰陽系日月》：「此天地之陰陽（陽）也，非四時五行之以次行（陽）也」；

9《靈樞·病傳》：「諸方（陽）者，衆人之方（陽）也，非一人之所盡行（陽）也」；

10《靈樞·天年》：「營衛之行（陽）不失其（陽）常，呼吸微徐，氣以度行（陽），六府化穀，津液布揚（陽），各如其（陽）常」；

11《靈樞·憂恚無言》：「何道之塞，何氣不行（陽），使音不彰（陽）？願聞其方（陽）」；

12《靈樞·邪客》：「離而入陰，别而入陽（陽），此何道而從行（陽）？願盡聞其方

（陽）」；

13 《靈樞・官能》：「言陰與陽（陽），合於五行（陽），五藏六府，亦有所藏（陽）。四時八風，盡有陰陽（陽），各得其位，合於明堂（陽）」；「寒入於中，推而行（陽）之；經陷下者，火則當（陽）之」；「各得其能，方乃可行（陽），其名乃彰（陽）」；

14 《靈樞・癰疽》：「陰陽已張（陽），因息乃行（陽）」。

顧氏共引《靈樞》《素問》「行」字屬於陽部者，凡十四例，《黄帝内經》之「行」字亦有屬於庚韻讀爲xing 音者。顧炎武認爲，「行」字從陽部轉入庚部，始于西漢初。他説：

按行字，漢以上唯《淮南子・説林訓》「兔絲無根而生，蛇無足而行，魚無耳而聽，蟬無口而鳴」，入後人清青韻。後漢則曹昭《東征賦》「惟永初之有七兮，余隨子兮東征，時孟春之吉日兮，撰良辰而將行」，其始變也。今人以行止之行音户耕反（xing），行列之行音户郎反（hang），不知行本音户庚反。庚音岡，户庚即户郎也。又觀《史記》《六韜》《靈樞經》《淮南子》《鶡冠子》《文子》《夏桀贊》《黄庭經》，則五行之行亦音杭。故太行山古名五行之山，其無異音可知。（《音學五書》，中華書局一九八二年版，頁二百九十四）。

「行」字轉入庚韻，西漢見《淮南子・説林訓》，他書未見，自東漢末「行」字乃多轉入庚韻，讀爲「xing 」音。筆者從《黄帝内經》中尋找出「行」轉入庚耕之例如下：

1《素問·八正神明論》："月始生（庚），則血氣始精（庚），衛氣始行（庚）。"

2《素問·離合真邪論》："因不知合之四時五行（庚），因加相盛，釋邪攻正（庚）。"

3《素問·評熱病論》："腹中鳴（庚），身重難以行（庚）。"

4《素問·鍼解篇》："義無邪下者，欲端以正（庚）也。必正其神者，欲瞻病人目，制其神，令氣易行（庚）也。"

"行"字轉入耕韻讀爲xíng音者，廣泛見於《七篇大論》，其例見下：

1《素問·氣交變大論》："收氣不行（庚），長氣獨明（庚），雨冰霜寒，上應辰星（庚）"；

2《素問·氣交變大論》："歲木不及，燥乃大行（庚），生氣失應，草木晚榮（庚）。"

3《素問·氣交變大論》："歲火不及，寒乃大行（庚），長政不用（庚），物榮而下，凝慘而甚，則陽氣不化，乃折榮美，上應辰星（庚）。"

4《素問·氣交變大論》："歲土不及，風乃大行（庚），化氣不令（庚），草木茂榮（庚），飄揚而甚，秀而不實，上應歲星（庚）"

5《素問·氣交變大論》："歲金不及，炎火乃行（庚），生氣乃用（庚），長氣專勝，庶物以茂，燥爍以行（庚），上應熒惑星（庚）。"

6《素問・氣交變大論》：「歲水不及，濕乃大行（庚），長氣反用（庚），其化乃速，暑雨數至，上應鎮星（庚）。」

7《素問・五常政大論》：「敷和之紀，木德周行（庚），陽舒陰布，五化宣平（庚）。」

8《素問・五常政大論》：「白起金用，草木眚（庚）；喘嘔寒熱，嚏鼽衄鼻窒；大暑流行（庚）。」

9《素問・五常政大論》：「治温以清（庚），冷而行（庚）之。」

10《素問・六元正紀大論》：「天氣急，地氣明（庚），陽專其令（庚），炎暑大行（庚）。」

11《素問・六元正紀大論》：「五之氣，春令反行（庚），草乃生榮（庚）。」

12《素問・六元正紀大論》：「草木浮煙，燥氣以行（庚），霿霧數起，殺氣未至，草木蒼幹，金乃有聲（庚）。」

13《素問・至真要大論》：「咳喘有聲（庚），大雨時行（庚）。」

14《素問・至真要大論》：「以所利而行（庚）之，調其氣使其平（庚）也。」

15《素問・至真要大論》：「逸者行（庚）之，驚者平（庚）之。」

通過「行」字韻部演變的考察，可以做出如下判斷：

第一，「行」字從先秦至漢初劉安（前一七九—前一二二）《淮南子・説林訓》之前，屬於陽部字，讀音爲「杭」，顧炎武以三百八十五條文獻例證論證之，確切可信，絶無疑義。

第二,「行」字從陽韻向庚耕韻演變是一個較爲漫長的過程,不是一蹴而就的,至東漢基本轉爲庚部字,讀音爲xíng。

第三,《黄帝内經》的「行」字多爲陽部字,讀音爲「杭」,讀爲庚部者少,反映了《黄帝内經》有些篇目成於先秦;讀爲耕庚韻者,當是漢人補充潤色之筆。明顧從德之父顧定芳説:「今世所傳《内經·素問》即黄帝之《脉書》,廣衍于秦越人、陽慶、淳于意諸長老,其文虽似漢人語,而旨意所從來遠矣。」(《素問·跋》)按,《脉書》今不可考,顧定芳認爲《素問》是戰國時期作品,經過戰國之末西漢之初大醫增補潤色,其説平實可信。

第四,《素問》「七篇大論」爲東漢之作。

(乙)明

「明」字屬於段氏第十部(陽部)。段玉裁在「古本音」下注云:

明聲在此部。《詩》雞鳴、東方未明、小雅黄鳥、大東、楚茨、信南山、甫田、大明、既醉、民勞、板、蕩、烝民、執競、敬之、有駜,十六見,《書》一見,《易》十五見,今入庚。

「今」者,《廣韻》也。「明」字《廣韻》武兵切(míng)。顧炎武《唐韻正》卷五「明」字條云:「古音謨郎反,今以字母求之,似當作彌郎反(miáng)。」「明」是三等字,作彌郎切是。爲了證明先秦時代「明」字屬於陽部字,讀音爲彌郎反,他博覽這一歷史時期幾乎所有著作，舉出二百八十五條例證，使人不能不相信「明」字在先秦時代的讀音是彌郎反。顧炎武不但考證「明」字在先秦時代的讀音，而且還考證「明」字從什麽時代開始演變爲庚部字而讀爲武兵切。他根據大量文獻資料，認爲從漢代初年「明」字開始由陽部韻轉入庚部，見王褒《四子講德論》、班婕妤《自悼賦》及班固《漢書序傳》，《黄帝内經》則從《四氣調神大論》開始轉變。顧炎武説：

按，「明」字自《素問・四氣調神大論》「秋三月，此謂容平，天氣以急，地氣以明。早卧早起，與雞俱興。使志安寧，以緩秋刑。收斂神氣，使秋氣平，無外其志，使肺氣清」，始雜入平、清等字爲韻。

這段文字，明字與庚韻的平、寧、刑、清押韻，顯示「明」字已轉入庚韻，讀爲武兵切了（míng）。

顧炎武認爲《四氣調神大論》爲漢初作品。

《唐韻正》列舉《素問》《靈樞》讀爲先秦古音彌郎切（miáng）的例子如下。今於每例前加序號，韻脚字加上韻部名稱，以便醒目：

1 《素問・生氣通天論》：「陽氣者，若天與日，失其所則折壽而不彰（陽），故天運當以日光明（陽）。」

2《陰陽應象大論》「天不足西北，故西北方陰也，而人右耳目不如左明（陽）也；地不滿東南，故東南方陽（陽）也；而人左手足不如右强（陽）也。」

3《六節藏象論》「五氣入鼻，藏於心肺，上使五色修明（陽），音聲能彰（陽）。」

4《著至教論》「別而未能明（陽），明而未能彰（陽），足以治群僚，不足治侯王（陽）。願得受樹天之度，四時陰陽（陽）合之，別星辰與日月光（陽），以彰經術，後世益明（陽），上通神農，著至教疑於二皇（陽）。」

5《示從容論》「今夫脉浮大虛者，是脾氣之外絶，去胃外歸陽明（陽）也。夫二火不勝三水，是以脉亂而无常（陽）也。四支解憜，此脾精之不行也。喘頦者，是水氣并陽明也。血泄者，脉急血無所行（陽）也，若夫以爲傷肺者，由失以狂（陽）也。不引《比類》，是知不明（陽）也。」

6《疏五過論》「診病不審，是謂失常（陽）。謹守此治，與經相明（陽），《上經》《下經》，《揆度》《陰陽》（陽），《奇恒》《五中》，决以明堂（陽），審於終始，可以横行（陽）。」

7《方盛衰論》「脉動無常（陽），散陰頗陽（陽）。脉脱不具，診無常行（陽）。診必上下，度民君卿（陽）。受師不卒，使術不明（陽）。不察逆從，是爲妄行（陽）。持雌失雄，棄陰附陽（陽）。不知并合，診故不明（陽）。傳之後世，反論自彰（陽）。是以診有大方（陽），坐起有常（陽），出入有行（陽），以轉神明（陽）。」

8 《靈樞經·終始篇》「凡刺之道，氣調而止，補陰瀉陽（陽），音氣益彰（陽），耳目聰明（陽）。反此者血氣不行（陽）。」

9 《外揣篇》「五音不彰（陽），五色不明（陽），五藏波蕩（陽）。」

10 《陰陽二十五人》「餘願得而明（陽）之，金櫃藏（陽）之，不敢揚（陽）之。」

11 《大惑論篇》「是故瞳子、黑眼法于陰，白眼、赤脉法于陽（陽）也，故陰陽合摶而精明（陽）也。」

顧氏「明」字條引用《黄帝内經》資料凡十一例。筆者按，《大惑論》「合傳」之「傳」當作「摶」，形近而訛。《鍼灸甲乙經》卷十二第四節作「合揣」。「揣」有「摶」音。林億於「合揣」二字下出校語云：「《靈樞》作『合傳』」。《鍼灸甲乙經》明毛氏汲古閣本多處將「摶」改爲「揣」，并出注説明以同音字「揣」代替「摶」的理由，謂免「摶」訛爲「傳」和「摶」也。《靈樞》《素問》「明」字古音讀「彌郎反（miáng）」諸例大多收録於此。筆者復加尋找，又得三例：

1 《素問·生氣通天論》：「故聖人摶精神（按，「傳」字訛，當作「摶」），服天氣，而通神明（陽）。失之則内閉九竅，外壅肌肉，衛氣散解，此謂自傷（陽）」；

2 《素問·脉要精微論》：「夫精明（陽）者，所以視萬物，别白黑，審短長（陽）」；

3 《靈樞·終始》：「補陰寫陽（陽），音氣益彰（陽），耳目聰明（陽），反此者血氣不行

（陽）。」

「明」字讀爲謨郎反貫穿整個先秦時代。顧炎武引書按時代先後順序。《尚書·益稷》：「元首明哉，股肱良哉，庶事康哉。」《洪範》：「無虐煢獨，而畏高明，人之有能有爲，使羞其行，而邦其昌。」説明在《尚書》時代「明」字在陽部讀爲彌郎反，至漢初始變，如《素問·四氣調神大論》開始改讀爲武兵切。故顧炎武云：「按，『明』字自《素問·四氣調神大論》始雜入平、清等字爲韻。」則《四氣調神大論》爲西漢初期之作。

「明」字由陽部轉爲庚部始于漢初，列舉豐富文獻資料確證之。這是一段頗有考據價值的文獻資料，全引如下，以便研讀《黄帝内經》音韻時對比考察。顧炎武首引漢初王褒有韻之文。王褒爲西漢昭帝（前八十六—前七十四）、宣帝（前七十四—前四十九）時人，生活於西漢初期，他的《四子講德論》的「明」字已由「陽韻」轉入「庚韻」，讀 ming 音，則西漢初期已經出現「明」字韻部轉變。這不是官家命令完成的語音轉變，而是衆口漸變逐漸形成的。下引諸例，見《唐韻正》明字條末尾，每例前皆加序號，以便醒目。

1　漢世之文，自王褒《四子講德論》「天符既章（陽），人瑞又明（陽）」與「精」（陽）、「靈」（陽）爲韻；

2　班婕妤《自悼賦》「蒙聖皇之渥惠兮，當日月之聖明（陽）」與「靈」（陽）、「庭」（陽）、「成」（陽）爲韻；

3《漢書序傳》「龔行天罰，赫赫明明（陽）」，與「京」（陽）、「平」（陽）爲韻；

4「炫炫上天，縣象著明（陽）」與「精」（陽）、「成」（陽）、「形」（陽）爲韻；

5 馮公矯魏「增主之明（陽）」與「平」（陽）爲韻；「四國絶祀，河間賢明（陽）」與「輕」（陽）、「聲」（陽）、「盈」（陽）爲韻；「勒成一家，大略孔明（陽）」與「刑」（陽）、「精」（陽）、「經」（陽）爲韻；「廣漢尹京（陽），克聰克明（陽）」與「平」（陽）、「刑」（陽）、「生」（陽）爲韻；

6 班固《西都賦》「天人合應，已發皇明（陽）」與「靈」（陽）、「成」（陽）爲韻；

7《北征賦》「資天心，謨神明（陽）」與「冥」（陽）、「城」（陽）、「徑」（陽）、「庭」（陽）爲韻；

8《泗水亭碑銘》「炎火之德，彌光以明（陽）」與（陽）「榮」爲韻；

9 傅毅《北海王誄》「維王勳德，是昭是明（陽）」與「銘」（陽）、「聲」（陽）、「榮（陽）」爲韻；

10 崔駰《大理箴》「熙乂帝載，旁施作明（陽）」與「平」（陽）、「清」（陽）、「聽」（陽）、「并」（陽）爲韻；

11 崔瑗《尚書箴》「無曰我審，而怠爾明（陽）」與「庭」（陽）、「成」（陽）、「清」（陽）、「榮」（陽）、「經」（陽）、「聲」（陽）爲韻；

12 張衡《東京賦》「含德章台，天禄宣明（陽）」與「甯」（陽）爲韻。」

王逸《九思》「陽氣發兮清明(陽)」與「靈」(陽)、「榮」(陽)、「娱」(陽)爲韻;

14 王延壽《魯靈光殿賦》「粤若稽古,帝漢祖宗,浚哲欽明(陽)」與「精」(陽)、「甯(陽)」爲韻;

15 《古辭王子喬》「養民若子,事父明(陽)」與「平」(陽)、「甯」(陽)爲韻;

16 蔡琰《胡笳十八拍》「鞞鼓喧兮,從夜達明(陽)」與「城」(陽)、「生」(陽)、「驚」(陽)、「營」(陽)、「城」(陽)、「平」(陽)爲韻。自此以後,耕庚清青四韻中字,雜然同用矣。

這是顧炎武考證「明」字爲庚韻的文字。蔡琰生卒年不詳。其父蔡邕(一三三—一九二)靈帝時郎中,則「明」字從西漢之初至後漢之終皆爲庚部字,其音爲míng,延續至今。《素問》「明」字轉入庚部例主要見於《素問》「七篇大論」。顧炎武《唐韻正》未見引用七篇大論者,如下幾例爲筆者收集:

1 《素問·氣交變大論》:「收氣不行(庚),長氣獨明(庚),雨水霜寒,上應辰星(庚)」;

2 《素問·五常政大論》:「天氣潔,地氣明(庚),陽氣隨,陰治化,燥行其政(庚),物以司成(庚)」;

3 《素問·五常政大論》:「太陽司天,寒氣下臨,心氣上從,而火用(庚)丹起,金乃眚

（庚），寒清時舉，勝則水冰，火氣高明（庚）」

4《素問·六元正紀大論》：「天氣急，地氣明（庚），陽專其令（庚），炎暑大行（庚）」；

5《素問·六元正紀大論》：「金鬱之發，天潔地明（庚），風清氣切，大涼乃舉，草樹浮煙，燥氣以行（庚）。」

用這些文獻資料考證《黃帝内經》成書時代，基本結論如下：凡文章中「明」字讀爲陽部者，該文爲先秦之作；凡讀爲庚部者，該文爲漢代之作。《素問》「七篇大論」是東漢之作。

（丙）風

具有判斷作品時代作用的還有一個「風」字，在先秦時代的詩文裏，「風」字的收尾音是m，屬於侵韻字，所以，它一律與侵韻字相押，因爲侵韻字的收尾音都是m。例如，《詩·緑衣》：「絺兮綌兮，凄其以風，我思古人，實獲我心。」《邶風·穀風》：「習習谷風，以陰以雨，黽勉同心。」《管子·版法》：「兼愛無疑，是謂君心，必先順教，萬民鄉風，旦暮利之，衆乃勝任。」《孫子·軍爭》：「故其疾如風，其徐如林。」到了漢代，有的作家仍然使「風」字與侵部字相押，與《詩經》《楚辭》和先秦諸子的用韻保持一致，但也有些詩文卻讓「風」字與蒸部字、東部字甚至陽部字、耕部字相押。從語音上看，「風」字的收尾音m已變爲ng，因此才能與蒸、東相押，有時也和陽、耕相押，這種現象，先秦時代是没有的，而是漢代詩文用韻的特點。比如揚雄《甘泉賦》裏的「風」字與「乘」「澄」「兢」相押，「乘」「澄」屬於蒸韻字，揚雄《尚書箴》裏的「風」與「聰」「恭」相押。「聰」「恭」屬於東韻字。揚雄是西漢蜀地人，如果説「風」字的收尾音m變爲ng是方音的表現，那麽，東漢作家杜篤、馮衍、傅毅、班固、馬融的作品，「風」字也與東、冬、蒸三部相押，與侵部字相押的很少。班固是陝西扶風安陵人，傅毅、馬融是扶風茂陵人，馮衍、杜篤是京兆杜陵人，這些地方的方音與蜀郡不同。如班固《東都賦》「風」字與「雍」「征」「躬」「陵」押韻；馬融《長笛賦》「風」字與「工」「鐘」「容」「隆」「降」「興」「重」「同」「終」押韻；傅毅《竇將軍北征賦》的「風」字與「鋒」「降」押韻；杜篤《論都賦》的「風」字與「京」「陵」「隆」押韻；馮衍《顯志賦》的「風」字與「罔」「紘」「崩」押韻（詳見羅常培、周祖謨《漢魏晉南北朝韻部演變研究》）。

但是，在漢代作品裏，有的仍然是「風」字與侵部字押韻，也就是説，「風」字仍屬於侵韻，例如《淮南子》就是如此。比如《説林訓》「有山無林，有穀無風，有石無金」，「林」「風」「金」都是侵部字。劉熙《釋名》解釋「風」字説：「『風』，兖豫司横口合脣言之，風，氾也，其氣博氾而動物也。青徐言風踧口開脣推氣言之，風，放也，氣放散也。」這條材料也很重要，説明「風」字在漢代曾通行兩種讀音。我們推想，「風」字讀爲fēng，可能始見於漢代一些方言之中，後來有些文人按方言寫作，把收m尾的「風」字讀成ng尾，這種情形越來越有影響，致使許多作家也這樣用韻。當然，更爲主要的原因是，在漢代，「風」字確實出現了由侵韻轉入冬韻的事實，否則也絶不會有那麽多作家都使「風」字與收ng尾的字相押。

下面，把《黄帝内經》中的「風」字入韻情况做一分析：

第一，《靈樞》中「風」字入韻情况。

1 夫天之生風者，非以私百姓（耕）也。（《五變》）

2 常候闕中（冬），薄澤爲風。（《五色》）

3 黄赤爲風，青黑爲痛（東），白爲寒，黄而膏潤爲膿（東）。（《五色》）

4 凡此四時之風者，其所病各不同形（耕）。（《論勇》）

5 萬民懈惰而皆中於虚風，故萬民多病（陽）。（《歲露》）

6 正月朔日，天和温不風，糴賤民不病（陽）。天寒而風，糴貴，民多病（陽）。（《歲露》）

7 二月丑不風，民多心腹病（陽）。（《歲露》）

8 知其邪正（耕）者，知論虚邪與正邪之風也。（《小鍼解》）

9 若鼻息肉不通（東），緩甚爲多汗，微緩爲痿瘺偏風。（《邪氣藏府病形》）

10 氣盛有餘，則肩背痛（東），風寒，汗出中風。（《經脉》）

第二，《素問》中「風」字入韻情况。

1 八風發邪，以爲經風，觸五藏（陽），邪氣發病（陽）。（《金匱真言論》）

2 其民陵居而多風，水土剛强（陽）。（《異法方宜論》）

3 秋不死，持於冬（冬），起於春，禁當風。（《藏氣法時論》）

4 腎病者，腹大脛腫（東），喘咳身重（東），寢汗出憎風，虚則胸中痛（東）。（《藏氣法時論》）

5 風之傷人也，或爲寒熱，或爲熱中（冬），或爲寒中（冬），或爲癘風，或爲偏枯，或爲風也，其病各異，其名不同（東）。（《風論》）

6 故風者，百病之長（陽）也，至其變化乃爲他病（陽）也。（《風論》）

7 肝風之狀，多汗惡風，善悲，色微蒼（陽）。（《風論》）

8 胃風之狀，頸多汗惡風，食飲不下，隔塞不通。（《風論》）

9 血氣未并（耕），五藏安定，肌肉蠕動（東），命曰微風。（《調經論》）

10 太陰所至爲雷霆驟注烈風，少陽所至爲飄風燔燎霜凝（蒸）。（《六元正紀大論》）

11 使數驚風，攝氣上行（耕）。（《至真要大論》）

從上述諸例可以看出，《黄帝内經》中的「風」字收尾音，已由m 變爲ng 。它的韻部也由侵轉冬，這也是漢韻的特點。

己 簡短的結論

上面從音韻角度做了較爲充分的研究。這裏再做一個簡明扼要的小結：

第一，兩漢的音韻，按上古音、中古音、今音這三個大的歷史階段劃分，它仍然屬於上古音系統，但是漢代的音韻已與周秦古音有一些不同。如魚侯兩部在先秦是分用劃然的，而在漢代作品如《易林》《淮南子》裏，魚、侯兩部已經合用。《黄帝内經》裏魚、侯兩部合用在七十例以上，這決不是偶然的魚、侯通押，而是兩部合并的表現，體現出來的是漢代音韻的特點。

第二，江永《古韻標準》真、文没有分爲兩部，不符合先秦古音的實際情況，但符合兩漢用韻情況。《黄帝内經》真、文合用的數量，超過真、文分用的數量，這也是漢代音韻的特點。

第三，《黄帝内經》裏脂部與微部的押韻字很少，關於它們的分合，不能做出詳細説明。

第四，質部是真部的入聲，物部是文部的入聲，質部和物部的收尾音都是t，它們的讀音很相近。在《黄帝内經》裏，質部和物部既各自和本部字相押，又有一些質物合用的例證，特别應該指出的是，質、物都有大量與月部合韻的例子，這説明在漢代質、物已經合爲一個韻部。這也是漢韻的特點。

第五，《黄帝内經》裏的魚、歌合韻，也確切無疑地是漢韻的特徵。《黄帝内經》裏的魚部字與歌部字相押，已不限於魚部的麻韻字，而是魚、語、御及模、姥、暮中的字都可以與歌部相押，這是先秦時代不存在的現象。

第六，「明」字在西漢已有與耕部相押的情形，但還不多，到東漢已經轉入耕部。《黄帝内經》中的「明」字是與耕部相押的，主要出現在「七篇大論」中，這説明「七篇大論」當是東漢之作。「行」（háng）字在漢代出現了xíng的聲音，即由陽部轉入耕部。《靈樞》《素問》中的許多「行」字都與耕部字相押，説明《黄帝内經》是漢代之作。「風」字的韻部原屬侵韻，在漢代有的作品已與冬、蒸、陽、東、耕相押。《黄帝内經》中的「風」字已具ng尾，可證《黄帝内經》有些作品爲漢代之作。

總的結論是：從音韻方面分析，《黄帝内經》始撰于先秦，結撰於漢代，「七篇大論」更晚些，當成于東漢。

（三）音韻與校勘

校勘是一門專門學問，它要求校勘者具有多方面的知識。利用古音學進行校勘，是校勘學家常用的校勘手段。這個方法運用得當，常常會收到很好的校勘效果。清王念孫在校勘《淮南子》時，校出該書許多錯誤。他在《讀淮南子雜誌後》中説：「若夫入韻之字，若有訛脱，或經妄改，則其韻遂亡。」西漢淮南王劉安所撰《淮南鴻烈》（通稱《淮南子》），在散文中穿插大量有韻的句子，由於輾轉傳抄，有不少脱訛，把本來押韻的文章改成不押韻了。王念孫總結了十八條失韻致誤的情況，每條之下都附有豐富例證。

這十八條就古韻以校古書的方法，對我們校勘《黄帝内經》很有啟發。這十八條是（舉例略）。

1 有因字誤而失其韻者。
2 有因脱字而失其韻者。
3 有因字倒而失其韻者。
4 有因句倒而失其韻者。
5 有句倒而又移注文者。
6 有錯簡而失其韻者。
7 有改字而失其韻者。
8 有改字以合韻，而實非韻者。
9 有改字以合韻，而反失其韻者。
10 有改字而失其韻，又改注文者。
11 有改字而失其韻，又删注文者。
12 有加字而失其韻者。

13 有句讀誤而又加字，以失其韻者。

14 有既誤且脱，而失其韻者。

15 有既誤而又加字，以失其韻者。

16 有既誤且改，而失其韻者。

17 有既誤而又加字，以失其韻者。

18 有既脱而又加字，以失其韻者。

王氏指出，以上數條，只是「略舉其端以見例，其餘則遽數之不能終也」。又説：「嗟乎，學者讀古人書，而不能正其傳寫之誤，又取不誤之文而妄改之，豈非古書之大不幸乎！」

從《靈樞》《素問》中選取一些例證，説明應用音韻學知識校勘《黄帝内經》的方法及其重要意義。

甲　因妄改字或寫誤字而失其韻者，當據古韻而正之

1　上古之人，其知道者，法于陰陽，和於術數，食飲有節，起居有常，不妄作勞，故能形與神俱，而盡終其天年，度百歲乃去。（《素問・上古天真論》）

林億校勘云：「按全元起注本云：『飲食有常節，起居有常度，不妄不作。』《太素》同。」這是一段有韻之文，「數」「俱」「去」屬於魚侯合韻。但卻在押韻的句子當中出現「不妄作勞」一句，破壞了押韻的句式，讀起來很不和諧。全元起注本和《太素》均作「不妄不作」，作「作」是正確的。古音「作」在鐸韻，鐸韻是魚韻的入聲，可與魚部構成魚鐸合韻。據此可以考知，王冰本作「不妄作勞」失韻，以作「不妄不作」爲是。「作」通「詐」。「作」與「詐」皆從「乍」聲，故「作」「詐」可以通假。胡澍《素問校義》有考證，把有關文字引在下面，可以從中看到清代學者依古韻從事校勘的方法：

林校曰：「按全元起注本云：「飲食有常節，起居有常度，不妄不作，《太素》同。」澍案：全本、楊本是也。作與詐同（《月令》：勿或作爲淫巧，以蕩上心。鄭注曰：今《月令》「作爲」爲「詐僞」。《荀子·大略篇》曰：藍苴路作，似知而非，作亦詐字）。法于陰陽，和於術數，相對爲文；飲食有常節，起居有常度，相對爲文；「不妄」與「不作」相對爲文（原注《征四失論》曰：飲食之失節，起居之過度；又曰：妄言作名，亦以節、度、妄、作對文）。「作」古讀若「胙」，上與「者」「數」「度」爲韻，下與「俱」「去」爲韻。王氏改「飲食有常節，起居有常度」爲「食飲有節，起居有常」，則句法虛實不對。改「不妄不作」爲「不妄作勞」，是誤讀「作」爲「之作」，而以「作勞」連文，殊不成義，既乖經旨，又昧古人屬詞之法，且使有韻之文不能諧讀，一舉而三失，隨之甚矣。古書之不可輕改也。

按胡氏說可從。

2 使志若伏若匿，若有私意，若已有得。（《素問・四氣調神大論》）

涵芬樓影印明正統道藏本、明成化十年熊氏種德堂刻本「匿」字誤作「匪」。原文「伏」「匿」「意」「得」都在古韻職部，屬於同部相押。「匪」在古韻微韻，與職部相隔甚遠，兩部不能相押，因此道藏本、熊氏本作「匪」是誤字。王冰在《生氣通天論》「神氣乃浮」下引《四氣調神大論》這段文字，亦作「若伏若匿」，尤可見「匪」爲訛字無疑。今通行本《素問》，皆不作「匪」。日本丹波元簡《素問識》亦曾依韻校勘此句：「簡按：匿得押韻。」

3 神有餘則笑不休，神不足則悲。（《素問・調經論》）

王冰注：「悲，一爲憂，誤也」。可知原文作「神不足則憂」，王改爲「悲」。林億云：「按《甲乙經》《太素》及全元起注本并作『憂』。」按「休」「憂」古韻皆在幽部，「悲」在「微」韻，與幽部不能相押，王氏改爲「悲」字，誤。

4 視深淵尚可測，迎浮云莫知其際。（《素問・疏五過論》）

考此二句又見《素問・六微旨大論》，將「際」字寫作「極」字。哪一個字是正確的呢？考察這段文字的下幾句話，更有助於對「際」「極」兩字的取捨。在「迎浮云莫知其際」下，

《疏五過論》有下面幾句話：

聖人之術，爲萬民式，論裁志意，必有法則，循經守數，按循醫事，爲萬民副，故事有五過四德，汝知之乎？

在以上兩段原文裏，「測」「式」「意」「則」「事」「副」「德」「之」等字，屬於古韻之部和之部的入聲職部字（「測」「式」「意」「則」「副」「德」爲職部字），之部和職部屬于平入相押，韻律是和諧的。根據押韻的格式，「迎浮云莫知其際」的「際」字不能與「測」「式」「意」等字相押。因而可以肯定，「際」字是在抄寫過程中出現的訛字，依照《六微旨大論》改爲「極」。「極」亦在古韻職部。

5 謬言爲道，更名自功。（《素問・征四失論》）

林億《新校正》指出：「《太素》『功』作『巧』。」按當依《太素》作「巧」，「道」與「巧」皆屬古韻幽部字，若作「功」，則於韻不協。

6 甚饑則夢取，甚飽則夢予。（《靈樞・淫邪發夢》）

《諸病源候論》卷四《虛勞喜夢候》把「取」字改成「臥」，「予」字改作「行」，均誤。考

《淫邪發夢》《備急千金要方》卷一第四亦引此兩句，僅「予」字作「與」，但仍與「取」押韻。此兩句屬侯韻（取、予都是侯部字）字相押，《諸病源候論》所改是錯誤的。

7　志意和則精神專直，魂魄不散，悔怒不至。（《太素・五藏命分》）

此三句亦見《靈樞》第四十七篇《本藏》，惟「至」作「起」，按作「起」字是。「直」與「起」古韻相押，皆在之部，作「至」則失韻矣。

8　少陽之人，諟諦好自貴，有小小官，則高自宜。（《靈樞・通天》）

按，「有小小官，則高自宜」，《鍼灸甲乙經》卷一第十六「宜」作「宣」，與「官」押韻，兩字皆在元韻，當依《鍼灸甲乙經》改作「宣」。

乙　因字倒而失韻者當據古韻以改之

1　水火者，陰陽之徵兆也，陰陽者，萬物之能始也。（《素問・陰陽應象大論》）

王冰在「陰陽之徵兆也」下注云：「觀水火之氣，則陰陽之徵兆可明矣。」可知王冰所據之本已作「徵兆」。考上述幾句，乃押韻之文，即「徵」與「始」相押，兩字皆在古韻之部，若作「徵兆」則不能相押。人們習慣「徵兆」一詞，對「兆徵」則頗感生疏，所以根據語言習慣把「兆征」改爲「徵兆」，使本來押韻的句子不押韻了。

清・江有誥在《素問韻讀》中認爲「徵兆」乃後人不明古韻而誤倒，予以改正。胡澍《素問校義》對此有一段很好的説明：

「天地者，萬物之上下也；陰陽者，血氣之男女也；左右者，陰陽之道路也；水火者，陰陽之徵兆也；陰陽者，萬物之能始也。」澍案：「陰陽之徵兆也」，本作「陰陽之兆徵也」。上三句，「下」「女」「路」爲韻；下二句，「徵」「始」爲韻，「徵」讀如宮商角徵羽之徵。《洪範》「念」「用」「庶」「徵」與「疑」爲韻，《逸周・月篇》「災」「咎」「之」「徵」與「負」「婦」爲韻，是其證。今作「徵兆」者，後人狃于習見，蔽所希聞而臆改之，而不知其與韻不合也。凡古文之倒文協韻者，多經後人改易，而失其讀。

2　治之要極，無失色脉，用之不惑，治之大則。逆從倒行，標本不得，亡神失國。（《素問・移精變氣論》）

本段的「極」「惑」「則」「得」國都屬於古韻部職部。「脉」有「mò」的讀音，似乎能與「則」「惑」等字押韻，但在古音裏，「脉」字屬於入聲錫韻，根本不能與上述諸字相押。「色」字古屬職韻，原文作「無失脉色」，與這段押韻的文字才能諧調。考《太素・色脉診》正作「無失脉色」。這種情況正如王念孫所説，倒字以求其韻，而其實非韻。對於這種情況，只有掌握古韻知識，了熟於胸，才能發現問題所在，據古韻以校改之。

3 春日浮，如魚之遊在波；夏日在膚，泛泛乎萬物有餘；秋日下膚，蟄蟲將去；冬日在骨，蟄蟲周密，君子居室。（《素問・脉要精微論》）

「膚」與「餘」「去」相押，均在古韻魚部。「密」與「室」相押，兩字屬於古韻質部。無疑，「春日浮，如魚之遊在波」也應該押韻才是，但「浮」屬於幽韻，「波」屬於歌韻，兩部不能構成合韻，可見「春日浮，如魚之遊在波」的語序必有問題，而作「如魚在波之游」，「遊」亦屬於幽韻，則不但與上句押韻，春夏秋冬四時脉象的句子也全都成爲押韻之文，方符合古人屬文之法。如果作「如魚之遊在波」，這一大段的詩意就全破壞了。江有誥《素問韻讀》認爲應作「如魚在波之遊」。

4 凡刺之真，必先治神，五藏已定，九候已備，後乃存鍼，衆脉不見，衆凶弗聞。（《素問・寳命全形論》）

按，「後乃存鍼」當作「後乃鍼存」。「存」在古韻文部，與「真」「神」「聞」相押。「鍼」在古韻侵韻，在上古音系裏，它的收尾音是m，不能與「神」「真」「聞」押韻，據古韻當改爲「鍼存」。

5　不知所苦，兩蹺之下，男陰女陽，良工所禁。（《靈樞・官能》）

《鍼灸甲乙經》卷五第四、《太素》卷十九《知官能》皆作「男陽女陰」，當據改。若作「男陰女陽」，不惟於理不通，且於韻不諧。古音「陰」與「禁」皆侵韻。

6　還而刺之，毋過三行，察其浮沉，以爲深淺。（《靈樞・上膈》）

「深淺」當作「淺深」，「沉」與「深」均在侵韻，二字相押；傳抄者習見「沉浮」而誤改之。《鍼灸甲乙經》卷第十一、第八正作「察其浮沉，以爲淺深」。

7　六府化穀，津液布揚，各如其常，故能長久。《靈樞・天年》）

按，當作「故能久長」，以與「揚」「常」押韻，三個韻脚字均在陽部。

8　言實與虛，若有若無，察後與先，若存若亡。（《靈樞・九鍼十二原》）

按，「虚」與「無」都是古韻魚部字，二字押韻。後兩句亦當相押。作「若亡若存」則與「察後與先」押韻。「存」與「先」皆在古韻文部。

9　黄帝問于岐伯曰：五藏之所生，變化之病形何如？（《靈樞「邪氣藏府病形》）

按，「生」當作「主」，與「如」爲魚侯合韻。作「主」字亦與下文所言主病者相吻合。

10　言實與虛者，寒温氣多少也，若無若有者，疾不可知也。（《素問·鍼解》）

按，此句系隔句韻。第一句與第三句相押，第三句當作「若有若無者」，則「虛」與「無」相押。《素問·鍼解》多爲解釋《九鍼十二原》之語，《九鍼十二原》正作「若有若無」，故知《鍼解》此句乃誤倒。

丙　因字脱而失韻者當據古韻補正之

渾渾革至如湧泉，病進而色弊，綿綿其去如弦絶，死。（《素問·脉要精微論》）

林億《新校正》：「按《甲乙經》及《脉經》作『渾渾革革，至如湧泉，病進而危，綿綿綽綽，其去如弦絶者死』。」按《素問》此段文字有奪字，幾乎不能成文。先從訓詁上説，「革」非皮革之革，此處當讀爲「急」，表急促之意。張介賓注：「革至，如皮革之堅硬也。」張志聰注：「革至者，迴異於平常也。」高世栻注：「革至如湧泉，應指雜遝之意。」汪機注：「愚謂此則溢脉類也。」按諸注皆誤，「革」字除有「皮革」「改革」之意外，古代又讀爲「急」。《禮記·

檀弓上》：「夫子之病革矣，不可以變。」鄭玄注：「革，急也。」陸德明《經典釋文》：「革，紀力反。并又音極。」《爾雅・釋天》：「錯革鳥曰旟。」宋・邢昺引漢・孫炎注：「孫炎云，錯，置也。革，急也。畫急疾之鳥於旟也。」《爾雅・釋天》「革鳥」之「革」，也讀「急」的聲音。《脉要精微論》「渾渾革至如湧泉」有脱文，當依《脉經》《備急千金要方》作「渾渾革革」。「渾渾」形容脉來洪大，「革革」(jí)形容脉來疾急，由於脉象洪大而疾急，所以才「至如湧泉」。「病進而色弊」一句亦有奪訛。「色」當據《脉經》卷一第十三改作「危」，指出現洪大疾急的脉象時，表示病情有了發展，并有危險。「弊」字下脱一「弊」字，「綿綿其去如弦絶」之「綿綿」兩字與「弊弊」兩字構成「弊弊綿綿」四字句，與「至如湧泉」押韻。《脉經》「弊弊綽綽」的「綽綽」是訛字，當作「綿綿」。《方盛衰論》王冰注：「綿綿，動息微也。」經過這樣的考證校勘，并結合古韻進行分析，《脉要精微論》的這段文字當作：

渾渾革革，至如湧泉，病進而危，弊弊綿綿，其去如弦絶者，死。

丁　因句讀誤而失韻者當據古韻正其句讀

余念其痛，心爲之亂惑反甚，其病不可更代，百姓聞之，以爲殘賊。（《素問・寶命全形論》）

以上句讀見人民衛生出版社横排本，高世栻把「心」字上屬，讀成「餘念其痛心」，亦誤。

這是一段使用兩個韻脚的文字，「痛」與「病」隔句相押。「惑」「代」「賊」屬古韻職部，同部相押。據此，上一段文字的句讀當爲：

余念其痛，心爲之亂惑，反甚其病，不可更代，百姓聞之，以爲殘賊。

戊　因增字而失韻者當據古韻删去衍文

凡刺之屬，三刺至穀氣，邪僻妄合，陰陽易居，逆順相反，沉浮異處。（《靈樞·終始》）

「屬」與「穀」相押，兩字均在古韻屋部；「居」與「處」相押，兩字皆在古韻魚部。這本是一段韻律和諧的文字，在「穀」字後面增加一個「氣」字，便破壞了押韻的句式。考《太素》卷二十二《三刺》亦有此文，而無「氣」字，可證此「氣」字系後人傳抄誤增。

以上從五個方面分析《黄帝内經》音韻對校勘這部著作的重要意義，當然我們還可以多舉些例子，再細分幾個類型。但僅從上述舉例當中，也足以窺見從音韻的角度校勘這部古書的重要性了。

人們知道，《黄帝内經》中存在大量的押韻之句，又知道這部書在流傳過程中的復雜歷史——簡而言之，《靈樞》《素問》曾被皇甫謐收進《鍼灸甲乙經》，又被唐初之楊上善編爲《太素》，因此，校勘《靈樞》《素問》，必須參考《鍼灸甲乙經》《太素》。《鍼灸甲乙經》經傳抄而多訛；《太素》自南宋在國内失傳，十九世紀末才從日本傳回中國，《太素》經日本多次輾轉傳抄，訛衍倒奪，不一而足。因此，在對照《鍼灸甲乙經》《太素》校勘《黄帝内經》時，必須考慮到這些因素。還有，《靈樞》在北宋已非全帙，殘缺較多，北宋哲宗元佑七年（一〇九二），高麗進獻《鍼經》一部，次年詔命雕版頒行。南宋紹興二十五年乙亥（一一五五）史崧又獻出一部「家藏《靈樞》九卷」，今天所傳之《靈樞》，即史崧進獻本。《素問》經唐王冰重新編次、增加文字、删除復文，又非《素問》之舊，如此等等，情況十分復雜。因此，對《黄帝内經》進行校勘，當多參有關之本，調動一切校勘手段，其中包括運用古韻學知識，這樣才能收到良好的校勘效果。

（四）《黄帝内經》的韻式與韻例

研究《黄帝内經》的音韻，應該研究《黄帝内經》的韻例，找出《黄帝内經》固有的而不是强加給它的韻例，这样才能確定哪句入韻，哪句不入韻，才不至於把本來不押韻的句子誤説成押韻，或把本來押韻的句子視爲無韻。誠如江永在《古韻標準例言》中所説：「古有韻之文，亦未易讀，稍不精細，或韻在上而求諸下，韻在下而求諸上，韻在彼而誤叶此，或本分而合之，本合而分之，或閒句散文而以爲韻，或是韻而反不韻，則是讀破句，據誤本，雜鄉音。其誤不在古人而在我。」出現這些錯誤的原因，主要是没有把握住韻例。

韻例是押韻的條例與規則。顧炎武指出：「古人之文，化工也，自然而合於音，則雖無韻之文，而往往有韻。苟其不然，則雖有韻之文，而時亦不用韻，終不以韻而害意也。」（《日知録・五經中多有韻之文》）韻例一旦形成，就對人們的寫作起指導作用。

研究《黄帝内經》的韻例，應從三方面入手。㈠熟悉《詩經》的韻例，以此作爲研究《黄帝内經》韻例的借鑒和參考。《詩經》是我國韻文之祖，它的韻例，對後代任何有韻之文，都産生深遠影響。㈡參考清代音韻學家研究《黄帝内經》音韻的著作，尤其是顧炎武、江永、朱駿聲、王念孫、江有誥的著作，從這些著作中，分析他們是如何確定《黄帝内經》韻例的。㈢借鑒《詩經》的韻例和清人研究成果，從《黄帝内經》的實際出發，確定《黄帝内經》的韻例。這裏應該指出，研究《黄帝内經》的合韻，當借鑒王念孫《素問合韻譜》。

關於《詩經》的韻例，顧炎武、江永曾進行過專門研究。顧炎武在《古詩用韻之法》（《日知録》卷二十一）一文中，把《詩經》的韻例分爲三大類。他説：「古詩用韻之法，大約有三。」

第一類：一、二、四句用韻，第三句不用韻。他説：「首句、次句連用韻，隔第三句，而於第四句用韻者，《關雎》首章是也。凡漢以下詩，及唐人律詩之首句用韻者源於此。」這裏提到的《關雎》首章是指：「關關雎鳩，在河之洲，窈窕淑女，君子好逑。」其中第三句不用韻。

第二類：二、四句用韻，一、三句不用韻。他説：「一起即間句用韻者，《卷耳》之首章是也。凡漢以下詩，及唐人律詩之首句不用韻者源於此。」按《卷耳》首章是指：「采采卷耳，不盈頃筐，嗟我懷人，寘彼周行。」

第三類：連句韻。他説：「自首至末，句句用韻者。」「如《卷耳》之二章、三章、四章」，「凡漢以下詩，及魏文帝《燕歌行》之類源於此。」如《卷耳》第二章：「陟彼崔嵬，我馬虺隤，我姑酌彼金罍，維以不永懷。」其中「嵬」「隤」「罍」「懷」都互相押韻。《卷耳》第三章：「陟彼高岡，我馬玄黄，我姑酌彼兕觥，維以不永傷。」其中「岡」「黄」「觥」「傷」四字都押韻。他認爲這三類是最基本的韻例。

當然，《詩經》押韻情況很復雜，還有其他押韻方式。顧炎武認爲其他押韻方式都是從這三種基本韻例中變化而出的。在顧炎武之後，江永在《古韻標準》中，專門寫了一節《詩韻舉例》比顧氏的韻例又更加詳密，對《詩經》韻例的研究又前進一步。江永説：「韻本無例，《詩》用韻變動不居，衆體不同，則例生焉。不明體例，將有誤讀韻者。」

他除繼承了顧氏三個基本韻例外，還增加了「遥韻」，其中分爲「隔數句遥韻」「隔韻遥韻」等，還增加了「迭句韻」等。由於韻例比顧氏劃分得細些，因而對《詩經》用韻的狀況，分析得也就明了一些。但無論顧炎武還是江永，他們對《詩經》韻例的分析都還是粗疏的，個别的地方還有錯誤。

在當代，對《詩經》韻例分析得最爲精密的，當推王力先生的《詩經韻讀》，在這部著作裏，他用了很長的篇幅寫了《詩經韻例》一節。王力指出：

韻例的研究很重要，只有了解了《詩經》的韻例，才能更好地了解《詩經》時代的韻部。

清初江永在他的《古韻標準》中寫了《詩韻舉例》，但是當時先秦古韻的研究還在草創階段，他所講的韻例難免有缺點和錯誤，再者他講的也不夠全面。現在我們就韻在句中的位置、韻在章中的位置、韻在篇中的位置、韻式與韻部的互證四個方面，對《詩經》韻例做一個比較全面的敘述。

王力講的四個方面問題，對研究《詩經》韻例，具有開拓之功。其中「韻在句中的位置」和「韻在章中的位置」兩個問題，對我們研究《黄帝内經》的韻例，啟發尤大。

清代學者研究《黄帝内經》音韻，并没有寫出關於《黄帝内經》韻例一類的文章，我們只能從他們的有關文章中，去體會分析他們是如何確定《黄帝内經》韻例的。江有誥《先秦韻讀》關於《黄帝内經》入韻篇章的分析，王念孫的《素問合韻譜》，對我們分析他們的韻例觀點，有很大價值。

在研究繼承前人研究成果的基礎上，加上對《黄帝内經》虛心涵泳的工夫，我們就可以對《黄帝内經》韻例進行研究歸納了。

甲　韻位

所謂韻位，即韻在句中的位置。《黄帝内經》韻位不外兩種：韻脚與虛字脚。

（甲）韻脚

《黄帝内經》中的入韻字，也像詩歌中的入韻字一樣，一般用在一句的最後一個字上，所以稱爲韻脚。例如：

1 診病不審，是謂失常（陽），謹守此治，與經相明（陽），上經下經，揆度陰陽（陽），奇恒五中，决以明堂（陽），審於終始，可以横行（陽）。（《素問・疏五過論》）

2 凡刺寒邪日以温（文），徐往疾出致其神（真），門户已閉氣不分（文），虚實得調真氣存（文）。（《靈樞・刺節真邪》）

（乙）虚字脚

從《詩經》開始，就有許多句尾虚字可以入韻，但人們覺得不少相同的虚字如「之」「兮」「也」之類在句末反復出現，不夠雅致，所以，在虚字的前面再加上一個入韻字，因而也就可以把句尾的虚字不看成入韻字，而把虚字上面的一個字看成韻脚了，通常把這種押韻現象叫作虚字脚。

顧炎武在《音學五書・詩本音・關雎篇》「參差荇菜，左右流之，窈窕淑女，寤寐求之」下面指出：

凡《詩》中語助之辭，皆以上文一字爲韻，如「兮」「也」「之」「只」「矣」「而」「哉」「止」「思」「焉」「伐」「斯」「且」「忌」「猗」之類，皆不入韻。

比如《關雎》第二章，第二句的「之」和第四句的「之」，本來也可以看成是韻脚，但相同兩字反復相押，顯得呆板，缺少變化，所以在兩個「之」字的前面，各選一個適當的入韻字作爲韻脚，也就是説，「流」和「求」成了韻脚字，這種押韻情況稱爲虚字脚。因爲虚字「之」按理説也是韻脚，這樣，一句話裏等於有兩個韻脚，所以有人把虚字脚又稱爲富韻。

《詩經》的虚字脚種類很多，顧炎武已經指出。《黄帝内經》的虚字脚很單純，主要是「之字脚」，個別之處是「者也脚」等，但例子很少。下面把《靈樞》《素問》中的虚字脚匯列一起。

第一，之字脚

1　逆而奪（月）之，惡得無虚.；追而濟（脂）之，惡得無實。迎之隨（歌）之，以意和（歌）之。（《靈樞・九鍼十二原》）

2　宛陳則除（魚）之，邪勝則虚（魚）之。（《靈樞・九鍼十二原》。魚部字相押。）

3　必持内（物）之，放而出（物）之。（《九鍼十二原》物部字相押。）

4　補曰隨之，隨之意若妄（陽）之，若行若按，如蚊虻（陽）止。（《九鍼十二原》。「之」

與」「止」都是虛字，不入韻。《詩經》裏亦有以「止」作爲虛字放在句尾的，如《齊風・南山》「既曰庸止，曷又從止」；《小雅・杕杜》「日月陽止，女心傷止，征夫遑止」；《周頌・良耜》「百室盈止，婦子寧止」。「妄」「虻」爲陽部字相押。）

5 左持而御（魚）之，氣至而去（魚）之。（《九鍼十二原》。魚部字相押）

6 慎之慎（真）之，吾爲子言（元）之。（《靈樞・禁服》。真元合韻）

7 審按其道以予（魚）之，徐往徐來以去（魚）之。（《靈樞・寒熱》。魚部字相押）

8 虛與實鄰，知決而通（東）之；左右不調，把而行（陽）之。（《靈樞・官能》。東陽合韻）

9 大熱在上，推而下（魚）之；從下上者，引而去（魚）之；視前痛者，常先取（侯）之。大寒在外，留而補（魚）之；入於中者，從合瀉（魚）之。（《靈樞・官能》。魚侯合韻）

10 上氣不足，推而揚（陽）之，下氣不足，積而從（東）之，陰陽皆虛，火自當（陽）之。（《靈樞・官能》。東陽合韻）

11 寒入於中，推而行（陽）之，經陷下者，火則當（陽）之。（《靈樞・官能》。陽韻相押）

12 陽之汗，以天地之雨名（耕）之；陽之氣，以天地之疾風名（耕）之。（《素問・陰陽應象大論》。耕韻相押）

13 其高者，因而越（月）之；其下者，引而竭（月）之。（《素問・陰陽應象大論》。月部

字相押）

14 止而取（侯）之，無逢其沖而瀉（魚）之。（《素問・離合真邪論》。魚侯合韻）

15 木鬱達（月）之，火鬱發（月）之，土鬱奪（月）之，金鬱泄（月）之，水鬱折（月）之。（《素問・六元正紀大論》。月部字相押）

16 散者收之，抑者散（元）之，燥者潤（文）之，急者緩（元）之，堅者耎（元）之，脆者堅（真）之。（《素問・至真要大論》。真文元合韻）

17 衰者補（魚）之，强者瀉（魚）之。（《素問・至真要大論》。魚部字相押）

18 故上勝而下俱病者，以地名（耕）之，下勝而上俱病者，以天名（耕）之。（《素問・至真要大論》。耕部字相押）

19 奇之不去，則偶（侯）之，是謂重方。偶之不去，則反佐以取（侯）之。（《素問・至真要大論》。侯部字相押）

20 高者抑之，下者舉（魚）之，有餘折之，不足補（魚）之。（《素問・至真要大論》。魚部字相押）

21 以苦補（魚）之，以鹹瀉（魚）之。（《素問・至真要大論》。魚部字相押）

22 以苦堅（真）之，以辛潤（真）之。（《素問・至真要大論》。真部字相押）

23 經言盛者瀉（魚）之，虛者補（魚）之。（《素問・至真要大論》。魚部字相押）

24 勞者溫（文）之，結者散（元）之。（《素問・至真要大論》。文元合韻）

25　逸者行（耕）之，驚者平（耕）之。（《素問·至真要大論》。耕部字相押）

第二，也字脚

1　夫癰疽之生，膿血之已成（耕）也，不從天下，不從地出，積微之所生（耕）也。故聖人自治于未有形（耕）也，愚者遭其已成（耕）也。（《靈樞·玉版》。耕部字相押）

2　諸方者，衆人之方（陽）也，非一人之所盡行（陽）也。（《靈樞·病傳》）

3　勝復盛衰，不能相多（歌）也；往來小大不能相過（歌）也；用之升降不能相無（魚）也。（《素問·氣交變大論》。歌魚合韻）

4　然天地者，萬物之上下（魚）也；左右者，陰陽之道路（魚）也；水火者，陰陽之兆徵（之）也；金木者，生成之終始（之）也。（《素問·天元紀大論》。「下」與「路」爲魚部相押。「征」與「始」爲之部字相押）

5　其來不可逢者，氣盛不可補（魚）也。其往不可追者，氣虛不可瀉（魚）也。（《靈樞·小鍼解》。魚部字相押）

第三，耶字脚

時世異（之）耶？人將失之（之）耶？（《素問·上古天真論》。之部字相押）

第四，者……也脚

1　所謂易陳（真）者，易言（元）也。（《靈樞・小鍼解》。真元合韻）

2　要與之期（之）者，知氣之可取之時（之）也。（《靈樞・小鍼解》。之部字相押）

3　妙哉工獨有之（之）者，盡知鍼意（職）也。（《靈樞・小鍼解》。之職合韻）

4　所謂虚則實之者，氣口虚而當補之也。滿則泄之者，氣口盛而當瀉之也。（《靈樞・小鍼解》。之部字相押）

5　夫約方（陽）者，猶約囊（陽）也。（《靈樞・禁服》。陽部字相押）

6　今夫脉浮大虚者，是脾氣之外絶，去胃外歸陽明（陽）也。夫二火不勝三水，是以脉亂而無常（陽）也。四肢懈墯，此脾精之不行（陽）也。喘欬者，是水氣并陽明（陽）也。血泄者，脉急血無所行（陽）也。若夫以爲傷肺者，由失以狂（陽）也。不引《比類》，是知不明（陽）也。（《素問・示從容論》。陽部字相押）

乙　韻式

韻式是一部書用韻的方式與規則。《黄帝内經》的韻式可分爲五大類：㈠首句不用韻，第二句開始用韻。也可以説單句不押韻，雙句押韻。這種用韻方式，《詩經》中用得最多，對後代韻文産生了很大影響。《黄帝内經》中這種韻式很多。我們用OAOA 表示，A 表示入韻字,O表示無韻。㈡首句用韻,第二句也用韻,第三句不用韻,第四句用韻,我們用AAOA表示。這種韻式,在《詩經》中很常見,《黄帝内經》用的也很多。㈢兩句相押。我們用AA表示。㈣AA式的擴展。㈤AABB式。㈥ABAB式(交錯式)。下面分别彙集例句,詳加舉證。

(甲) OAOA 式

1 虚與實鄰,知決而通(東)之;左右不調,把而行(陽)之。(《靈樞·官能》。東陽合韻)

2 明於逆順,乃知可治(之)。陰陽不奇,故知起時(之)。(《靈樞·官能》。之部字相押)

3 言陰與陽,合于五行(陽),五藏六府,亦有所藏(陽),四時八風,盡有陰陽(陽),各得其位,合於明堂(陽)。(《靈樞·官能》。陽部字相押)

4 大熱在上,推而下(魚)之;從下上者,引而去(魚)之;視前痛者,常先取(侯)之。大寒在外,留而補(魚)之;入於中者,從而瀉(魚)之。(《靈樞·官能》。魚侯合韻)

5 上氣不足,推而揚(陽)之;下氣不足,積而從(東)之;陰陽皆虚,火自當(陽)之。(《靈樞·官能》。東陽合韻)

6 寒過於膝,下陵三里(之)。陰絡所過,得之留止(之)。(《靈樞·官能》。之部字

相押）

7　寒入於中，推而行（陽）之，經陷下者，火則當（陽）之。（《靈樞・官能》。陽部字相押）

8　上視天光，下司八正（耕），以辟奇邪，而觀百姓（耕）。（《靈樞・官能》。耕部字相押）

9　審於虛實，無犯其邪（魚）。是得天之露，遇歲之虛（魚）。（《靈樞・官能》。魚部字相押）

10　粗之所不見，良工之所貴（物），莫知其形，若神髣髴（物）。（《靈樞・官能》。物部字相押）

11　先見於色，不知於其身（真），若有若無，若亡若存（文）。（《靈樞・官能》。真文合韻）

12　粗守形，上守神（真），神乎神，客在門（文），未睹其疾，惡知其原（元）？（《靈樞・九鍼十二原》。真文元合韻，漢韻也）

13　知機之道者，不可掛以發（月），不知機道，叩之不發（月）。（《靈樞・九鍼十二原》。月部字相押）

14　往者爲逆，來者爲順（文），明知逆順，正行無問（文）。（《靈樞・九鍼十二原》。文部字相押）

15 補曰隨之，隨之意若妄（陽）之，若行若按，如蚊虻（陽）止。（《靈樞·九鍼十二原》。陽部字相押）

16 或中于陰，或中于陽（陽），上下左右，無有恒常（陽）。（《靈樞·邪气藏府病形》。陽部字相押）

17 刺之而氣不至，無問其數（侯）；刺之而氣至，乃去（魚）之。（《靈樞·九鍼十二原》。魚侯合韻）

18 知其要者，一言而終（冬），不知其要，流散無窮（冬）。（《靈樞·九鍼十二原》。冬部字相押）

19 刺雖久猶可拔（月）也，污雖久猶可雪（月）也，結雖久猶可解（錫）也，閉雖久，猶可決（月）也。（《靈樞·九鍼十二原》。雪、決、拔皆入聲月部字，「解」是入聲錫部字，這幾句屬於錫月合韻。這也是漢韻寬泛之一例）

20 疾雖久，猶可畢（質）也。言不可治者，未得其術（物）也。（《靈樞·九鍼十二原》。畢在入聲質部，「術」在入聲物部。質物合韻）

21 刺諸熱者，如以手探湯（陽）；刺寒清者，如人不欲行（陽）。（《靈樞·九鍼十二原》。陽部字相押）

22 邪之中人，或中于陰，或中于陽（陽），上下左右，無有恒常（陽）。（《靈樞·邪气藏府病形》。陽部字相押。本例句的前兩句皆不入韻，其實是OAOA式的擴展）

23　天地相感，寒暖相移（歌），陰陽之道，孰少孰多（歌），陰道偶，陽道奇（歌）。（《靈樞·根結》）。歌部字相押）

24　陰陽相移，何瀉何補（魚）？　奇邪離經，不可勝數（侯），不知根結，五藏六府（侯），折關敗樞，開闔而走（侯），陰陽大失，不可復取（侯）。（《靈樞·根結》）。魚侯合韻）

25　故能知終始，一言而畢（質），不知終始，鍼道咸絶（月）。（《靈樞·根結》）。質月合韻）

26　故曰用鍼之要，在於知調陰與陽，調陰與陽（陽），精氣乃光（陽），合形與氣，使神内藏（陽）。（《靈樞·根結》）。陽部字相押）

27　陰中有陰，陽中有陽（陽），審知陰陽，刺之有方（陽）。（《靈樞·壽夭剛柔》）。陽部字相押）

28　凡刺之道，畢於終始（之），明知終始，五藏爲紀（之）。（《靈樞·終始》）。之部字相押）

29　故瀉者迎之，補者隨（歌）之，知迎知隨，氣可令和（歌）。（《靈樞·終始》）。歌部字相押）

30　夫四時之氣，各不同形（耕），百病之起，皆有所生（耕），灸刺之道，何者爲定（耕）？（《靈樞·四時氣》）。耕部字相押）

31　審察衛氣，爲百病母（之），調其虚實，虚實乃止（之），瀉其血絡，血盡不殆（之）矣。

（《靈樞・禁服》。之部字相押）

32 方其盛也，勿敢毀傷（陽），刺其已衰，事必大昌（陽）。（《靈樞・逆順》。陽部字相押）

33 此必因虛邪之風，與其身形（耕），兩虛相得，乃客其形（耕）。（《靈樞・百病始生》。耕部字相押）

34 從虛去實，瀉則不足（侯），疾則氣減，留則先後（侯）。從實去虛，補則有餘（魚）。（《靈樞・癰疽》。魚侯合韻）

35 太虛廖廓，肇基化元（元），萬物資始，五運終天（真），布氣真靈，總統坤元（元），九星懸朗，七曜周旋（元）。（《素問・天元紀大論》。真元合韻）

36 知其要者，一言而終（冬），不知其要，流散無窮（冬）。（《素問・至真要大論》。冬部字相押）

37 彼春之暖，爲夏之暑（魚），彼秋之忿，爲冬之怒（魚）。（《素問・至真要大論》。魚部字相押）

38 聖人之術，爲萬民式（之），論裁志意，必有法則（之），循經守數，按循醫事（之）。（《素問・疏五過論》。之部字相押）

39 不知補瀉，不知病情（耕），精華日脱，邪氣乃并（耕）。（《素問・疏五過論》。耕部字相押）

40 不在（義爲「察」）藏府，不變軀形（耕），診之而疑，不知病名（耕）。（《素問·疏五過論》。耕部字相押）

41 診病不審，是謂失常（陽），謹守此治，與經相明（陽），《上經》《下經》，《揆度》《陰陽》（陽），《奇恒》《五中》，決以明堂（陽），審於終始，可以横行（陽）。（《素問·疏五過論》。陽部字相押）

42 精神不專，志意不理（之），外内相失，故時疑殆（之）。（《素問·征四失論》。之部字相押）

43 視其大小，合之病能（蒸），逆從以得，復知病名（耕），診可十全，不失人情（耕）。（《素問·方盛衰論》。蒸耕合韻）

44 因于天時，與其身形（耕），参以虚實，大病乃成（耕）。氣有定舍，因處爲名（耕）。（《靈樞·百病始生》。耕部字相押）

45 冬三月，此謂閉藏（陽），水冰地坼，無擾乎陽（陽），早卧晚起，必待日光（陽）。（《素問·四氣調神大論》。陽部字相押）

46 而道上知天文，下知地理（之），中知人事，可以長久（之），以教衆庶，亦不疑殆（之）。（《素問·著至教論》。之部字相押）

（乙）OAOA式

1 用鍼之理（之），必知形氣之所在（之），左右上下，陰陽表裏（之）。（《靈樞·官能》。之部字相押）

2 所出爲井（耕），所溜爲滎（耕），所注爲俞，所行爲經（耕），所入爲合，二十七氣所行（耕）。（《靈樞·九鍼十二原》。耕部字相押）

3 五藏之氣（月），已絶於内（月），而用鍼者反實其外（月）。（《靈樞·九鍼十二原》。月部字相押）

4 審於調氣（月），明於經隧（月），左右支絡，盡知其會（月）。（《靈樞·官能》。月部字相押）

5 各處色部（侯），五藏六府（侯），察其所痛，左右上下（魚）。（《靈樞·官能》。魚侯合韻）

6 蓋其外門（文），真氣乃存（文），用鍼之要，無忘其神（真）。（《靈樞·官能》。真文合韻）

7 刺之微（微），在速遲（脂），粗守關，上守機（脂）。（《靈樞·九鍼十二原》。脂微合韻）

8 九鍼之宜（歌），各有所爲（歌），長短大小，各有所施（歌）也。（《靈樞·官鍼》。歌

部字相押）

9 昭乎其如日醒（耕），窘乎其如夜瞑（耕），能被而服之，神與俱成（耕）。（《靈樞·病傳》。耕部字相押）

10 噾乎其無聲（耕），漠乎其無形（耕），折毛髮理，正氣横傾（耕）。（《靈樞·病傳》。耕部字相押）

11 和氣之方（陽），必通陰陽（陽），五藏爲陰，六府爲陽（陽）。傳之後世，以血爲盟（陽）。（《靈樞·終始》。陽部字相押）

12 夫日月之明（耕），不失其影（耕）；水鏡之察，不失其形（耕）；鼓響之應（蒸），不後其聲（耕）。動摇則應和，盡得其情（耕）。（《靈樞·外揣》。耕蒸合韻）

13 今日正陽（陽），歃血傳方（陽），有敢背此言者，必受其殃（陽）。（《靈樞·禁服》。陽部字相押）

14 營衛之行（陽），不失其常（陽），呼吸微徐，氣以度行（陽），六府化穀，津液布揚（陽）。（《靈樞·天年》。陽部字相押）

15 因而志有所惡（魚），及有所慕（鐸），血氣内亂，兩氣相搏（魚）。（《靈樞·賊風》。魚鐸合韻）（按：「搏」疑作「摶」，摶與亂韻，則此段文字爲AABB式。第一二句兩句押韻，第三四句兩句押韻。筆者以爲「搏」字爲「摶」之訛。「亂」與「摶」爲元部字相押。）

16 審其陰陽（陽），以别柔剛（陽），陽病治陰，陰病治陽（陽）。定其血氣，各守其鄉

（陽）。（《素問·陰陽應象大論》。陽部字相押）

17 形乎形（耕），目冥冥（耕），問其所病，索之於經（耕）。（《素問·八正神明論》。耕部字相押）

18 曰陰曰陽（陽），曰柔曰剛（陽），幽顯既位，寒暑弛張（陽），生生化化，品物咸章（陽）。（《素問·天元紀大論》。陽部字相押）

19 敬之者昌（陽），慢之者亡（陽），無道行私，必得夭殃（陽）。（《素問·天元紀大論》。陽部字相押）

20 黄帝坐明堂（陽），始正天綱（陽），臨觀八極，考建五常（陽）。（《素問·五運行大論》。陽部字相押）

21 閔閔之當（陽），孰者爲良（陽），妄行無征，示畏侯王（陽）。（《素問·氣交變大論》。陽部字相押）

22 别而未能明（陽），明而未能彰（陽），足以治群僚，不足治侯王（陽）。（《素問·著至教論》。陽部字相押）

23 脉動無常（陽），散陰頗陽（陽）。脉脱不具，診無常行（陽）。診必上下，度民君卿（陽）。受師不卒，使術不明（陽）。不察逆從，是爲妄行（陽）。持雌失雄，棄陰附陽（陽），不知并合，診故不明（陽）。傳之後世，反論自章（陽）。（《素問·方盛衰論》。陽部字相押）

（丙）AA 式

1 凡刺熱邪越而滄（陽），出遊不歸乃無病（陽）。（《靈樞・刺節真邪》。陽部字相押）
2 下有漸洳（魚），上生葦蒲（魚）。（《靈樞・刺節真邪》。魚部字相押）
3 知其往來（之），要與之期（之）。（《靈樞・九鍼十二原》。之部字相押）
4 迎之隨（歌）之，以意和（歌）之。（《靈樞・九鍼十二原》。歌部字相押）
5 刺之道（幽），氣至而有效（宵）。（《靈樞・九鍼十二原》。宵幽合韻）
6 得病所始（之），刺之有理（之）。（《靈樞・壽夭剛柔》。之部字相押）
7 凡刺之要（宵），官鍼最妙（宵）。（《靈樞・官鍼》。宵部字相押）
8 使道隧以長（陽），基牆高以方（陽）。（《靈樞・天年》。陽部字相押）
9 聽而不聞（文），故似鬼神（真）。（《靈樞・賊風》。真文合韻）
10 故兩軍相當（陽），旗幟相望（陽）。（《靈樞・玉版》。陽部字相押）
11 審按其道以予（魚）之，徐往徐來以去（魚）之。（《靈樞・寒熱》。魚部字相押）
12 敢問九鍼焉生（耕）？何因而有名（耕）？（《靈樞・九鍼論》。耕部字相押）
13 天覆地載（之），萬物悉備（職）。（《素問・寶命全形論》。之職合韻）
14 釋邪攻正（耕），絶人長命（耕）。（《素問・離合真邪論》。耕部字相押）

（丁） AA 式的擴展

AAA：

1　各得其能（蒸），方乃可行（陽），其名乃彰（陽）。（《靈樞・官能》。蒸陽合韻）

2　得其人乃言（元），非其人勿傳（元）。何以知其可傳（元）？（《靈樞・官能》。元部字相押）

3　令各有形（耕），先立鍼經（耕）。願聞其情（耕）。（《靈樞・九鍼十二原》。耕部字相押）

4　效之信（真），若風之吹云（文），明乎若見蒼天（真）。（《靈樞・九鍼十二原》。真文合韻）

5　人始生（耕），先成精（耕），精成而腦髓生（耕）。（《靈樞・經脉》。耕部字相押）

6　上焦如霧（侯），中焦如漚（侯），下焦如瀆（屋）。（《靈樞・營衛生會》。侯屋合韻。瀆，屋部字）

7　余願得而明（陽）之，金櫃藏（陽）之，不敢揚（陽）之。（《靈樞・陰陽二十五人》。陽部字相押）

8　使道閉塞而不通（東），形乃大傷（陽），以此養生則殃（陽）。（《素問・靈蘭秘典

論》。東陽合韻）

AAAA：

1　令可久傳（元），後世無患（元），得其人乃傳（元），非其人勿言（元）。（《靈樞·官能》。元部字相押）

2　凡刺寒邪日以温（文），徐往疾出致其神（真），門户已閉氣不分（文），虚實得調其氣存（文）。（《靈樞·刺節真邪》。真文合韻）

3　膿已成（耕），十死一生（耕），故聖人弗使已成（耕），而明爲良方（陽）。（《靈樞·玉版》。耕陽合韻）

4　治之要極（職），無失脉色（職），用之不惑（職），治之大則（職）。（《素問·移精變氣論》。職部字相押。按，「色」字置於「脉」字後，依《太素》改）

5　是以診有大方（陽），坐起有常（陽），出入有行（陽），以轉神明（陽）。（《素問·方盛衰論》。陽部字相押）

四句以上相押：

1　凡刺小邪日以太（月），補其不足乃無害（月）。視其所在迎之界（月），遠近盡至不得外（月），侵而行之乃自費（月）。（《靈樞·刺節真邪》。月部字相押）

2 有柔有剛(陽),有弱有强(陽),有短有長(陽),有陰有陽(陽),願聞其方(陽)。(《靈樞·壽夭剛柔》。「有柔有剛」原作「有剛有柔」,依韻改。陽部字相押)

(戊) AABB 式

1 審於本末(月),察其寒熱(月),得邪所在(之),萬刺不殆(之)。(《靈樞·官能》)

2 知其所苦(魚),膈有上下(魚),知其氣所在(之),先得其道(幽)。(《靈樞·官能》。「在」「道」是之幽合韻)。

3 機之動(東),不離其空(東),空中之機(微),清静而微(微)。(《靈樞·九鍼十二原》)

4 凡刺之理(之),經脉爲始(之),營其所行(陽),知其度量(陽)。(《靈樞·經脉》)

5 如迎浮云(文),若視深淵(真),視深淵尚可測(職),迎浮云莫知其極(職)。(《素問·六微旨大論》)

6 切陰不得陽(陽),診消亡(陽);得陽不得陰(侵),守學不湛(侵)。(《素問·方盛衰論》)

(己) ABAB 式(交錯式)

1 是故工之用鍼也,知氣之所在(之),而守其門户(魚),明於調氣,補瀉所在(之),

徐疾之意（職），所取之處（魚）。（《靈樞·官能》。在、在、意屬之職合韻相押，户、處魚部）

2　候吸引鍼，氣不得出，各在其處（魚），推闔其門（文），令神氣存（文），大氣留止，故命曰補（魚）。（《素問·合真邪論》。門、存文部，處、補魚部）

3　凡欲診病者，必問飲食居處（魚），暴樂暴苦（魚），始樂後苦（魚），皆傷精氣（月），精氣竭絶（月），形氣毀沮（魚）。（《素問·疏五過論》。處、苦、沮魚部，氣、絶月部）

4　聖人之治病也，必知天地陰陽，四時經紀（之），五藏六府（侯），雌雄表裏（之），刺灸砭石，毒藥所主（侯）。（《素問·疏五過論》。紀、裏、之部，府、主侯部）

5　知左不知右（之），知右不知左，知上不知下（魚），知先不知後（侯），故治不久（之）。（《素問·方盛衰論》。右、久之部，下、後魚侯合韻）

以上扼要地把《靈樞》《素問》中的韻例做了分析歸納，對於研究《黄帝内經》用韻情況當有幫助。在實際考察其用韻時，遇到的情況比上述内容可能還要復雜些，這種復雜情況主要體現在一大段文字中連續用韻，韻部多變，句子長短不齊，一下子不容易理清誰和誰押韻。遇到這種情況，運用上述韻例分解，對於押韻的句子看得就較清楚了，下面舉例説明：

凡用鍼者，虚則實之，滿則泄之（按：「實」在質部，「泄」在月部，此兩句爲質月合韻），宛陳則除之，邪勝則虚之（按：「除」「虚」皆魚部字）。《大要》曰：徐而疾則實（按：這屬於句中字與句中字押韻，《詩經》中有這種韻例，《黄帝内經》裏不多，故未單獨列出一個條例加以説明，附論於此。「疾」「實」皆質部字），疾而徐則虚（句中字與句中字相押，「徐」「虚」魚部字）。言實與虚，若有若無（「虚」「無」皆魚部字）。察後與先，若存若亡（按：依韻當作「若亡若存」。先存真文合韻），爲虚與實，若得若失（「實」「失」質部字）。虚實之要，九鍼最妙（「要」「妙」宵部字），補寫之時，以鍼爲之（「之」「時」皆之部字）。（九鍼十二原）

又比如《靈樞・官能》中的一段：

黄帝曰：用鍼之理，必知形氣之所在，左右上下，陰陽表裏（按：此屬AAOA韻例，之部字相押），血氣多少，行之逆順，出入之合，謀伐有過（按：此四句無韻）。知解結，知補虚瀉實（按：此屬AA韻例，「結」「實」質部字）。上下氣門，明通于四海，審其所在（按「門」字不入韻，「海」「在」爲之部字，屬AA式），寒熱淋露，以輸異處（按此兩句同AA式，「露」鐸部字，「處」魚部字，爲魚鐸合韻），審於調氣，明於經隧，左右支絡，盡知其會（按：此四句屬AAOA式，「氣」「隧」屬物部，「會」字屬月部，爲物月合韻）。

《黄帝内經》是一部偉大的醫學經典著作，對它的音韻進行研究，從而使這部著作更好地爲中醫事業服務，這個工作應該説剛剛開始。特别是從音韻角度對《黄帝内經》的用韻特點加以全面分析，從而深入研究和判斷其成書時代，進行校勘、研究文字通假等，還有許許多多科研工作有待開展。我們堅信，隨著中醫事業的發展，隨著人們對這部經典著作的日益深入的研究，這個領域一定會吸引有志者去開拓和耕耘，從而會有更多的發現。

（五）王念孫《易林新語素問合韻譜》及《素問合韻譜》

下面兩譜是請弟子姜燕（中國勞動關係學院中文系教授，北京市中醫管理局建立的「錢超塵人文學術傳承工作室」成員，中華中醫藥學會成立的由錢超塵面授主講的「國學及中醫文獻傳承班」成員）親至北京大學鈔録的，原書不是表格形式，而是把《易林》《新語》《素問》集中寫在一起。筆者在《黄帝内經太素研究》一文中，把《素問》資料單獨提取出來製成表格，補以例句（王念孫原稿只有韻脚字，而無全句，筆者依據韻脚字對照《素問》把原句補出），姜燕據此表體例亦製成表格，録入完整例句。這個表格包括王念孫《易林新語素問合韻譜》的全部資料，它第一次以表格形式公之於世，對研究《素問》的成書時代、研究漢代音韻的合韻特點，具有重要的啟發意義。

清儒研究古韻部的人不少，研究合韻者不多，段玉裁《六書音均表》涉及古合韻，但無專書。王念孫根據《素問》具有漢代的合韻特點，認爲《素問》成書的時間在漢代。劉師培《左盦集》也説：「考《黄帝内經》一書，多屬偶文韻語，惟明于古音古訓，厘正音讀，斯奥文疑義，焕然冰釋。」梁啟超《中國近三百年學術史・清代學者整理舊學之總成績（二）》説：「此書爲最古之醫學書，殆出漢人手，而清儒皆以爲先秦舊籍。」這裏需要補充説明的是，

《素問》的醫學道理不是始出漢代，《史記·扁鵲倉公列傳》有明確的論述和説明，中醫的醫學理論在戰國時代已經流傳和有一些文字記載，到了秦代和西漢，醫家和懂得醫學的文人將前代流傳下來的中醫理論與文字記載加以整理，從而結撰爲《黄帝内經》。明代嘉靖御醫顧定芳有北宋刊刻的《素問》，囑其子顧從德（字汝修）據宋本摹刻，以廣其傳，後世多以顧從德翻宋本爲底本翻刻，如吴勉學本據顧本翻刻而出，日本森立之亦據顧從德本翻刻，可見善本嘉惠後世之巨大。顧從德在翻刻宋本《跋》中説：「家大人未供奉内藥院時，時見從德少喜醫方術，爲語曰：『世無長桑君指授，不得飲上池水，盡見人五藏，必從黄帝之《脉書》《五色診候》始知逆順、陰陽，按奇絡活人。不然者，雖聖儒無所從精也。今世所傳《内經·素問》，即黄帝之《脉書》，廣衍于秦越人、陽慶、淳于意諸長老，其文遂似漢人語，而旨意所從來遠矣。』」這段文字的主旨是説，《素問》醫學道理和某些篇章傳自先秦，而經漢人記録撰述與語言潤色。筆者認爲這種判斷符合《黄帝内經》的實際流傳情況。我們輔以王念孫制定的《易林新語素問合韻譜》研究《素問》，對於梁啟超所説「殆出漢人手」的理解才是全面的。

下面是姜燕過録的王念孫《易林新語素問合韻譜》（譜一）以及在此基礎上離析出來的《素問合韻譜》（譜二）。

附一 《易林新語素問合韻譜》❶

（本函内裝毛邊紙本的王念孫手稿，由紙撚穿成，共十八册，其中《易林新語素問合韻》共四册，《易林通韻》共五册，《易林韻》共九册，凡十八册。姜燕製表。）

北京大學圖書館索書號SB/414. 6/1081

□414. 6

1081：4

函外手寫編號：1046

譜一

序號	韻目	韻例	書名	出處	備註
1	東冬	沖容忠窮	新語	上之七	
2	東冬	功降	易林	蒙之謙、師小節	
3	東冬	宫攻	易林	訟之漸	
4	東冬	中凶	易林	師之頤、旅之困	

❶ 這只是王念孫的一個讀書筆記，没有封面。北大圖書館用鉛筆寫在卷首頁：新語 素問 易林 合韻。

5	東冬	降甕	易林	小畜之升	
6	東冬	降通空	易林	履之謙	
7	東冬	重中	易林	大有之坎	
8	東冬	終凶	易林	復之歸妹	
9	東冬	中功	易林	大畜之大過	
10	東冬	中凶	易林	頤之蒙、兑之大畜	
11	東冬	公中	易林	大過之小過	
12	東冬	窮凶	易林	明夷之隨	
13	東冬	東中	易林	明夷之益、益之觀	
14	東冬	通窮從	易林	明夷之困、歸妹之益	
15	東冬	公通窮	易林	家人之剥	
16	東冬	功同窮	易林	震之大有	
17	東冬	蓬中	易林	艮之剥、益之損	
18	東冬	中同	易林	艮之解	
19	東冬	空宗東凶	易林	艮之益	
20	東冬	功降	易林	節之革	
21	東冬	公通窮	易林	未濟之小畜	

22	東蒸	容雄	素問	廿四之三	
23	東蒸	從應興	新語	上之六	
24	東蒸	重登公	易林	坤之師	
25	東蒸	豐龍興	易林	蒙之升	
26	東蒸	雄東	易林	需之離	
27	東蒸	同興	易林	需之震、益之隨	
28	東蒸	同興	易林	泰(之)大過、需之震	原文没有「之」,「泰」與「大」字之間有空無字,疑爲漏寫
29	東蒸	功興	易林	咸之賁、損之無妄	
30	東蒸	公雄	易林	大壯之睽	
31	東蒸	興訟	易林	大壯之歸妹	
32	東蒸	登肱凶	易林	艮之歸妹	
33	東蒸	雄公	易林	節之夬	
34	東侵	攻禽功	易林	履之夬、升之隨	
35	東侵	金功	易林	大壯之遁	
36	東侵	金吟功	易林	既濟之頤	
37	東漢	檻動	易林	夬之謙	

38	東陽	傷壅從	素問	十四之一	
39	東陽	明聰	素問	十五之三	
40	東陽	陽明工	素問	廿三之八	
41	東陽	通明	素問	同上	
42	東陽	亡行强量長方功望陽殃光方亡張萌	新語	上之四	
43	東陽	明亡功强長方	新語	上之五	
44	東陽	王公王同商常殃羌同同凶亡綱將望功王藏工良通明良方行	新語	上之六	
45	東陽	良方功長羊方容亡	新語	上之八	
46	東陽	亡傷僵楊同工量長觴光庠莊觴堂芳通揚楊	新語	下之一	
47	東陽	亡惶從	易林	乾之屯	
48	東陽	光龍王	易林	乾之否、大壯之隨	
49	東陽	通殃傷	易林	坤之大有、益之損	

50	東陽	光明功	易林	屯之咸	
51	東陽	鄉通	易林	屯之巽	
52	東陽	舫堂慌邦	易林	蒙之比、咸之節	
53	東陽	傷癰	易林	蒙之履、泰之訟	
54	東陽	通殃	易林	需之豫	
55	東陽	逢卿	易林	需之漸	
56	東陽	湯房通	易林	訟之蒙、解之巽	
57	東陽	望通床	易林	泰之屯	
58	東陽	鄉通	易林	泰之小畜	
59	東陽	盟功	易林	泰之未濟	
60	東陽	衡公王	易林	同人之師、觀之萃	
61	東陽	從鷊漿旁	易林	同人之蠱、未濟之升	
62	東陽	常桑功	易林	同人之艮	
63	東陽	床公	易林	大有之復、升之臨	
64	東陽	享明功	易林	謙之大有、噬嗑之謙	
65	東陽	瞳明公	易林	謙之蹇	
66	東陽	亡惶從	易林	謙之震、賁之兑	

67	東陽	明聰康	易林	豫之無妄、明夷之師	
68	東陽	狼祥行逢	易林	隨之訟	
69	東陽	長鄉光公	易林	臨之謙	
70	東陽	皇桐	易林	觀之謙	
71	東陽	行公	易林	觀之睽	
72	東陽	通殃傷	易林	剥之蹇	
73	東陽	聾殃	易林	觀之兑、睽之損	
74	東陽	明豐	易林	噬嗑之恒	
75	東陽	兵祥王逢	易林	無妄之謙	
76	東陽	明黄聾	易林	噬嗑之謙	
77	東陽	殃通傷	易林	噬嗑之革	
78	東陽	行逢	易林	復之既濟、漸之晉	
79	東陽	訟行	易林	無妄之剥	
80	東陽	卿公	易林	無妄之蹇	
81	東陽	明益同凶	易林	大畜之井	
82	東陽	羊逢凶	易林	大畜之革	
83	東陽	望邦强昌	易林	頤之漸	

84	東陽	明昌功	易林	大過之觀	
85	東陽	明殃邦	易林	離之大畜	
86	東陽	明通僵	易林	咸之乾	
87	東陽	凶糠	易林	咸之履	
88	東陽	行明從	易林	遁之臨	
89	東陽	明昌公	易林	遁之頤	
90	東陽	功羊	易林	大壯之訟	
91	東陽	堂殃通	易林	大壯之泰	
92	東陽	明常訟	易林	大壯之姤	
93	東陽	痛病	易林	明夷之乾	
94	東陽	同鄉功	易林	明夷之革	
95	東陽	亡行功	易林	家人之同人	
96	東陽	惶裝邦	易林	家人之涣	
97	東陽	明從殃	易林	睽之坎	
98	東陽	裝行江傷	易林	蹇之臨	
99	東陽	糧逢	易林	解之豫	
100	東陽	堂翔行興明光	易林	損之坤	

101	東陽	莊公	易林	益之大有	
102	東陽	行鄉殃功	易林	益之復、萃之比	
103	東陽	羊亡并邦	易林	升之漸	
104	東陽	光公	易林	升之巽、益之歸妹	
105	東陽	明功	易林	困之離	
106	東陽	凶行	易林	井之師	
107	東陽	詳鄉亡通	易林	井之隨	
108	東陽	張通	易林	井之晉	
109	東陽	行逢	易林	革之井	
110	東陽	光章公	易林	歸妹之大過	
111	東陽	陽公	易林	歸妹之晉	
112	東陽	狂盲用	易林	旅之離	
113	東陽	糧逢	易林	旅之恒	
114	東陽	狼傷長凶	易林	兑之歸妹	
115	東陽	東場	易林	兑之旅	
116	東耕	驚通功	易林	小畜之乾	
117	東耕	功成	易林	豫之臨、噬嗑之益	

118	東耕	刑功	易林	姤之隨	
119	東真	人功	易林	需之噬嗑、旅之噬嗑	
120	東真	噰同人	易林	豫	
121	東真	通逢人	易林	豫之艮	
122	東真	仁訟	易林	大畜之需	
123	東真	凶仁	易林	遁之坤、漸之小畜	
124	東真	便凶信	易林	晉之解	
125	東真	凶身	易林	明夷之大壯、解之大壯	
126	東真	同仁	易林	家人之損、漸之離	
127	東真	民益	易林	解之離	
128	東真	功人	易林	升之節	
129	東元	官凶	易林	革之噬嗑	
130	東之	東來	易林	大壯之損	
131	東止	寵恐殆	易林	升之兑	
132	東止	市子寵	易林	中孚之明夷	
133	東厚	走恐後	易林	中孚之剥	
134	東侯	雊貢	易林	訟之既濟	

135	東侯	酗門	易林	比之升、大畜之晉	
136	東黝	統咎	易林	震之困	
137	冬蒸	降興	素問	廿之十六	
138	冬蒸	蠅中	易林	大畜之觀、升之訟	
139	冬蒸	降冰	易林	坎之解	
140	冬侵	陰中	素問	十七之四	
141	冬侵	終心	易林	訟之同人、小畜之坤	
142	冬侵	深宋	易林	觀之明夷	
143	冬侵	林中	易林	無妄之巽、小過之晉	
144	東湯	忠亡	新語	上之七	
145	東湯	鄉中	易林	師之噬嗑、蠱之謙	
146	東湯	明宗	易林	大過之益	
147	東湯	行終	易林	既濟之困	
148	冬耕	静宗	素問	廿二之十五	
149	冬耕	宗聖	易林	損之履	
150	冬兵	仁窮	易林	復之大過	
151	冬兵	衆信	易林	遁之無妄	

152	冬兵	隆人	易林	明夷之蒙、益之升	
153	冬諄	衆君	易林	升之需	
154	冬元	中患	易林	未濟之大壯	
155	蒸侵	勝沈	素問	廿四之三	
156	蒸侵	憎金	易林	乾之歸妹、震之遁	
157	蒸侵	男承	易林	屯之離、蠱之大壯	
158	蒸侵	林雄	易林	謙之需、升之師	
159	蒸侵	吟雄	易林	蠱之無妄	
160	蒸侵	冰心	易林	晉之否	
161	蒸侵	冰尋	易林	明夷之乾	
162	蒸侵	瘖雄	易林	兑之節	
163	蒸陽	行勝	素問	八之十二	
164	蒸陽	藏凝揚	素問	廿之廿三	
165	蒸陽	裳興	易林	幹之頤、比之益	
166	蒸陽	藏勝	易林	豫之革、既濟之升	
167	蒸陽	堂翔行興	易林	豫之節、節之大畜	
168	蒸陽	倉興	易林	復之師	

169	蒸陽	明肱堂王	易林	無妄之井	
170	蒸陽	强雄	易林	咸之坎、晉之噬嗑	
171	蒸陽	堂興	易林	益之姤	
172	蒸陽	堂翔行興明光	易林	損之困	
173	蒸陽	傷强泓	易林	革之涣	
174	蒸陽	郎堂承王黄	易林	巽之泰	
175	蒸耕	應聖	素問	廿二之廿六	
176	蒸耕	生興	易林	既濟之坤	
177	蒸真	崩仁	易林	觀之遁	
178	蒸真	登鄰	易林	睽之蒙	
179	蒸真	仁信增	易林	小過之乾	
180	蒸之	恒來	易林	既濟之節	
181	蒸職	得仍	易林	賁之既濟	
182	侵陽	香嘗饞	易林	蒙之萃	
183	侵陽	金鄉	易林	比之中孚、漸之觀	
184	侵陽	明今	易林	頤之損	
185	侵陽	梁禁	易林	遁之大過、涣之萃	

186	侵陽	狼心陽	易林	井之大過	
187	侵耕	心嬰	易林	蠱之賁	
188	侵耕	鳴心	易林	姤之大畜	
189	侵真	元心	易林	蒙	
190	侵真	金人	易林	同人之大畜	
191	侵真	濱心	易林	剥之同人	
192	侵真	讒人	易林	恒之履	
193	侵真	民任	易林	恒之既濟	
194	侵真	神心年	易林	晉之大過	
195	侵真	廉身	易林	蹇之兑	
196	侵真	厭身	易林	震之小畜	
197	侵真	鄰心	易林	艮之無妄	
198	侵諄	門心	易林	蒙之明夷、大畜之師	
199	侵諄	西門心	易林	訟之未濟、否之需	
200	侵諄	殯任	易林	復之屯、頤之益	
201	侵諄	聞心	易林	睽之小畜	
202	侵諄	婚南	易林	損之益	

203	侵元	謙患	易林	離之隨	
204	侵元	間還厭	易林	夬之大有	
205	侵元	邊心	易林	兑之復	
206	侵止	在臨	易林	剥之夬	
207	侵黝	蓼甚	易林	觀之益、益之益	
208	陽耕	行形	素問	二之三	
209	陽耕	生病	素問	六之九	
210	陽耕	生精行	素問	八之五	
211	陽耕	行平	素問	廿之十四	
212	陽耕	争明	素問	廿之十五	
213	陽耕	生政揚平	素問	廿之十六	
214	陽耕	長政衡生長藏	素問	廿之十七	
215	陽耕	彰整平	素問	廿之十八	
216	陽耕	榮昌	素問	廿之廿一	
217	陽耕	陽行行情并	素問	廿三之七	「行行」，當作「行形」
218	陽耕	陽并藏陽	素問	廿四之三	
219	陽耕	壯陽冥	素問	廿四之四	

220	陽耕	明聽芳行	新語	下之七	
221	陽耕	顈卿長寧	易林	乾之節	
222	陽耕	孿明平	易林	蒙之小畜、訟之震	「孿」，不確定
223	陽耕	霜庭生鳴鷩	易林	小畜之蹇	
224	陽耕	明榮	易林	小畜之升、謙之泰	
225	陽耕	梁傾	易林	大有之益	
226	陽耕	平行榮	易林	咸之姤	
227	陽耕	鄉榮	易林	謙之損	
228	陽耕	庚行寧	易林	隨之剥	
229	陽耕	坑生	易林	觀之益、益之益	
230	陽耕	庚行情	易林	噬嗑之坤	
231	陽耕	詳傷成	易林	蹇之蠱、困之坤	
232	陽耕	黨靈	易林	益之困	
233	陽耕	傍明生	易林	夬之益	
234	陽耕	政殃	易林	井之升	
235	陽耕	明寧	易林	艮之咸	
236	陽真	璋王秦	易林	需之井、否之訟	

237	陽真	羊人	易林	比之困、大畜之復	
238	陽真	狼陽羊人	易林	無妄之夬	
239	陽真	堂人	易林	頤之遁	
240	陽真	行人	易林	恒之觀、歸妹之小過	
241	陽真	明妨仁	易林	困之蒙	
242	陽真	行人申	易林	升之屯	
243	陽諄	云强行	易林	復之恒	
244	陽諄	牆門兵	易林	咸之大畜	
245	陽諄	門殃	易林	無妄之既濟	
246	陽諄	行恩	易林	中孚之革	
247	陽元	歡殃	易林	蒙之姤	
248	陽元	明患	易林	履之蠱	
249	陽元	當患	易林	蠱之家人	
250	陽元	慢殃	易林	剥之離	
251	陽元	狼陽麞難	易林	頤之中孚	
252	陽元	行兄傷殘	易林	恒之益	
253	陽元	殘傷	易林	遁之節	

254	陽元	行前	易林	大壯之睽	
255	陽元	羹歡	易林	明夷之履	
256	陽元	小桑	易林	升之家人	
257	陽元	欠良香	易林	中孚之否	
258	陽魚	家堂亡倉	易林	蒙之坤	
259	陽魚	獲行	易林	豫之泰	
260	陽魚	行居	易林	小畜之賁	
261	陽魚	傷家	易林	大過之有	
262	陽魚	明家	易林	巽之解	
263	陽語	往苦	易林	蒙之未濟	
264	陽語	慶輔	易林	比之井	
265	陽語	行居	易林	小畜之賁	
266	陽語	明輔	易林	臨之需	
267	陽語	狼旅陽	易林	無妄之復	
268	陽鐸	獲行	易林	豫之泰	
269	陽厚	郎主	易林	涣之離、既濟之豫	
270	耕真	精真神	素問	一之七	

271	耕真	陳生榮庭生	素問	一之十一	
272	耕真	正命	素問	八之十二	
273	耕真	平形人	素問	十七之五	
274	耕真	神聖	素問	十九之一	
275	耕真	四行	新語	上之六	
276	耕真	聲情轻貞賢信冥秦形傾情刑榮	新語	上之八	
277	耕真	聲民庭聽征鳴田親	新語	下之四	
278	耕真	生仁	易林	乾之頤	
279	耕真	天丁	易林	屯之蠱	
280	耕真	麟經	易林	訟之同人、小畜之坤	似「麟」，不确定
281	耕真	靈神	易林	隨之咸	
282	耕真	命政	易林	蠱之旅	
283	耕真	仁平	易林	大畜之家人	
284	耕真	成身	易林	明夷之泰	
285	耕真	清民	易林	家人之晉	
286	耕真	賓均寧	易林	困之臨	

287	耕真	刑身	易林	益之遁	
288	耕真	城親	易林	節之需	
289	耕真	成人	易林	節之革	
290	耕諄	貧生	易林	比之解	
291	耕諄	成文	易林	咸之小畜	
292	耕諄	生貧	易林	遁之晉	
293	耕諄	西刑	易林	需之師	
294	耕元	旦散盛亂	素問	五之一	
295	耕元	幸販	易林	訟之遁、否之坎	
296	耕元	善井	易林	泰之夬	
297	耕元	名遠	易林	否之大過、剥之臨	
298	耕元	頸前成	易林	大壯之觀	
299	耕元	山寧	易林	損之旅、姤之臨	
300	耕元	權雞寧	易林	升之震	
301	耕元	頸闗	易林	兑之大壯	
302	耕忮	定避	易林	困之蹇	
303	真諄	根門根真	素問	一之十四	

304	真諄	滿堅	素問	八之五	
305	真諄	門神	素問	八之十	
306	真諄	分天人	素問	八之十二	
307	真諄	筋伸仁	素問	十五之十	
308	真諄	云淵	素問	十九之十七	
309	真諄	淵云	素問	廿三之五	
310	真諄	神孫	易林	乾之旅	
311	真諄	麟顛分	易林	屯之坤、豫之未濟	
312	真諄	門鄰	易林	蒙之咸、革之屯	
313	真諄	瞤身	易林	蒙之姤	
314	真諄	身春君	易林	訟之革	
315	真諄	臣奔	易林	比之恒	似「臣」，不確定
316	真諄	門西年	易林	小畜之恒	
317	真諄	忻鄰	易林	小畜之井	
318	真諄	振人	易林	履之未濟	
319	真諄	濱君	易林	泰之恒、豫之坤	
320	真諄	顛西	易林	泰之歸妹、謙之渙	

321	真諄	年君	易林	否之隨、謙之夬	
322	真諄	輷顛存	易林	否之離	「輷」四庫本作「軥」
323	真諄	眠西命	易林	同人之大壯	
324	真諄	神孫陳	易林	大有之大畜	
325	真諄	天辰	易林	隨之蹇、賁之蒙	
326	真諄	天辰	易林	臨之噬嗑	
327	真諄	陳群牽人	易林	復之益	
328	真諄	門賓	易林	無妄之大過	
329	真諄	煙分淵君	易林	大畜之艮、夬之小過	
330	真諄	輷西顛	易林	頤之大有	
331	真諄	門顛	易林	坎之旅	
332	真諄	身君門根	易林	離之小過	
333	真諄	西便	易林	離之既濟	
334	真諄	孫神民存年	易林	咸之臨	
335	真諄	人仁先	易林	遁之歸妹	
336	真諄	孫	易林	咸之革	韻例只有「孫」一字
337	真諄	門咸	易林	遁之明夷	

338	真諄	鄰門存	易林	遁之井	
339	真諄	臣孫	易林	遁之革	
340	真諄	神寸恩	易林	大壯之兑	
341	真諄	婚身君	易林	解之需	
342	真諄	顛云	易林	益之剥、既濟之賁	
343	真諄	偏門	易林	升之大有	
344	真諄	婚温年	易林	升之益	
345	真諄	晨伸	易林	困之既濟	
346	真諄	門鄰	易林	井之歸妹	
347	真諄	恩存年	易林	升之漸	
348	真諄	身君門飧	易林	艮之兑	
349	真諄	存身	易林	歸妹之離	
350	真諄	瑰存身	易林	益之睽	
351	真諄	門親	易林	涣之大有	
352	真諄	賢臣貧	易林	中孚之艮	
353	真諄	門鄰	易林	小過之夬	
354	真諄	顛存年	易林	既濟之剥	

355	真元	薪完堅	素問	四之五	
356	真元	完堅	素問	同上	
357	真元	遠瞋勻變	素問	八之四	
358	真元	元天元旋	素問	十九之三	
359	真元	山淵	易林	乾之井	
360	真元	山班寒憐	易林	乾之既濟、大有之未濟	
361	真元	山雞便	易林	坤之升	
362	真元	賢雞	易林	坤之益	
363	真元	人雞	易林	屯之大有	
364	真元	山前便	易林	蒙之蠱、益之睽	
365	真元	源顛傳	易林	比之屯、小畜之屯	
366	真元	闞便	易林	比之渙、革之坤	
367	真元	便言冤	易林	小畜之蒙	
368	真元	垣言鞭患	易林	履之乾	
369	真元	前天	易林	履之師、蠱之剥	
370	真元	輷顛全	易林	泰之謙、益之坎	
371	真元	蕃言人	易林	豫之困	

372	真元	患全憯年	易林	隨之遁	
373	真元	窕命	易林	臨之晉、益之履	
374	真元	山雞顛	易林	觀之節、大過之家人	
375	真元	牽言	易林	噬嗑之乾	
376	真元	端顛安患	易林	復之井	
377	真元	前便	易林	無妄之損	
378	真元	眄眩連	易林	頤之困	
379	真元	四餐年	易林	大過之既濟	
380	真元	園班患	易林	坎之中孚	
381	真元	今患	易林	離之損	
382	真元	陳前	易林	咸之未濟	
383	真元	鄰患	易林	師之遁	
384	真元	親豢	易林	晉之巽	
385	真元	煩患年	易林	解之損	
386	真元	身閑便	易林	損之蒙	
387	真元	鄰絃殘	易林	困之萃	
388	真元	陳臣遠	易林	井之小畜	

389	真元	患身	易林	井之離、震之渙	
390	真元	天泉	易林	震之比	
391	諄元	倦順願	素問	一之七	
392	諄元	循散按	素問	八之十	
393	諄元	還門散存	素問	十七之七	
394	諄元	順問	素問	廿二之廿三	
395	諄元	門源存	易林	乾之豫	
396	諄元	跟門患	易林	乾之升、頤之剥	
397	諄元	言門安	易林	坤之離、比之蠱	
398	諄元	宛門戰西全	易林	又需之履、屯	
399	諄元	歡恩	易林	訟之恒、屯之升	
400	諄元	君温安	易林	蒙之遁、頤之豫	
401	諄元	權奔	易林	需之姤	
402	諄元	言門	易林	需之萃	
403	諄元	山言寃	易林	需之未濟、比之未濟	
404	諄元	門寃	易林	訟之臨、兑之頤	
405	諄元	恩歡	易林	訟之既濟	

406	諄元	言温斷恩	易林	師之蠱、旅之解	
407	諄元	寒存	易林	師之巽	
408	諄元	孫丸	易林	比之小畜、井之蹇	
409	諄元	患存	易林	比之剥、泰之乾	
410	諄元	侖門泉歡君	易林	比之姤、革之困	
411	諄元	婚患	易林	小畜之無妄、觀之比	
412	諄元	翰温	易林	小畜之革、豫之咸	
413	諄元	怨遷鳶困	易林	履之否	
414	諄元	寒温	易林	泰之噬嗑、否之蹇	
415	諄元	存患	易林	否之蒙	
416	諄元	褌門患	易林	否之小畜	
417	諄元	門患	易林	否之兑、賁之既濟	
418	諄元	刃歡	易林	同人	
419	諄元	安西	易林	同人之訟	
420	諄元	辰患	易林	同人之咸	
421	諄元	脣言門	易林	大有之蠱	
422	諄元	門歡	易林	謙之同人	

423	諄元	門歡言	易林	謙之晉
424	諄元	元恩存	易林	謙之升、艮之蠱
425	諄元	門患安	易林	豫之比、升之渙
426	諄元	穿西安	易林	豫之離
427	諄元	西專遠	易林	隨
428	諄元	言存	易林	隨之中孚
429	諄元	筵門	易林	臨之隨
430	諄元	云門患	易林	臨之夬
431	諄元	婚船君	易林	臨之小過
432	諄元	門安	易林	觀之咸
433	諄元	泉艱	易林	噬嗑之比
434	諄元	患存	易林	噬嗑之大有
435	諄元	門山	易林	賁之坤
436	諄元	根安飧	易林	賁之明夷、升之大過
437	諄元	患安門	易林	復之大有
438	諄元	門丸盆	易林	復之噬嗑、益之萃
439	諄元	騫閑存	易林	無妄之睽

440	諄元	孫權	易林	无妄之蹇	
441	諄元	肩門歡	易林	无妄之升	
442	諄元	山門	易林	无妄之既濟	
443	諄元	傳綸	易林	大畜之益	
444	諄元	患全門	易林	頤之需	
445	諄元	山門	易林	頤之蠱、損之豫	
446	諄元	門患	易林	頤之剥	
447	諄元	西分歡	易林	頤之井	
448	諄元	患門	易林	頤之升	
449	諄元	權分	易林	大過之臨	
450	諄元	泉云輪怨	易林	坎之履	
451	諄元	侖門患	易林	離之益	
452	諄元	山恩	易林	咸之損	
453	諄元	文軒侖雞	易林	恒之比	
454	諄元	門冠	易林	恒之頤	
455	諄元	鄰患	易林	恒之遁	
456	諄元	燕西還問	易林	恒之歸妹、巽之益	

457	諄元	完安患門	易林	恒之中孚	
458	諄元	門君安	易林	遁之震	
459	諄元	存患	易林	大壯之蒙	
460	諄元	山群瑞	易林	大壯之師	
461	諄元	歡存	易林	大壯之中孚	
462	諄元	願潤亂	易林	晉之升	
463	諄元	患存	易林	明夷之睽	
464	諄元	根瘢存	易林	家人之乾	
465	諄元	門西患	易林	家人之歸妹	
466	諄元	言門	易林	睽之觀	
467	諄元	云歡門	易林	睽之益、震之剥	
468	諄元	温寒	易林	睽之巽、節之損	
469	諄元	根安殞	易林	蹇之屯	
470	諄元	門存君温泉	易林	寒之否	
471	諄元	瘢勤	易林	蹇之大有	
472	諄元	患冤貧	易林	蹇之震	
473	諄元	安門	易林	解之中孚	

474	諄元	根孫	易林	益之兑	
475	諄元	歡婚前	易林	夬之復	
476	諄元	患門安	易林	夬之巽	
477	諄元	冠門患	易林	夬之涣	
478	諄元	安願根	易林	姤之大有	
479	諄元	患殘恩	易林	姤之睽	
480	諄元	根連	易林	萃之大畜	
481	諄元	穿寒	易林	萃之家人	
482	諄元	門言存歡	易林	萃之兑	
483	諄元	孫丸	易林	井之蹇、艮之豫	
484	諄元	安奔瑰	易林	升之明夷	
485	諄元	欒門患	易林	艮之同人	
486	諄元	散軍	易林	漸	
487	諄元	西丸	易林	歸妹之豫	
488	諄元	山門殘君	易林	旅之未濟	
489	諄元	存患	易林	涣之否	
490	諄元	根瘢	易林	節之萃	

491	諄元	言患門	易林	小過之坤	
492	諄元	患薦吞	易林	小過之遁	
493	諄元	寒根患	易林	未濟之遁	
494	諄元	門權孫	易林	未濟之巽	
495	諄歌	多君	易林	師之坤	
496	諄脂	門微	易林	大有之復、升之臨	
497	諄脂	悲門	易林	未濟之蒙	
498	諄云	孫門	易林	恒之豫	
499	諄云	門治	易林	巽之升	
500	諄止	本殆	素問	廿二之廿三	
501	諄止	母免	易林	否之巽	
502	諄止	門喜	易林	隨之觀	
503	諄止	理免	易林	中孚之比	
504	元歌	禍全	易林	需之大有	
505	元歌	泉禍	易林	師之未濟	
506	元歌	池患	易林	大畜之既濟	
507	元歌	善過	易林	咸之升	

508	元歌	陂連	易林	明夷之中孚	
509	元脂	怨鴟患	易林	復之渙	
510	元脂	微患	易林	既濟之蒙	
511	元脂	善惠	易林	節之同人	
512	元祭	散竄	易林	益之噬嗑	
513	元祭	亂頓殫	易林	漸之需	
514	元之	柈杯	易林	訟之晉	
515	元争	亂夫	易林	屯之升	
516	元争	去安	易林	無妄之巽	
517	元争	輿廬患	易林	恒之同人	
518	歌支	蘂系	易林	需之蠱	
519	歌支	隨罷雌	易林	乾之渙、泰之復	
520	歌支	支危	易林	蒙之夬、蠱之艮	
521	歌支	珪河	易林	需之無妄、同人之晉	
522	歌支	枝離知	易林	訟之謙	
523	歌支	雌危	易林	履	
524	歌支	知離	易林	臨之同人	

525	歌支	河涯他	易林	困之坎	
526	歌支	知頗	易林	艮之大有	
527	歌紙	堤離	素問	廿四之三	
528	歌紙	啟解禍	易林	需之兑、同人之夬	
529	歌脂	衰移	素問	八之九	
530	歌脂	宜機	素問	廿二之三	
531	歌脂	機宜	素問	廿二之廿六	
532	歌脂	議科差懷隨威	新語	下之四	
533	歌脂	隤疲歸	易林	乾之革、師之臨	
534	歌脂	飛池	易林	屯之旅、否之晉	
535	歌脂	夷資皮歸	易林	蒙之需、兑之恒	
536	歌脂	離悲	易林	師之比、大有之大過	
537	歌脂	歸悲離	易林	比之隨、豫之大壯	
538	歌脂	飛池	易林	比之觀、益之晉	
539	歌脂	蛇威	易林	履之升	
540	歌脂	脂宜	易林	同人之未濟	
541	歌脂	微靡	易林	隨之大有、睽之遁	

542	歌脂	離徊	易林	隨之益、家人之無妄	原文「徊」是「彳」旁
543	歌脂	危稽	易林	隨之中孚	
544	歌脂	坨微離	易林	蠱之坎、大壯之大有	
545	歌脂	衣宜	易林	觀之革	
546	歌脂	宜虧衰	易林	觀之益	
547	歌脂	河衣他	易林	觀之涣、賁之大過	
548	歌脂	師罷妻	易林	觀之未濟、賁之蠱	
549	歌脂	隤罷哀	易林	賁之衰	「衰」疑爲筆誤，當作「艮」
550	歌脂	師危	易林	晉之未濟	
551	歌脂	維危	易林	家人之蹇、旅之家人	
552	歌脂	衣池	易林	睽之乾、蹇之同人	
553	歌脂	陂哀	易林	益之旅	
554	歌脂	離哀	易林	睽之既濟	
555	歌脂	離非	易林	井之姤	
556	歌旨	指坐禍	易林	小畜之益	
557	歌旨	水火禍	易林	泰之履、大有之謙	
558	歌旨	坐火禍	易林	大有之節	

559	歌旨	火褐	易林	頤之旅	
560	歌旨	水火鬼徙	易林	姤之旅	
561	歌旨	視化	易林	困之離	
562	歌旨	啟解禍	易林	革之益	
563	歌旨	水火禍	易林	艮之坤、未濟之漸	
564	歌旨	指倚禍	易林	漸之臨	
565	歌鞊	地内	新語	上之七	
566	歌鞊	利義	易林	益之復	
567	歌之	裘離	易林	賁之巽	
568	歌之	時危	易林	剥之益	
569	歌之	醫棰	易林	夬之井	
570	歌魚	加多過無	素問	廿之十二	
571	歌魚	啞家和	易林	師之萃	
572	歌魚	家和	易林	蠱之解	
573	歌魚	塗車家嗟	易林	復之蠱	
574	歌魚	魚餘嘉	易林	復之咸	

575	歌魚	車極	易林	夬之井、艮之夬	
576	歌魚	虛危	易林	艮之蒙	
577	歌語	罷苦	易林	蹇之損	
578	歌御	度宜	素問	五之三	
579	歌御	嫁坐禍	易林	坤之晉、比之大有	
580	歌御	罷夜	易林	晉之蠱	
581	歌鐸	躋墮作	易林	歸妹之睽	
582	東冬陽	章中傍宗用	新語	下之一	
583	東冬陽	桑功宗	易林	恒之渙	
584	東冬陽	通中江邦亡	易林	晉之既濟	
585	東冬耕	重中公寧	易林	訟之賁	
586	冬蒸魚	登功凶去	易林	遁之睽	
587	東陽耕	通傷强生成鄉梁	新語	下之一	
588	東厚黝	走恐後咎	易林	困之屯	
589	冬蒸陽	窮忘傷衆崩長行光良祥强方商方匡殃興	新語	下之七	

590	蒸陽耕	平明興甯刑平清	素問	一之十二	
591	侵真諄	真神鍼聞先人	素問	八之四	
592	侵真元	冠廉賢煩	易林	解之賁	
593	陽語幼	女上土茂	易林	恒之晉	
594	耕真元	靈言天	素問	一之六	
595	耕真元	名身燕	易林	履之頤	
596	耕諄元	欒西刑	易林	解之漸	
597	真諄元	神神聞先言見昏云 神原存	素問	八之八	
598	真諄元	寒温散潤耎堅	素問	廿二之十五	
599	真諄元	貧孿神	素問	廿三之七	
600	真諄元	端顛西安患	易林	需之節	
601	真諄元	君鄰存患	易林	大壯之履	
602	真諄元	前臣奔	易林	明夷之大畜、革之晉	
603	真諄元	伸云前	易林	姤之豫	
604	真諄元	桓臣孫	易林	兑之損	
605	真諄元	端顛西安	易林	兑之渙	

606	真諄元	鄰云弦殘	易林	小過之同人	
607	至輯職	圍閉憒	易林	頤之大畜	
608	質緝毒	室合宿	易林	明夷之需	
609	質職屋	屬室得	易林	蒙之泰	
610	質職屋	福屋食室	易林	大畜之坤	
611	質職毒	力毒室	易林	需之泰	
612	質職毒	宿室得	易林	豫之益、蠱之履	
613	質職毒	宿室直目賊	易林	恒之觀、歸妹之小過	
614	質職毒	北叔得室	易林	升之革、涣之臨	
615	旨御侯	因去嫗祝	易林	履之需	
616	月盇職	側乏北絶	易林	恒之蠱	
617	緝職屋	給足息	易林	無妄之訟	
618	之魚侯	廬驅尤	易林	豫之坎	
619	之魚侯	虚雛來	易林	離之家人、涣之噬嗑	
620	之魚侯	頭家治	易林	恒之泰	
621	止語厚	附喜取許	易林	蒙之井	
622	止語厚	口止柱處子喜	易林	蠱之晉	

623	止語厚	苦口有	易林	涣之萃	
624	職鐸屋	德逆足	易林	損之履、節	
625	職鐸屋	食足薄	易林	節之屯	
626	職鐸屋	石欲得	易林	小過之涣	
627	之魚幽	之憂居	易林	蠱之巽	
628	之魚幽	鳥郵家憂	易林	坎之涣	
629	止語黝	子好女與悔	易林	比之漸、泰之震	
630	止語黝	海咎在所	易林	剥之井	
631	止語黝	子擾苦	易林	剥之漸	
632	止語黝	馬子咎	易林	復之既濟、漸之晉	
633	止語黝	喜酒舞福	易林	無妄之履	
634	止語黝	虎殆處	易林	大過之革	
635	止語黝	喜酒舞福	易林	咸之剥	
636	止語黝	征起子序咎	易林	涣之恒	
637	止語小	下女路兆始	素問	二之七	
638	止語小	下路兆始	素問	十九之二	
639	志御笑	祏到懼	易林	觀之升	

640	志御笑	廟去事	易林	小過之坎	
641	職御笑	倒處國	易林	離之井	
642	職鐸藥	伯樂索得	易林	坎之兑、遁之未濟	
643	之侯幽	台憂侯	易林	豫之屯	
644	之侯幽	雛采憂	易林	節之坤	
645	止厚黝	道紀母始府	素問	二之一	
646	止厚黝	道紀母始府	素問	十九之一	
647	止厚黝	海府聚有子受	易林	乾之觀	
648	止厚黝	右遇聚咎母	易林	訟之咸、同人之旅	
649	止厚黝	老口考起	易林	萃之井	
650	止厚黝	子乳保	易林	中孚之觀	
651	職屋黝	玉寶辱得	易林	蒙之臨、需之坎	
652	職屋毒	肉食獄宿	易林	坤之既濟、復之訟	
653	職屋毒	德族睦	易林	臨之遁	
654	職屋毒	欲福辱覆國	易林	遁之解	
655	職屋毒	德禄福復	易林	晉之訟	
656	職屋毒	足肉粟得	易林	既濟之訟	

657	職屋藥	國樂玉息	易林	復之未濟	玉息
658	之幽宵	郊憂之	易林	大畜之夬	
659	之幽宵	榮恩憂	易林	井之家人	
660	止黝笑	呦少草子	易林	升之乾	
661	職毒藥	熟樂福	易林	漸之損	福
662	魚侯幽	樞憂居	易林	乾之小畜、謙之觀	
663	語厚黝	酒口苦	易林	歸妹之兑	
664	語厚黝	弩道走	易林	兑之比	
665	語厚黝	旅走咎	易林	中孚之節	
666	語厚黝	後無柱咎	易林	既濟之恒	
667	御侯幼	去遇救	易林	噬嗑之明夷	
668	鐸屋毒	石軸足	易林	乾之謙、履之坎	
669	侯幽宵	羞頭銷	易林	泰之觀、豫之涣	
670	侯幽宵	臊周燒誅	易林	睽之明夷、升之小畜	
671	厚幼藥	乳孝樂	易林	小畜之巽、隨之萃	
672	賢鐸屋毒	落宿縠室	易林	晉之困	
673	緝職屋藥	合躍屋辰	易林	坎之節	

674	止語厚黝	酒口酗怒悔	易林	大壯之家人	
675	止語厚黝	酒口苦有	易林	旅之蠱	
676	職鐸屋毒	得澤縮從	易林	賁之渙	
677	之角侯宵	巢雛去姫	易林	訟之睽、觀之屯	
678		處倒嫗織	易林	夬之蹇、小過之訟	該頁無韻目
679	止語黝小	稻玄有藁	易林	小畜之大壯、豫之師	
680	止語黝小	酒右搞所	易林	大壯之無妄	
681	之幽	調期	素問	八之十一	
682	之幽	流憂時	素問	十九之五	
683	之幽	裦欺治	新語	上之五	
684	之幽	鳩尤	易林	乾之蒙	
685	之幽	姫憂	易林	坤之無妄、升之謙	
686	之幽	仇邱	易林	坤之兑、復之小畜	
687	之幽	時憂	易林	屯之姤	
688	之幽	媒憂	易林	蒙之困	
689	之幽	憂災	易林	訟之需	
690	之幽	憂笑	易林	師之渙	

691	之幽	時憂	易林	小畜之大畜、艮之小畜	
692	之幽	來憂	易林	小畜之漸、晉之艮	
693	之幽	狸留	易林	履之賁	
694	之幽	時憂	易林	泰之大畜	
695	之幽	休時憂	易林	否之艮	
696	之幽	詩憂	易林	大有之賁	
697	之幽	騮休邱	易林	隨之噬嗑、升之益	
698	之幽	時調	易林	臨之噬嗑	
699	之幽	憂財	易林	臨之無妄	
700	之幽	時憂休	易林	臨之大畜	
701	之幽	時災憂	易林	觀之大畜	
702	之幽	騮叶	易林	噬嗑之升	
703	之幽	牛憂	易林	賁之恒	
704	之幽	鳩災	易林	賁之歸妹、歸妹之節	
705	之幽	之憂	易林	剥之震	
706	之幽	調災游仇	易林	無妄之既濟	
707	之幽	牛憂治	易林	大畜之咸	

708	之幽	態憂	易林	頤之同人	
709	之幽	憂來	易林	頤之剥、小過之噬嗑	
710	之幽	憐憂	易林	坎之訟	
711	之幽	災憂	易林	離之履	
712	之幽	憂財	易林	離之臨、革之小過	
713	之幽	牛之時憂	易林	咸之小畜	
714	之幽	骸災憂	易林	咸之夬	
715	之幽	憂來	易林	恒之屯	
716	之幽	憂災	易林	恒之小畜	
717	之幽	時憂	易林	遁之益	
718	之幽	時憂來	易林	大壯之艮	
719	之幽	憂災	易林	家人之睽、艮之節	
720	之幽	時災憂	易林	明夷之同人	
721	之幽	鳩尤	易林	晉之同人	
722	之幽	期憂	易林	家人	
723	之幽	來憂	易林	家人之大畜	
724	之幽	時憂	易林	睽之無妄	

725	之幽	能憂	易林	睽之兑	
726	之幽	時期憂	易林	蹇之隨	
727	之幽	遊來憂	易林	解	
728	之幽	憂袍財	易林	益之既濟	
729	之幽	休憂財	易林	夬之坎	
730	之幽	絲媒憂	易林	夬之兑	
731	之幽	仇邱	易林	萃之需	
732	之幽	舞尤憂	易林	升之家人	
733	之幽	來之憂	易林	升之師、未濟之臨	
734	之幽	災憂	易林	升之頤	
735	之幽	牛憂	易林	小過之蹇	
736	之幽	期遊	易林	既濟之益	
737	止幽	憂子喜	易林	乾之未濟	
738	止幽	理調	易林	剥之離	
739	止幽	休悔	易林	明夷之觀	
740	止幽	遊憂喜	易林	蹇之萃	
741	止黝	守使	素問	二之七	

742	止黝	理道	素問	十四之一	
743	止黝	右裏使市母咎	素問	十四之三	
744	止黝	在道	素問	十五之一	
745	止黝	理事久殆寶	素問	廿三之一	
746	止黝	理道	素問	廿三之二	
747	止黝	道葆起咎理市巧道 海晦	素問	廿三之十	
748	止黝	理久道理道	素問	廿四之七	
749	止黝	理道	新語	上之一	
750	止黝	道裏殆使在	易林	乾之剥	
751	止黝	海母酒	易林	乾之復	
752	止黝	首寶子	易林	乾之漸	
753	止黝	好倍	易林	坤之坎、艮之涣	
754	止黝	己狩佑祉	易林	屯之大畜、姤之未濟	
755	止黝	道祀	易林	蒙之蹇、同人之蹇	
756	止黝	海母酒	易林	蒙之升	
757	止黝	巳亥止市咎	易林	需之晉、恒之謙	

758	止黝	母保	易林	訟之泰	
759	止黝	草友	易林	比、明夷之蹇	
760	止黝	裏道母	易林	比之蹇	
761	止黝	謀保	易林	比之困、大畜之復	
762	止黝	喜在咎	易林	比之小過	
763	止黝	餌子母手	易林	小畜	
764	止黝	齒子道久	易林	小畜之大有	
765	止黝	酒喜	易林	小畜之艮	
766	止黝	擾友道	易林	履之隨	
767	止黝	殆酒	易林	履之觀	
768	止黝	母酒告	易林	履之既濟	
769	止黝	母己保	易林	泰之否	
770	止黝	保咎悔	易林	否之比	
771	止黝	寶有喜	易林	否之履	
772	止黝	棗有	易林	否有漸、損之訟	
773	止黝	寶有喜	易林	同人之復	
774	止黝	起草	易林	大有之訟、大畜之泰	

775	止黝	有市咎	易林	大有之履、蠱之中孚	
776	止黝	茂酒老友	易林	大有之同人	
777	止黝	起咎	易林	謙之臨	
778	止黝	喜茂有	易林	謙之解、中孚之隨	
779	止黝	母咎久	易林	豫之否	
780	止黝	酒起草	易林	豫之大畜	
781	止黝	耳草	易林	臨之益	
782	止黝	市寶有喜	易林	豫之損	
783	止黝	子手	易林	隨之恒、睽之坤	
784	止黝	海殆子咎	易林	臨之睽	
785	止黝	喜咎	易林	觀之復	
786	止黝	酒紐祉	易林	噬嗑之離	
787	止黝	在咎	易林	噬嗑之姤	
788	止黝	殆保	易林	大畜之屯	
789	止黝	起駭時咎	易林	剥之小畜	
790	止黝	市寶咎	易林	剥之旅	
791	止黝	咎悔	易林	剥之既濟	

792	止黝	殆咎	易林	大過之革	
793	止黝	保喜	易林	大畜	
794	止黝	牖母	易林	大畜之涣	
795	止黝	子喜咎	易林	頤之家人	
796	止黝	殆咎	易林	離之無妄	
797	止黝	子母茂	易林	大過之需、離之大有	
798	止黝	悔咎	易林	坎之艮	
799	止黝	酒老有咎	易林	離之師	
800	止黝	負咎	易林	離之同人、旅之明夷	
801	止黝	咎子殆	易林	咸之同人	
802	止黝	手起咎	易林	咸之歸妹	
803	止黝	老海	易林	恒之坤	
804	止黝	紀咎	易林	恒之萃	
805	止黝	起咎	易林	遁之家人、未濟之隨	
806	止黝	子理咎	易林	大壯之同人、漸之大有	
807	止黝	咎殆子手	易林	明夷之益、損之臨	
808	止黝	齒咎	易林	大壯之離	

809	止黝	紀在咎	易林	晉之蹇	
810	止黝	海咎	易林	晉之姤	
811	止黝	婦酒裏喜	易林	家人之漸、小過之益	
812	止黝	阜有	易林	睽之剥	
813	止黝	咎喜	易林	解之離	
814	止黝	擾起	易林	解之既濟	
815	止黝	子喜飽	易林	損之賁	
816	止黝	瓿子	易林	損之剥、萃之隨	
817	止黝	市寶信	易林	損之萃、姤之益	
818	止黝	海止市咎	易林	益之需、巽之謙	
819	止黝	咎喜	易林	益之漸	
820	止黝	草起	易林	夬之剥	
821	止黝	茂酒友	易林	夬之離	
822	止黝	子殆好	易林	夬之家人	
823	止黝	子考福	易林	夬之萃	
824	止黝	有寶	易林	萃之同人	
825	止黝	齒寶否起	易林	萃之中孚	

826	止黝	喜有壽	易林	升之屯	
827	止黝	狩喜	易林	升之睽	
828	止黝	道市信	易林	困之豫	
829	止黝	自咎	易林	困之賁	
830	止黝	使好婦子	易林	井之艮	
831	止黝	在寶	易林	革之師	
832	止黝	牡起	易林	革之井	
833	止黝	右在咎	易林	升之睽	
834	止黝	手酒喜	易林	需之睽	
835	止黝	朽裏市悔	易林	歸妹之否	
836	止黝	守抱老祉	易林	歸妹之遁	
837	止黝	手喜咎	易林	歸妹之蹇	
838	止黝	市有賄寶	易林	益之賁	
839	止黝	保子久	易林	旅之艮	
840	止黝	牡母	易林	旅之漸、涣之復	
841	止黝	草殆	易林	涣之坤	
842	止黝	市子寶	易林	涣之同人	

843	止黝	齒起子舅	易林	渙之隨	
844	止黝	咎倍裏	易林	節之旅	
845	止黝	在咎	易林	中孚之乾	
846	止黝	首飽殆	易林	中孚之訟	
847	止黝	殆保	易林	小過之震	
848	止黝	婦酒喜	易林	小過之益、既濟之中孚	
849	止黝	臬咎	易林	未濟之解	
850	止黝	祀憂咎	易林	未濟之中孚	
851	止幼	子孝喜	易林	隨之震	
852	止幼	子戊	易林	家人之大壯	
853	志幽	宥周	易林	泰之大過	
854	志黝	佑咎	易林	大有之明夷	
855	志幼	就富	易林	乾之離	
856	志幼	牸舅	易林	訟之井	
857	志幼	狩佑	易林	噬嗑之解	
858	志幼	就好悔	易林	復之漸	
859	志幼	囿熾瑁富	易林	遁之渙	

860	志幼	悔臭	易林	損之大過	
861	志毒	囿逐得喜	易林	蒙之復	
862	職幽	國憂	易林	比之坤	
863	職幽	流伏	易林	歸妹之屯	
864	職幽	周福	易林	小過之旅	
865	職黝	道國	易林	小畜之師	
866	職黝	飽得	易林	剥之恒	
867	職黝	極飽	易林	損之咸	
868	職黝	寶得	易林	漸之師	
869	職幼	就得	易林	謙之既濟、涣	
870	職幼	就得	易林	井之夬	
871	職毒	肉黑	素問	八之二	
872	職毒	惑復賊	素問	八之十二	
873	職毒	復式	素問	廿二之廿三	
874	職毒	木曲黑	新語	上之十一	
875	職毒	逐息陸覆	易林	坤之泰、大有之豫	
876	職毒	服刀覆	易林	需之屯、益之同人	

877	職毒	肉得腹	易林	需之解、頤之坎	
878	職毒	宿腹稷	易林	履之益	
879	職毒	食宿	易林	履之睽	
880	職毒	食熟	易林	履之蹇	
881	職毒	國域腹德福	易林	泰	疑爲漏寫
882	職毒	食肉	易林	泰之睽	
883	職毒	穆域	易林	同人之蹇	
884	職毒	陸稷	易林	有人之漸、巽之師	
885	職毒	賊陸	易林	謙之漸、夬之明夷	
886	職毒	宿服	易林	隨之損、巽之歌	
887	職毒	服測覆	易林	隨之未濟	
888	職毒	宿得臆	易林	臨之大有	
889	職毒	北目得惑	易林	臨之艮	
890	職毒	宿臆食	易林	觀之豫	
891	職毒	國逐	易林	觀之艮	
892	職毒	力服覆	易林	復之乾	
893	職毒	國域覆	易林	無妄之晉	

894	職毒	陸得	易林	大過之震	
895	職毒	麥告	易林	坎之萃	
896	職毒	國告	易林	離之賁	
897	職毒	食告	易林	恒之節	
898	職毒	目惑	易林	遁之需	
899	職毒	宿國	易林	家人之睽、艮之節	
900	職毒	宿北	易林	家人之小過	
901	職毒	稷食腹	易林	損之未濟	
902	職毒	肉得	易林	萃之泰、涣之艮	
903	職毒	告福	易林	萃之噬嗑	
904	職毒	宿福	易林	萃之離	
905	職毒	宿食腹	易林	升是損	
906	職毒	六食	易林	升之萃	
907	職毒	北國腹	易林	井之遁	
908	職毒	育福	易林	升之否	
909	職毒	服覆	易林	益之屯	
910	職毒	目國	易林	益之同人	

911	職毒	毒賊	易林	益之大有	
912	職毒	食叔	易林	巽之遁、中孚之頤	
913	職毒	服力覆	易林	巽之家人	
914	職毒	賊腹	易林	中孚之萃	
915	職毒	德國穆匿	易林	未濟之離	
916	之宵	棠灰	易林	需之否，咸	疑爲漏寫
917	之宵	旗郊之	易林	師之隨、履之解	
918	之宵	妖豕	易林	比之蒙、革之大過	
919	之宵	朝裘	易林	蠱之小過	
920	之宵	鴞災勞	易林	大學之蹇	
921	之宵	消尤	易林	解之中孚	
922	之宵	姬台逃	易林	損之恒、漸之恒	
923	之宵	來邱摇	易林	兑之否	
924	止小	紀兆	素問	廿之九	
925	止小	潦海	易林	隨之臨、漸之中孚	
926	止小	潦止有	易林	夬之大過	
927	止藥	樂止有	易林	蒙之大過	

928	志宵	背搖	易林	震之比	
929	志宵	號笑耀意	易林	既濟之兑	
930	志笑	笑富	易林	咸之升	
931	志笑	到晦	易林	明夷之屯	
932	志笑	載照富	易林	困之升	
933	職笑	食鷂	易林	大有之萃	
934	職藥	樂福	易林	大有之噬嗑	
935	職藥	得瘧	易林	大有之升	
936	職藥	躍食	易林	蠱之頤、臨之賁	
937	職藥	福國樂	易林	臨之否	
938	職藥	樂福	易林	離之無妄	
939	職藥	躍食	易林	小過之井	
940	魚侯	俱去	素問	一之七	
941	魚侯	居濡	新語	上之三	
942	魚侯	天隅如	易林	坤之井	
943	魚侯	濡居	易林	屯之姤	
944	魚侯	駒居	易林	蒙之解	

945	魚侯	華家株	易林	蒙之兑	
946	魚侯	車溝去廬	易林	蒙之既濟、升之比	
947	魚侯	家天頭	易林	訟之坤	
948	魚侯	膚侯	易林	師之井、大畜之剥	
949	魚侯	鶵去天	易林	師之革	
950	魚侯	魚謳	易林	小畜之訟	
951	魚侯	魚奴車鬱駒	易林	小畜之剥	
952	魚侯	雛俱娱	易林	履之涣	
953	魚侯	書侯	易林	泰之益	
954	魚侯	鳬雛逋	易林	泰之巽	
955	魚侯	隅居家	易林	大有之巽	
956	魚侯	頭墟	易林	謙之蒙	
957	魚侯	雛俱諸	易林	謙之賁	
958	魚侯	墟侯	易林	隨之恒、睽之坤	
959	魚侯	魚居	易林	蠱之益	
960	魚侯	符虚	易林	臨之無妄	
961	魚侯	胡頭	易林	觀之艮	

962	魚侯	魚株墟	易林	觀之巽	
963	魚侯	墟趨	易林	大畜之恒	
964	魚侯	駒居	易林	大過之復	
965	魚侯	樓居	易林	損之益	
966	魚侯	駒車	易林	晉之遁、益之蒙	
967	魚侯	瞿須	易林	蹇之旅	
968	魚侯	去雛與	易林	解之比	
969	魚侯	天隅	易林	解之家人	
970	魚侯	雛去	易林	夬之謙	
971	魚侯	墟濡	易林	萃之未濟	
972	魚侯	樞虛驅居	易林	升之臨	
973	魚侯	呼侯	易林	升之升	
974	魚侯	雛駒居	易林	坤之頤	
975	魚侯	魚頭居	易林	革之頤、漸之明夷	
976	魚侯	偷珠去	易林	升之震	
977	魚侯	魚諸誅	易林	漸之睽	
978	魚侯	雛居	易林	漸之姤	

979	魚侯	頭居	易林	小過之益	
980	魚厚	走天孤	易林	節之離	
981	魚侯	袪遇	易林	蹇之家人	
982	魚侯	居具	易林	解之乾	
983	魚侯	虛侯扶	易林	困之蠱	
984	魚屋	華夫禄	易林	觀之恒	
985	語侯	雨俱	易林	同人之泰、明夷之升	
986	語侯	驅馬	易林	蠱之家人	
987	語侯	武侯	易林	咸之井	
988	語侯	舉俱	易林	漸之既濟	
989	語厚	怒下取	素問	八之十	
990	語厚	取寫	素問	八之十一	
991	語厚	寫補取	素問	十二之十三	
992	語厚	部下	素問	十五之一	
993	語厚	女後	易林	屯之觀、泰之豫	
994	語厚	聚語苦主	易林	屯之節、小畜之與	
995	語厚	虎體怒走所	易林	蒙之坎	

996	語厚	女後	易林	蒙之晉、謙之旅	
997	語厚	女耦	易林	履之無妄、姤之無妄	
998	語厚	聚處愈	易林	履之大壯	
999	語厚	聚處	易林	泰之益	
1000	語厚	走□下	易林	大有之晉、升之晉	
1001	語厚	庾取宇	易林	大有之升	
1002	語厚	兔腐去	易林	謙之益	
1003	語厚	走後處	易林	豫之漸	
1004	語厚	武□	易林	隨之復、坎之明夷	
1005	語厚	响處	易林	隨之家人	
1006	語厚	偶所	易林	臨之豫	
1007	語厚	□斧後	易林	臨之坎、艮之頤	
1008	語厚	偶處	易林	觀之乾	
1009	語厚	虎聚苦	易林	賁之訟	

1010	語厚	聚筥	易林	剥之屯	
1011	語厚	輔舞偶	易林	剥之益	
1012	語厚	互走	易林	大過之大有	
1013	語厚	後所	易林	大過之巽	
1014	語厚	處楚圉主	易林	坎之屯	
1015	語厚	虎走	易林	坎之臨	
1016	語厚	馬主	易林	咸之同人	
1017	語厚	怒柱旅苦	易林	咸之豫、萃之咸	
1018	語厚	苦□	易林	遁之大過	
1019	語厚	庾取宇	易林	遁之咸	
1020	語厚	暑取	易林	晉之需	
1021	語厚	□處苦	易林	明夷之夬	
1022	語厚	下走	易林	家人之小畜	
1023	語厚	走□土	易林	蹇之晉、井之節	

1024	語厚	走俊野	易林	夬之大壯	
1025	語厚	語□户	易林	姤之咸	
1026	語厚	□許	易林	姤之損	
1027	語厚	户走	易林	萃之益	
1028	語厚	户後	易林	升之涣	
1029	語厚	走俊野	易林	困之震	
1030	語厚	主所	易林	井之賁	
1031	語厚	楚渚後	易林	升之小過	
1032	語厚	□處	易林	艮之家人	
1033	語厚	下舍後	易林	兑之革	
1034	語厚	野主處苦	易林	涣之損	
1035	語厚	下後	易林	中孚	
1036	語厚	旅聚腴	易林	未濟之蠱	
1037	語侯	距門	易林	乾之遁、訟之豫	

1038	語屋	怒午庫穀拒野	易林	既濟之家人	
1039	御侯	處度侯路忤布故去 寫	素問	八之十	
1040	御侯	處數	素問	十五之三	
1041	御侯	固僕	新語	上之七	
1042	御侯	樹去僕	易林	屯之坎、噬嗑之否	
1043	御侯	樹惡去	易林	屯之夬、巽之坤	
1044	御侯	乳故	易林	比之巽	
1045	御侯	固去樹	易林	小畜之蠱、蹇之升	
1046	御侯	去柱僕	易林	觀之需	
1047	御侯	步趨	易林	晉之泰	
1048	御侯	乳處	易林	姤之大畜	
1049	御侯	固去嫗	易林	井之泰、漸之家人	
1050	御侯	夜書故	易林	井之渙	

1051	御侯	雨樹稼	易林	益之未濟	
1052	御侯	夜書懼	易林	涣之蠱	
1053	鐸侯	雒郭	易林	賁之困	
1054	鐸侯	廓樹	易林	頤之無妄	
1055	鐸屋	足著索逆	素問	廿三之四	
1056	鐸屋	足格	素問	廿四之七	
1057	鐸屋	獄客	易林	屯之家人、大畜之臨	
1058	鐸屋	逆足	易林	蒙之乾、節	
1059	鐸屋	橐絡玉	易林	訟之蠱、晉之豫	
1060	鐸屋	木獲	易林	泰之蠱、漸之蹇	
1061	鐸屋	絡玉	易林	否之咸	
1062	鐸屋	獲獄釋	易林	復之坎	
1063	鐸屋	獨薄	易林	坎之升、大壯之井	
1064	鐸屋	索東	易林	明夷之大過	

1065	鐸屋	薄澤液穀	易林	益之大畜、艮之大過	
1066	鐸屋	石欲	易林	升之未濟	
1067	鐸屋	木穀作	易林	困之大壯	
1068	鐸屋	獲足	易林	井之蹇、艮之豫	
1069	魚幽	辜仇	易林	乾之臨、謙之復	
1070	魚幽	廬羔	易林	乾之蹇、家人之明夷	
1071	魚幽	輿遊	易林	屯之否、泰之晉	
1072	魚幽	居廬憂	易林	蒙之屯、涣之師	
1073	魚幽	牢憂居	易林	蒙之旅	
1074	魚幽	鋤收	易林	訟之履	
1075	魚幽	虛仇	易林	比之夬、晉之升	
1076	魚幽	居憂	易林	否之坤	
1077	魚幽	呼周休	易林	同人之中孚	
1078	魚幽	烏辜憂	易林	大有之比	

1079	魚幽	游居憂	易林	大有之艮、益之訟	
1080	魚幽	都虚憂	易林	豫之明夷	
1081	魚幽	輿車憂	易林	豫之井	
1082	魚幽	遊家	易林	豫之升	
1083	魚幽	烏都憂	易林	豫之既濟	
1084	魚幽	家車憂	易林	蠱之訟	
1085	魚幽	墟居憂	易林	蠱之臨	
1086	魚幽	流居	易林	臨之革	
1087	魚幽	墟憂	易林	噬嗑之屯	
1088	魚幽	烏御家憂	易林	噬嗑之升	
1089	魚幽	居憂	易林	剥之節	
1090	魚幽	廬居憂	易林	復之屯	
1091	魚幽	車遊	易林	頤之姤	
1092	魚幽	華憂	易林	大過之比	

1093	魚幽	輿憂	易林	坎之遁	
1094	魚幽	徒求	易林	坎之明夷	
1095	魚幽	魚鰌虛	易林	坎之升	
1096	魚幽	憂家	易林	坎之未濟	
1097	魚幽	家憂	易林	離之無妄	
1098	魚幽	居憂	易林	離之需	
1099	魚幽	牢居	易林	咸之萃、姤之復	
1100	魚幽	車初憂	易林	咸之渙、睽之遁	
1101	魚幽	休餘	易林	恒之否	
1102	魚幽	虛憂	易林	恒之賁	
1103	魚幽	牙家儲憂	易林	大壯之乾	
1104	魚幽	憂居	易林	恒之坎	
1105	魚幽	居憂	易林	恒之震	
1106	魚幽	呱家憂	易林	遁之恒	

1107	魚幽	且流	易林	大壯之豫	
1108	魚幽	居憂	易林	明夷之謙	
1109	魚幽	車遊	易林	解之咸	
1110	魚幽	居憂	易林	益之漸	
1111	魚幽	留去	易林	益之漸	
1112	魚幽	家遊	易林	姤之兑	
1113	魚幽	居憂	易林	困之蹇	
1114	魚幽	家憂	易林	漸之大畜	
1115	魚幽	都休	易林	節之否	
1116	魚幽	囚誣	易林	中孚之比	
1117	魚黝	牙家儲咎	易林	漸之噬嗑	
1118	魚幼	報居	易林	恒之大過	
1119	魚幼	報牡	易林	中孚之復	
1120	語幽	苦憂	易林	師之大有	

1121	語幽	賈仇	易林	賁之大壯	
1122	語黝	緒女怒守語	素問	廿三之七	
1123	語黝	野下好	新語	下之一	
1124	語黝	醜處	易林	坤之家人	
1125	語黝	女道處	易林	屯之大過、蹇之比	
1126	語黝	黍咎	易林	蒙之否	
1127	語黝	暑茂	易林	蒙之觀	
1128	語黝	草處	易林	師之夬	
1129	語黝	哺就好	易林	履之咸	
1130	語黝	怒午距咎	易林	泰之坎	
1131	語黝	宇好	易林	泰之萃、升之大有	
1132	語黝	野咎	易林	否之解、無妄之小過	
1133	語黝	咎所	易林	否之升、同人之恒	
1134	語黝	草寶處	易林	同人之剥、益之家人	

1135	語斆	土保	易林	同人之井	
1136	語斆	杵道	易林	同人之升	
1137	語斆	弩道虎者	易林	豫之噬嗑	
1138	語斆	酒雨	易林	豫之升	
1139	語斆	禹道處所	易林	隨之賁	
1140	語斆	草下所	易林	臨之益	
1141	語斆	道苦	易林	觀之家人、萃之觀	
1142	語斆	處寶	易林	剥之夬	
1143	語斆	舞酒咎女	易林	復之明夷	
1144	語斆	女醜苦	易林	無妄之豫	
1145	語斆	輔咎	易林	大畜之漸	
1146	語斆	女許户處咎	易林	大過之小畜	
1147	語斆	馬旅咎	易林	大過之歸妹	
1148	語斆	土飽	易林	坎之大有	

1149	語黝	道苦	易林	離之巽	
1150	語黝	户道處	易林	遁之大有	
1151	語黝	馬矩考	易林	遁之豫、節之歸妹	
1152	語黝	社矩緒考	易林	大壯之涣	
1153	語黝	馬保	易林	晉、升之豫	
1154	語黝	棗莠許	易林	明夷之家人	
1155	語黝	魯楚寶	易林	家人之蠱	
1156	語黝	所咎	易林	家人之既濟	
1157	語黝	與咎	易林	姤之震	
1158	語黝	苦寶	易林	萃之剥、萃之遁	
1159	語黝	狩所	易林	困之剥	
1160	語黝	户處保	易林	困之姤	
1161	語黝	保魯	易林	困之小過	
1162	語黝	手予咎	易林	井之睽	

1163	語 歌	父 道	易林	震之蹇	
1164	語 歌	野 道 咎	易林	震之兑	
1165	語 歌	廡 咎	易林	艮之謙	
1166	語 歌	咎 處	易林	漸之賁	
1167	語 歌	圉 咎	易林	旅之兑	
1168	語 歌	暑 保 伍	易林	巽之震、中孚之晉	
1169	語 歌	祖 考	易林	小過之漸	
1170	語 歌	老 保 旅	易林	既濟之大畜	
1171	語 幼	就 舞	易林	蠱之節	
1172	語 毒	目 怒	易林	家人之井	
1173	御 幽	步 舍 懼 憂	易林	解之升	
1174	御 幽	處 憂	易林	夬之晉	
1175	御 幽	助 玄 憂	易林	節之家人	
1176	御 幼	處 臭	易林	隨之乾	

1177	御幼	哺就好	易林	蹇之恒、困之乾	
1178	御幼	兔售	易林	萃之巽	
1179	御毒	墓舍覺	易林	屯之解	
1180	鐸毒	澤毒螫	易林	噬嗑之蒙	
1181	鐸毒	白逐	易林	離之解	
1182	鐸毒	告惡	易林	損之兑	
1183	魚宵	居朝	易林	屯之升、訟之恒	
1184	魚宵	囂家	易林	需之升	
1185	魚宵	虚逃	易林	小畜之晉、豫之姤	
1186	魚宵	居巢	易林	履之旅	
1187	魚宵	狐笑	易林	大有之咸、涣之小畜	
1188	魚宵	囂家	易林	謙之萃	
1189	魚宵	居扶巢	易林	隨之無妄	
1190	魚宵	車朝家	易林	隨之涣	

1191	魚宵	夫笑	易林	噬嗑之困	
1192	魚宵	初郊	易林	剥之比	
1193	魚宵	刀車臊	易林	無妄之艮	
1194	魚宵	踞饕	易林	無妄之漸	
1195	魚宵	車朝廬	易林	大過之大壯	
1196	魚宵	虚魚饒	易林	遁之井	
1197	魚宵	虚逃夭	易林	晉之大畜	
1198	魚宵	塗到	易林	明夷之益	
1199	魚宵	桃舒	易林	夬之剥	
1200	魚宵	逃夭	易林	革之未濟	
1201	魚宵	魚勞	易林	艮之姤	
1202	魚宵	魚郊廬	易林	歸妹之坎、未濟之既濟	
1203	魚宵	囂居	易林	益之兑、旅之歸妹	
1204	魚笑	居到	易林	既濟之坤	

1205	語小	雨潦	易林	謙之恒、升之隨	
1206	語笑	教敍	易林	泰之隨、蹇之大過	
1207	語笑	渚倒	易林	同人之屯	
1208	御笑	處居倒	易林	屯之泰	
1209	御笑	豬到去	易林	師之旅、謙之艮	
1210	御笑	路到	易林	比之渙、革之坤	
1211	御笑	步御路到	易林	復之蹇、艮之升	
1212	御笑	鷂噪射摇	易林	無妄之中孚	
1213	御笑	暮到夭赦	易林	遁之損	
1214	御笑	處倒	易林	夬之蹇	
1215	御笑	笑夜	易林	震之巽	
1216	御笑	倒呼	易林	小過之旅	
1217	鐸藥	柏落樂	易林	需之坤、否之恒	
1218	鐸藥	鑿白沃樂	易林	否之師、震之屯	

1219	鐸藥	鑿白澤樂	易林	豫之大過	
1220	鐸藥	啞宅樂	易林	大畜之升	
1221	鐸藥	落樂	易林	離之比	
1222	鐸藥	澤樂	易林	家人之蒙	
1223	鐸藥	柏樂	易林	蹇之訟	
1224	鐸藥	虐作	易林	井之益	
1225	侯幽	樞浮	素問	一之十五	
1226	侯幽	隅憂	易林	幹之家人	
1227	侯幽	芻姝憂	易林	坤之巽	
1228	侯幽	殳休	易林	蒙之恒	
1229	侯幽	牢侯	易林	需之大壯	
1230	侯幽	躕隅侯憂	易林	同人之隨	
1231	侯幽	隅朐曹	易林	大有之訟	
1232	侯幽	周侯	易林	大有之涣、升之姤	

1233	侯幽	隅流趨	易林	蠱之蒙、萃之師	
1234	侯幽	俱憂	易林	臨之剥、觀之剥	
1235	侯幽	隅憂	易林	大畜之蒙	
1236	侯幽	隅朐曹軀	易林	大畜之泰	
1237	侯幽	襦隅憂	易林	大畜之兑	
1238	侯幽	殳驅憂	易林	大過之訟	
1239	侯幽	襦憂	易林	恒之頤	
1240	侯幽	榆株憂	易林	晉之睽	
1241	侯幽	遊憂駒	易林	蹇之豫	
1242	侯幽	憂侯	易林	震之頤	
1243	侯幽	遊俱憂	易林	旅之小過	
1244	侯幽	頭憂	易林	節之同人	
1245	侯幽	濡憂	易林	既濟之賁	
1246	侯黝	濡咎	易林	益之剥	

1247	侯毒	溝襦軸	易林	需之革	
1248	侯毒	溝軸	易林	睽之履	
1249	厚斵	後道	素問	廿二之廿八	
1250	厚斵	主事道	素問	廿三之八	
1251	厚斵	走首	易林	同之比、益之比	
1252	厚斵	走道口	易林	乾之晉	
1253	厚斵	魄就取	易林	需之恒、觀之無妄	
1254	厚斵	酒口	易林	訟之益、履之萃	
1255	厚斵	狗走咎	易林	訟之履、隨之革	
1256	厚斵	傴竇	易林	同人之大壯	
1257	厚斵	棗聚	易林	謙之大過	
1258	厚斵	走擾	易林	豫之復、明夷之節	
1259	厚斵	具取道	易林	隨之姤	
1260	厚斵	足取咎	易林	蠱之觀	

1261	厚黝	柱道主咎	易林	臨之革、咸之同人	
1262	厚黝	醜偶	易林	噬嗑之萃、革之升	
1263	厚黝	主飽	易林	復之觀、夬之訟	
1264	厚黝	□寶	易林	復之損	
1265	厚黝	□主道	易林	咸之離	
1266	厚黝	醜咎後	易林	恒之臨	
1267	厚黝	主擾走	易林	大壯之巽	
1268	厚黝	走首	易林	益之比	
1269	厚黝	主飽	易林	夬之訟	
1270	厚黝	酒□後	易林	姤之履	
1271	厚黝	寠好	易林	萃之家人	
1272	厚黝	手愈	易林	萃之節	
1273	厚黝	走草□	易林	井之兑、益之巽	
1274	侯黝	寇守	易林	大過之解	

1275	屋黝	足咎	易林	履之泰	
1276	屋黝	鹿屋咎	易林	噬嗑之兑	
1277	屋黝	好欲	易林	睽之姤	
1278	屋黝	裹草	易林	歸妹之姤	
1279	屋毒	足復	素問	十七之二	
1280	屋毒	瑁玉	新語	上之二	
1281	屋毒	足毒	易林	屯之賁、遁之艮	
1282	屋毒	蝮足復	易林	師之無妄、夬之革	
1283	屋毒	畜欲	易林	履之離	
1284	屋毒	足毒	易林	履之遁	
1285	屋毒	欲逐	易林	蠱之咸	
1286	屋毒	粟逐	易林	蠱之升、歸妹之無妄	
1287	屋毒	目粟復	易林	觀之同人	
1288	屋毒	木目	易林	離之損	

1289	屋毒	辱足復	易林	晉之離	
1290	屋毒	陸屋	易林	明夷之坎	
1291	屋毒	屋覺	易林	家人之旅	
1292	屋毒	獄腹	易林	睽之咸	
1293	屋毒	穀腹	易林	姤之比、萃之否	
1294	屋毒	麓蓄	易林	革之乾	
1295	屋毒	穀育	易林	震之中孚	
1296	屋毒	逐禄	易林	益之咸	
1297	屋毒	角續熟	易林	節之明夷	
1298	屋毒	木熟	易林	未濟之升	
1299	侯宵	頭摇	易林	比之震	
1300	侯宵	頭妖	易林	比之兑	
1301	侯宵	隅勞頭	易林	同人之震、賁之剥	
1302	侯宵	初郊	易林	剥之比	

1303	侯宵	頭摇	易林	咸之坎、晉之噬嗑	
1304	侯宵	橋俱	易林	大壯之剥	
1305	侯宵	踰消	易林	升之井	
1306	侯宵	珠燒	易林	小過之大過	
1307	侯宵	雛俱巢	易林	既濟之小畜	
1308	厚小	乳厚	易林	頤之節、益	
1309	侯笑	寇盜斗	易林	豫之革、既濟之井	
1310	屋藥	樂欲	易林	師之萃、大有之歸妹	
1311	屋藥	玉鑿	易林	睽之歸妹、姤之大過、艮之明夷	
1312	幽宵	愁蒿憂	易林	幹之噬嗑、益之大過	
1313	幽宵	遼憂	易林	屯之兑	
1314	幽宵	鏥郊逃	易林	同人之益	
1315	幽宵	巢州	易林	謙之革	

1316	幽宵	郊曹	易林	噬嗑之訟	
1317	幽宵	嗥遭逃	易林	噬嗑之履	
1318	幽宵	臊周	易林	噬嗑之巽	
1319	幽宵	要摇憂	易林	大過之遁	
1320	幽宵	摇憂	易林	大畜之旅、困之益	
1321	幽宵	休驕	易林	坎之夬	
1322	幽宵	巢州	易林	咸之隨、晉之觀	
1323	幽宵	蕘咎	易林	家人之履	
1324	幽宵	號蒿憂	易林	解之夬	
1325	幽宵	臊周燒愁	易林	益之否	
1326	幽宵	休遥	易林	夬之解、升之困	
1327	黝小	道表	新語	上之十三	
1328	黝小	皎道	易林	幹之泰、坤同	
1329	黝小	稻造槁	易林	需之艮、晉之比	

1330	黝小	兆首	易林	同人之比	
1331	黝小	稲好槁	易林	剥之蠱	
1332	黝笑	釣咎	易林	既濟之明夷	
1333	幼宵	孝逃	易林	比之履	
1334	幼笑	到就	易林	小畜之頤、既濟之坎	
1335	幼笑	孝召	易林	豫之益、臨之坤	
1336	毒笑	肉笑	易林	履之大過、涣之姤	
1337	毒藥	溺梏	易林	既濟之觀	
1338	屋毒	足復	素問	十七之二	
1339	幽宵	標調	素問	廿二之廿三	
1340	黝小	道要	素問	十九之六	
1341	錫質	責結	易林	震之既濟、益之晉	
1342	支脂	維歸知	素問	廿二之廿四	
1343	支脂	堤溪開蹊窺知	新語	下之一	

1344	支脂	衰枝隤	易林	蒙之訟、泰之咸	
1345	支脂	機知衣	易林	否之中孚	
1346	支脂	圭資	易林	同人之大畜、遁之謙	
1347	支脂	脂枝	易林	謙之遁、噬嗑之涣	
1348	支脂	堤泥妻	易林	臨之訟	
1349	支脂	卑畏	易林	臨之中孚	
1350	支脂	違知	易林	賁之旅、夬之升	
1351	支脂	微溪	易林	蹇之咸、未濟之觀	
1352	支脂	湄涯歸迷齊	易林	解之無妄	
1353	支脂	卑衰	易林	升之巽、益之歸妹	
1354	紙旨	累解	易林	坤之晉、比之大有	
1355	紙旨	火解	易林	噬嗑之大壯	
1356	紙旨	水尾蟹幾	易林	無妄之歸妹	
1357	紙旨	累解	易林	晉之家人	

1358	紙旨	尾枳	易林	損之大過	
1359	紙旨	履婢	易林	姤之需	
1360	紙旨	累罪解	易林	漸之震	
1361	忮脂	鴟跂	易林	大壯之歸妹	
1362	忮鞜	視避利嗜	易林	訟之益、巽之解	
1363	忮鞜	視避利	易林	晉之頤、艮之大畜	
1364	忮鞜	駟轡易	易林	解之蒙	
1365	忮鞜	視避利餧嗜	易林	中孚之咸、小過之豫	
1366	忮月	悦臂	易林	家人之巽	
1367	錫屑	害敲	易林	益之遁	
1368	錫月	刺敵缺	易林	需之同人	
1369	錫月	蜺闕	易林	師之恒	
1370	錫月	擊敵缺	易林	同人之噬嗑、未濟之謙	
1371	錫月	舌益	易林	蹇之未濟	

1372	錫月	扈惕悦	易林	益之蠱	
1373	支之	嘻知	素問	廿二之廿三	
1374	支之	支疑	易林	否之夬	
1375	支之	雌嘻	易林	賁之頤	
1376	支之	枝滋有	易林	井之巽	
1377	支之	時知	易林	節之豫	
1378	忮志	賜意	易林	履之升	
1379	錫止	己擊	易林	訟之損	
1380	錫止	枱易	易林	節之頤	
1381	錫職	極脉惑則得國	素問	四之四	
1382	錫職	脉息	素問	廿三之七	
1383	錫職	稷食扈	易林	困之解	
1384	錫鐸	戹舍	易林	屯之需	
1385	錫鐸	戹易落	易林	萃之明夷	

1386	至脂	睽至	易林	益之井	
1387	至鞊	致利氣	素問	十七之二	
1388	至鞊	至利	易林	師之晉	
1389	至鞊	至利	易林	同人之大有、震之夬	
1390	至鞊	躓祟	易林	睽之需、蹇之剥	
1391	至鞊	利至	易林	蹇之大有	
1392	至鞊	驥至	易林	損之蠱	
1393	質鞊	跌祟	易林	蒙之睽	
1394	質鞊	節類	易林	噬嗑之坤	
1395	質鞊	沸潰室	易林	大壯之益	
1396	質鞊	嫉遂	易林	蹇之旅	
1397	質術	骨密室	素問	五之四	
1398	質術	至失一物	素問	八之四	
1399	質術	橘栗	易林	履之大過、涣之姤	

1400	質術	屈邐去	易林	履之大過、渙之始	
1401	質術	畢卒	易林	明夷之大過	
1402	至月	殪訣	易林	大畜之觀、升之訟	
1403	質月	密絶	素問	一之十九	
1404	質月	熱溢	素問	八之九	
1405	質月	溢熱	素問	十五之九	
1406	質月	結戾	素問	廿三之八	
1407	質月	月室	易林	坤之隨、大壯之革	
1408	質月	揭節惙	易林	需之小過、睽之大過	
1409	質月	弊質	易林	訟	
1410	質月	月室	易林	泰之臨	
1411	質月	穴害	易林	同人之井	
1412	質月	結契	易林	頤之革、離之革	
1413	質月	决失	易林	坎之益	

1414	質月	説結雪	易林	蹇之困	
1415	質月	決泆	易林	歸妹紙隨	
1416	質月	缺失	易林	未濟之恒	
1417	質緝	穴節入	易林	豫之兑、臨之損	
1418	質緝	實邑室	易林	豫之兑、臨之損	
1419	質緝	室邑	易林	恒指小過	
1420	質緝	日集	易林	晉之履	
1421	質緝	邑室	易林	明夷之益、益之觀	
1422	質緝	室入濕	易林	睽之中孚	
1423	質緝	室邑	易林	姤之兑	
1424	質緝	急室	易林	困之旅	
1425	質緝	穴集室	易林	震之蹇	
1426	質緝	邑疾	易林	旅之蒙	
1427	質緝	室十邑	易林	涣之升	

1428	至志	秘治	素問	一之十九	
1429	至志	熾至	易林	震之萃	
1430	至職	躓得	易林	震之恒	
1431	質止	子士室	易林	小畜之既濟	
1432	質志	實事	易林	明夷之豫、中孚之升	
1433	質職	食福室	易林	乾之損、革之節	
1434	質職	室福	易林	坤之訟	
1435	質職	得力疾	易林	坤之豫、比之大過	
1436	質職	室塞	易林	坤之頤、井之旅	
1437	質職	福室得	易林	需之旅	
1438	質職	實賊室	易林	屯之頤	
1439	質職	匿室食	易林	蒙之益	
1440	質職	室伏革	易林	需之蒙	
1441	質職	穴室側	易林	需之觀、離之艮	

1442	質職	疾國	易林	需之巽	
1443	質職	室食	易林	訟之否、大壯之升	
1444	質職	棘實塞	易林	師之中孚、泰之蒙	
1445	質職	伏得室	易林	比之同人	
1446	質職	翼室	易林	比之謙	
1447	質職	賊室	易林	否之益、晉之復	
1448	質職	極疾	易林	謙之明夷、無妄之小畜	
1449	質職	室纏得	易林	豫之同人、夬之履	
1450	質職	疾國	易林	豫之隨、夬之咸	
1451	質職	國室	易林	隨之晉	
1452	質職	得恤	易林	蠱之需	
1453	質職	息室福	易林	臨之漸	
1454	質職	力至	易林	觀之坎	
1455	質職	息食室	易林	噬嗑之頤	

1456	質職	息室	易林	噬嗑之益	
1457	質職	室匿得	易林	賁之大有、剥之家人	
1458	質職	至食	易林	復之師	
1459	質職	國室賊	易林	復之大畜	
1460	質職	德國疾	易林	復之大革	
1461	質職	匿日惑	易林	復之益	
1462	質職	服飾極室	易林	大畜之訟	
1463	質職	室服福疾	易林	大畜之比	
1464	質職	食室	易林	頤之畜	
1465	質職	息食室	易林	頤之履	
1466	質職	疾服賊	易林	大過之無妄	
1467	質職	國疾	易林	大過之離	
1468	質職	德室	易林	大過之益	
1469	質職	北室	易林	坎之咸	

1470	質職	室得	易林	離之兑	
1471	質職	室食	易林	咸之無妄、涣之泰	
1472	質職	德福實室息	易林	咸之既濟、歸妹之咸	
1473	質職	室直	易林	恒之乾	
1474	質職	棘疾	易林	恒之訟	
1475	質職	室邑	易林	恒之小過	
1476	質職	室革遁賊疾	易林	遁之明夷	
1477	質職	北得室	易林	大壯之蹇	
1478	質職	國息室	易林	明夷之比	
1479	質職	室食得	易林	明夷之否	
1480	質職	日德	易林	明夷之中孚	
1481	質職	日食	易林	家人之小畜	
1482	質職	得室	易林	家人之解	
1483	質職	室得	易林	睽之謙	

1484	質職	室食	易林	睽之姤	
1485	質職	極息室	易林	蹇之復	
1486	質職	室賊福	易林	蹇之大壯	
1487	質職	稷食疾	易林	蹇之革	
1488	質職	室息	易林	蹇之益	
1489	質職	室北國	易林	解之履	
1490	質職	國室	易林	解之睽	
1491	質職	實賊	易林	解之萃	
1492	質職	翼國室	易林	損之觀、旅之需	
1493	質職	日實福	易林	損之節	
1494	質職	福室	易林	益之離	
1495	質職	翼北國室	易林	益之明夷	
1496	質職	室食	易林	益之夬	
1497	質職	得疾	易林	益之姤	

1498	質職	四或室	易林	益之革	
1499	質職	服室德	易林	夬之大畜	
1500	質職	實食室	易林	姤之節	
1501	質職	國德室	易林	萃之臨	
1502	質職	極食室	易林	升之訟	
1503	質職	伏室食棘	易林	升之旅	
1504	質職	國室	易林	升之咸	
1505	質職	伏室食	易林	艮之隨	
1506	質職	室食	易林	艮之剥、益之損	
1507	質職	息室	易林	益之小畜	
1508	質職	室得	易林	兑之坎	
1509	質職	嗇福室	易林	節之臨	
1510	質職	翼國域食	易林	節之遁	
1511	質職	伏室	易林	節之艮	

1512	質職	福室忒	易林	既濟之師	
1513	至御	至去	易林	咸之困	
1514	至鐸	躓逆	易林	姤之解	
1515	質屋	木足玉室	易林	蒙之隨、訟之艮	
1516	質屋	轂疾	易林	坎之蠱	
1517	質屋	室禄	易林	節之大壯	
1518	質屋	哭獨室	易林	未濟之剥	
1519	至黝	至咎	易林	漸之歸妹	
1520	質黝	革疾	易林	歸妹之姤	
1521	質毒	覆室	易林	需之謙	
1522	質毒	實覆	易林	豫之升	
1523	質毒	日目	易林	蠱之屯	
1524	質毒	室叔	易林	大過之損	
1525	質毒	目日叔	易林	坎之豫	

1526	質毒	復疾	易林	蹇之遁	
1527	質毒	同去	易林	夬之小畜	
1528	質毒	宿日	易林	夬之無妄	
1529	質毒	毒疾告	易林	升之復	
1530	質毒	目叔室	易林	中孚之需	
1531	旨祭	水尾幾契	易林	蒙之師	
1532	鞛祭	鼻肺	素問	三之七	
1533	鞛祭	氣衛會	素問	十五之九	
1534	鞛祭	會衛氣敗	素問	十五之九	
1535	鞛祭	隧衛	素問	十七之六	
1536	鞛祭	制害氣	素問	廿之十六	
1537	鞛祭	疥害逮	易林	坤之大過、大有之大壯	
1538	鞛祭	貝位	易林	訟之大畜	
1539	鞛祭	帶戾	易林	泰之遁、歸妹之訟	

1540	鞊祭	蔽棄位	易林	蠱之坤、艮之履	
1541	鞊祭	制戾	易林	剥之大有、頤之損	
1542	鞊祭	帶位吠蹶	易林	剥之隨、大壯之屯	
1543	鞊祭	賴憒遂	易林	大畜之隨	
1544	鞊祭	壞敗	易林	頤之無妄	
1545	鞊祭	憒折快	易林	大壯之漸	
1546	鞊祭	劓棄快	易林	睽之賁	
1547	鞊祭	轡制位	易林	蹇之姤、艮之泰	
1548	鞊祭	季制	易林	萃之損	
1549	鞊祭	季帥敗	易林	困之恒	
1550	鞊月	月頸	易林	大過之損	
1551	鞊月	悖額孽	易林	家人之咸、漸之升	
1552	術月	舌鬱	易林	比之咸、否之井	
1553	術月	滑絶	易林	同人之既濟、明夷之既濟	

1554	術月	汨絶	易林	蠱之既濟	
1555	術月	掇腯	易林	遁之坎、漸之豫	
1556	術月	屈脱	易林	漸之頤	
1557	術盇	法出	易林	觀之臨、既濟之屯	
1558	術緝	蟄出	易林	屯之中孚	
1559	脂之	思悲	易林	小畜之歸妹	
1560	脂之	乘之時	易林	姤之萃	
1561	脂之	齊師時	易林	萃之解	
1562	脂職	飛息哀	易林	蠱之離	
1563	旨之	龜火	易林	恒之大過	
1564	旨止	罪有	易林	泰之夬	
1565	旨止	濟火恃	易林	坎之大壯	
1566	旨止	齒視子母	易林	恒之需	
1567	旨止	子毁	易林	艮之升	

1568	旨止	歺人鬼祀	易林	小畜之萃、夬之臨、涣之大過	
1569	旨職	比息	易林	小畜之明夷	
1570	鞊止	利海有	易林	師之復	
1571	鞊止	齒子殆利	易林	大有之蹇	
1572	鞊止	利起	易林	夬之未濟	
1573	鞊止	母喜利	易林	萃之大壯	
1574	鞊止	肄有	易林	巽之睽	
1575	鞊志	事位	易林	隨之乾	
1576	鞊志	媚背	易林	復之蒙、明夷之艮	
1577	鞊志	視志	易林	節之巽	
1578	鞊職	德賊利	易林	大畜之豫	
1579	鞊職	氣福德	易林	升之姤	
1580	術職	極飾出	易林	坤之否	

1581	術職	食出	易林	比之萃	
1582	術職	出國	易林	旅之坤	
1583	脂魚	歸家	易林	觀之臨	
1584	鞴屋	利欲	易林	兑之益	
1585	術屋	卒束	易林	既濟之大過	
1586	脂幽	憂肌	易林	泰之比	
1587	旨黝	尾兔指誘	易林	睽之升	
1588	旨黝	視軌姊	易林	中孚之履	
1589	旨黝	茂泥	易林	未濟之噬嗑	
1590	鞴黝	位咎	易林	艮之大有	
1591	鞴笑	暴悖位	易林	既濟之節	
1592	月盇	折缺愜	易林	旅之同人	
1593	祭之	袂衛尤	易林	無妄之遁	
1594	祭志	疥忌	易林	頤之咸	

1595	祭志	薊意	易林	大過之小過	
1596	祭職	賊制	易林	同人之損、謙之小過	
1597	祭職	歲息	易林	觀之歸妹	
1598	祭職	德帶福國	易林	旅之升	
1599	月職	匿意得奪	素問	一之十二	
1600	月職	悦决得	易林	萃之夬	
1601	月鐸	缺宅	易林	解之大過	
1602	月毒	睦渴	易林	訟之井	
1603	月毒	目月叔	易林	坎之豫	
1604	月藥	缺鑿	易林	林漸之泰	
1605	盇緝	叶立	易林	履之噬嗑、泰之無妄	
1606	盇緝	急叶	易林	恒之節	
1607	盇職	食得乏	易林	蒙之艮	
1608	盇職	涉息	易林	噬嗑之復	

1609	盇職	乏得	易林	大畜之困	
1610	盇職	涉得	易林	大畜之震	
1611	盇職	叶德	易林	升之蹇	
1612	盇鐸	薄怯鵲格	易林	幹之萃	
1613	盇鐸	獲妾	易林	坤之剥	
1614	盇鐸	鵲怯格	易林	比之益	
1615	盇鐸	姡業	易林	謙之屯、大壯之恒	
1616	盇鐸	薄妾齚	易林	臨之未濟	
1617	盇鐸	作叶	易林	離之萃	
1618	盇鐸	郭攦獲	易林	蹇之坤。革之巽	
1619	盇鐸	怯鵲格	易林	兑之隨	
1620	盇屋	獄哭法	易林	復之升、升之履	
1621	盇毒	睦乏	易林	比、明夷之蹇	
1622	盇藥	業爵	易林	升之泰	

1623	緝職	泣黑	素問	十五之三	
1624	緝職	蓄答	易林	乾之坎、巽之豫	
1625	緝職	直入	易林	乾之豐、渙之否	
1626	緝職	德福立	易林	坤之遁	
1627	緝職	食入	易林	屯之歸妹、否之蠱	
1628	緝職	集福	易林	比之訟、小畜之離	
1629	緝職	邑得	易林	小畜之革、大壯之震	
1630	緝職	國合	易林	履之困	
1631	緝職	福邑	易林	履之歸妹、離之歸妹	
1632	緝職	邑食國	易林	履之益	
1633	緝職	國飭邑	易林	豫之需、震之益	
1634	緝職	德合域	易林	復之履	
1635	緝職	急北	易林	復之否	
1636	緝職	國邑福	易林	無妄之益	

1637	緝職	集賊	易林	離之睽	
1638	緝職	域邑食	易林	恒之家人	
1639	緝職	國立	易林	遁之坎、漸之豫	
1640	緝職	塞答息	易林	晉之無妄、歸妹之蠱	
1641	緝職	墨雜得	易林	明夷之蠱	
1642	緝職	會福	易林	睽之家人	
1643	緝職	邑得	易林	夬之歸妹	
1644	緝職	粒食	易林	萃之小畜	
1645	緝職	千息	易林	萃之姤	
1646	緝職	食急賊	易林	革之蠱	
1647	緝職	福立	易林	震之坎	
1648	緝職	慴優	易林	震之遁	
1649	緝職	急國得	易林	艮之巽	
1650	緝職	立職	易林	漸之未濟	

1651	緝職	穡邑	易林	歸妹之隨	
1652	緝職	食邑翼得	易林	益之臨	
1653	緝職	急息	易林	益之小過	
1654	緝職	德合德	易林	旅之巽	
1655	緝職	邑惑	易林	巽之萃	
1656	緝職	及特	易林	小過之明夷	
1657	緝鐸	伯客宅急	易林	師之渙	
1658	緝屋	觸急	易林	升之頤	
1659	緝毒	立入目	素問	八之二	
1660	緝毒	合宿	易林	泰之頤	
1661	緝毒	孰合	易林	大過之豫	
1662	之魚	居之	素問	十七之七	
1663	之魚	有家	易林	蒙之坤	
1664	之魚	鳥家災	易林	坤之蒙、比之睽	

1665	之魚	時居	易林	屯之乾、咸之大過	
1666	之魚	除來	易林	小畜之井、蒙之咸、革之屯	
1667	之魚	鳥郵家	易林	小畜之未濟	
1668	之魚	鳥車時	易林	履之井	
1669	之魚	墟尤	易林	泰之未濟	
1670	之魚	牛居	易林	大有之頤	
1671	之魚	如尤	易林	謙之損	
1672	之魚	時車	易林	豫之震	
1673	之魚	牛魚	易林	隨之頤	
1674	之魚	時墟	易林	蠱之同人	
1675	之魚	醫治廬	易林	臨之益	
1676	之魚	車與期	易林	觀之小畜	
1677	之魚	虚災	易林	觀之兑、睽之損	
1678	之魚	災除	易林	噬嗑之咸	

1679	之魚	災家	易林	噬嗑之漸	
1680	之魚	都墟災	易林	賁之無妄、剥之豫	
1681	之魚	平家牛	易林	剥之咸	
1682	之魚	驢時娱	易林	無妄之蠱	
1683	之魚	來捂	易林	無妄之困	
1684	之魚	家儲憂	易林	大壯之乾	
1685	之魚	裾尤	易林	晉之咸	
1686	之魚	車頤	易林	明夷之咸、歸妹之巽	
1687	之魚	謀居	易林	家人之訟	
1688	之魚	辜災	易林	家人之謙、中孚之井	
1689	之魚	醫災	易林	睽之大畜	
1690	之魚	鳥來	易林	損之艮、涣之無妄	
1691	之魚	鳥家災	易林	益之坤	
1692	之魚	夫治	易林	益之大有	

1693	之魚	謀家	易林	姤之晉	
1694	之魚	家謀	易林	萃之歸妹	
1695	之魚	平媒居	易林	困之艮	
1696	之魚	家舞	易林	困之益	
1697	之魚	尤家	易林	升之咸	
1698	之魚	舞輿	易林	艮之萃	
1699	之魚	家之	易林	漸之升、益之艮	
1700	之魚	徐家時	易林	旅之井	
1701	之魚	魚財	易林	涣之需、節之中孚	
1702	之魚	如災	易林	中孚之益	
1703	之魚	家財	易林	未濟之履	
1704	之語	輿時			無出處、書名
1705	止魚	趾居	易林	小畜之咸	
1706	止魚	居悔	易林	同人之坤	

1707	止魚	婦姑	易林	頤之訟	
1708	止語	下右	素問	八之九	
1709	止語	止補	素問	八之十	
1710	止語	輔海處	易林	乾之隨	
1711	止語	殆士處	易林	乾之賁	
1712	止語	女語喜	易林	坤之同人、臨之大壯	
1713	止語	斧殆	易林	坤之遁、否之蠱	
1714	止語	宇止	易林	屯之萃，履之家人	
1715	止語	舉海	易林	需之大畜	
1716	止語	野在苦	易林	需之益	
1717	止語	楠母父止	易林	訟	
1718	止語	户處有	易林	訟之噬嗑	
1719	止語	禹祖母者	易林	訟之家人、師之離	
1720	止語	距右處	易林	訟之節	

1721	止語	子脯處母有子	易林	師	
1722	止語	女子	易林	師之泰、姤之升	
1723	止語	子野母	易林	師之睽、觀之升	
1724	止語	在輔久祉	易林	師之既濟、革之中孚	
1725	止語	在去户	易林	比之坎	
1726	止語	黍齒	易林	小畜之升	
1727	止語	黍母	易林	小畜之益	
1728	止語	倍處否子	易林	履之比	
1729	止語	理雨有	易林	泰之困	
1730	止語	斧祀	易林	否之謙	
1731	止語	舉喜	易林	謙之師	
1732	止語	語舞喜	易林	否之損	
1733	止語	馬魯喜	易林	同人之需、臨之升	
1734	止語	處否子	易林	同人之家人	

1735	止語	子反舉	易林	同人之小過、咸之同人	
1736	止語	海裹處喜	易林	同人之既濟	
1737	止語	野喜	易林	謙之噬嗑	
1738	止語	海止者	易林	謙之無妄、剥之大過	
1739	止語	士父己母	易林	謙之歸妹、小過之離	
1740	止語	處否子	易林	豫之家人	
1741	止語	輿悔	易林	豫之震	
1742	止語	子裹自許	易林	隨之否、涣之既濟	
1743	止語	野有	易林	隨之蠱	
1744	止語	裹處	易林	蠱之既濟	
1745	止語	止海子處	易林	臨之節	
1746	止語	舞喜	易林	噬嗑之乾	
1747	止語	喜在處	易林	噬嗑之晉	
1748	止語	馬上	易林	噬嗑之升	

1749	止語	耳怒駭	易林	賁之泰	
1750	止語	苦鯉	易林	賁之頤	
1751	止語	子野母許	易林	賁之艮	
1752	止語	舞處齒	易林	復之家人	
1753	止語	裏處理喜	易林	無妄	
1754	止語	史苦	易林	無妄之離	
1755	止語	旅止	易林	無妄之損	
1756	止語	户處喜	易林	頤之家人	
1757	止語	母所	易林	頤之歸妹	
1758	止語	齒緒	易林	頤之益、家人之過	
1759	止語	母處	易林	坎之震	
1760	止語	處下起	易林	坎之漸	
1761	止語	祖起舞	易林	坎之巽	
1762	止語	處與悔	易林	離之節	

1763	止語	子脯處母	易林	咸之屯	
1764	止語	子野母	易林	恒之師	
1765	止語	海止苦	易林	損之旅	
1766	止語	汜子顧悔	易林	遁之巽、明夷之噬嗑	
1767	止語	裏苦	易林	遁之節	
1768	止語	户止	易林	大壯之節	
1769	止語	輔母苦	易林	晉之蒙	
1770	止語	起理糈	易林	晉之漸	
1771	止語	已雨	易林	明夷之坎	
1772	止語	子在處	易林	家人之復、艮之噬嗑	
1773	止語	户子已	易林	家人之頤	
1774	止語	止女	易林	家人之蹇、旅之家人	
1775	止語	久野	易林	家人之升	
1776	止語	語市	易林	睽之觀	

1777	止語	父起	易林	睽之恒、歸妹之夬	
1778	止語	輔敏	易林	睽之節	
1779	止語	子苦殆使	易林	蹇之小畜	
1780	止語	起處	易林	蹇之履	
1781	止語	子處祉	易林	解之臨、夬之隨	
1782	止語	舞喜	易林	解之革	
1783	止語	婦女雨佑	易林	損之噬嗑	
1784	止語	駭止佑處	易林	損之震	
1785	止語	苦止	易林	姤之訟	
1786	止語	子女喜	易林	姤之既濟	
1787	止語	士苦	易林	萃之賁	
1788	止語	馬士起	易林	升之離	
1789	止語	敏舉佑	易林	困之渙、既濟之漸	
1790	止語	起祖祀	易林	井之無妄	

1791	止語	户處右	易林	井之大畜	
1792	止語	下在	易林	井之離、震之渙	
1793	止語	子起父母所	易林	井之震	
1794	止語	野在	易林	井之漸	
1795	止語	虎殆輔	易林	革之小畜	
1796	止語	怒處有	易林	革之大壯	
1797	止語	敏舉	易林	革之家人	
1798	止語	處下己	易林	革之漸	
1799	止語	駭苦	易林	革之兑	
1800	止語	下子	易林	升之否	
1801	止語	裹處醢喜	易林	震之大壯	
1802	止語	舉輔子	易林	艮之明夷	
1803	止語	負下理	易林	漸之兑	
1804	止語	輔子母	易林	歸妹之家人	

1805	止語	婦好去土有	易林	益之比、益之大過	
1806	止語	賈有	易林	益之蠱	
1807	止語	社喜父	易林	益之大畜	
1808	止語	婦子處	易林	旅之大壯	
1809	止語	雨裹	易林	巽之離	
1810	止語	殆所	易林	兑之蠱、小過之睽	
1811	止語	苦止	易林	兑之未濟	
1812	止語	海所	易林	涣之賁	
1813	止語	馬有	易林	涣之井	
1814	止語	起父	易林	涣之革	
1815	止語	子野母悔	易林	節之漸	
1816	止語	爲户喜	易林	既濟之臨	
1817	止語	户覩在	易林	既濟之損	
1818	止御	裹捕	易林	遁之屯	

1819	止御	路悔惡	易林	明夷之小畜、歸妹之艮	
1820	止御	哺母	易林	解之恒	
1821	志御	意處	素問	十五之二	
1822	志御	志處意	素問	同上	
1823	志御	怪去居	易林	坤之復、否之同人	
1824	志御	去思	易林	屯之涣	
1825	志御	忌語吏	易林	訟之巽	
1826	志御	試去	易林	履之剥、否之屯、噬嗑之歸妹	
1827	志御	暮去佑	易林	坤之復、否之同人	
1828	志御	處佑	易林	豫之晉	
1829	志御	忌語吏喜剥	易林	中孚之震	
1830	志御	去懼喜	易林	坎之噬嗑	
1831	志御	語惡悔	易林	離之震	

1832	志御	烴懼誨	易林	咸之坤	
1833	志御	度富	易林	家人之臨、漸之節	
1834	志御	呼渡故悔	易林	姤	
1835	志御	姤事	易林	革之謙、兑之離	
1836	志御	去處悔	易林	小過之巽	
1837	職語	語德	易林	解之小過	
1838	職語	北馬	易林	益之師	
1839	職語	下福處	易林	萃之頤	
1840	職語	處得	易林	震之離	
1841	職語	圉國	易林	節之恒	
1842	職語	怒域	易林	中孚之革	
1843	職語	處所國	易林	既濟之無妄	
1844	職御	服免得	易林	履之大有	
1845	職御	捕得	易林	咸之履	

1846	職御	怒居得	易林	小過之中孚	
1847	職御	免得	易林	既濟之坎	
1848	職鐸	柏福	易林	乾之蠱	
1849	職鐸	惡伏郭獲	易林	乾之艮	
1850	職鐸	坼北得	易林	屯之大壯	
1851	職鐸	澤射臆	易林	屯之旅、否之晉	
1852	職鐸	惡息	易林	蒙之小過	
1853	職鐸	客德	易林	師之益	
1854	職鐸	國宅	易林	小畜之賁	
1855	職鐸	澤賊	易林	同人之蒙	
1856	職鐸	惡得	易林	蠱之姤	
1857	職鐸	伏福作	易林	噬嗑之觀、家人之中孚	
1858	職鐸	德默德福作	易林	噬嗑之遁、無妄之咸	
1859	職鐸	德澤得	易林	剥之小過	

1860	職鐸	薄國	易林	復之泰	
1861	職鐸	獲職	易林	大畜之否	
1862	職鐸	澤北	易林	頤之歸妹	
1863	職鐸	逆息	易林	大壯之復	
1864	職鐸	諾客福	易林	晉之師	
1865	職鐸	戟惡服	易林	明夷之未既	
1866	職鐸	作塞	易林	家人之履	
1867	職鐸	惡惑	易林	家人之姤、漸之萃	
1868	職鐸	客食	易林	益之蹇	
1869	職鐸	落宅食	易林	姤之噬嗑	
1870	職鐸	隙得	易林	升之大壯	
1871	職鐸	石食	易林	升之家人	
1872	職鐸	澤福	易林	益之否	
1873	職鐸	得獲	易林	旅之恒	

1874	職鐸	客福	易林	節之賁	
1875	職鐸	福側宅德	易林	中孚之無妄	
1876	職鐸	北服作	易林	中孚之既濟	
1877	職鐸	射獲得	易林	既濟之履	
1878	之侯	來侯	易林	屯之需、又需之比	
1879	之侯	雛姬	易林	訟之睽、革之復	
1880	之侯	愚謀	易林	比之家人、睽之師	
1881	之侯	頭軀治	易林	比之歸妹	
1882	之侯	頭之	易林	小畜之復、歸妹之萃	
1883	之侯	災來謳	易林	小畜之旅	
1884	之侯	頤拘	易林	履之小畜	
1885	之侯	躕隅侯憂	易林	同人之隨	
1886	之侯	來驅舞趨	易林	大有	
1887	之侯	殳萊	易林	謙之師	

1901	止厚	乳厚有	易林	訟之乾、升之蒙	
1900	止厚	海主倍	易林	需之益	
1899	止厚	敏愈	易林	需之無妄、同人之晉	
1898	止厚	起後	易林	屯之晉	
1897	止厚	狗母走	易林	坤之震、否之姤、又需之訟	
1896	止厚	理裏理殆理府	素問	廿三之八	
1895	止厚	府裏	素問	十七之七	
1894	之侯	災須之	易林	升之剥	
1893	之侯	雒狸	易林	解之益	
1892	之侯	駒財	易林	蹇之未濟	
1891	之侯	思災繻	易林	遁之泰	
1890	之侯	繻拘災	易林	坎之大有	
1889	之侯	繻午	易林	大過之節	
1888	之侯	侯時	易林	臨之遁	

1902	止厚	府聚止	易林	師之蹇、姤之升	
1903	止厚	裏海柱	易林	小畜之損	
1904	止厚	乳理裏聚	易林	泰之既濟	
1905	止厚	浚右殆	易林	大有之需、震之歸妹	
1906	止厚	海浚厚	易林	謙之頤、觀之頤	
1907	止厚	走子	易林	豫之蹇	
1908	止厚	母走	易林	臨之乾	
1909	止厚	市府	易林	無妄之大有	
1910	止厚	史起主	易林	大畜之離	
1911	止厚	子走	易林	頤之臨、萃之復	
1912	止厚	後祀	易林	大過之坤、睽之頤	
1913	止厚	友起厚	易林	坎之乾、革之需	
1914	止厚	後有	易林	大壯之坎	
1915	止厚	走後有	易林	大壯之旅	

1916	止厚	厚子有	易林	晉之損	
1917	止厚	聚有	易林	家人之升	
1918	止厚	口走主侯	易林	睽之蹇	
1919	止厚	乳喜	易林	睽之未濟	
1920	止厚	母子主	易林	損之巽	
1921	止厚	起走有	易林	夬之困	
1922	止厚	理主亥	易林	姤之頤	
1923	止厚	母耦	易林	井之訟	
1924	止厚	采主	易林	震之中孚	
1925	止厚	在聚	易林	益之咸	
1926	止厚	齒腐	易林	兑之履	
1927	止厚	厚喜	易林	兑之謙	
1928	止厚	耳喜取	易林	兑之益	
1929	止侯	僕悔	易林	師之明夷	

1930	止屋	祉欲	易林	家人之離	
1931	志侯	殊佑	易林	夬之乾	
1932	志侯	怪頭	易林	震之蒙、漸之蒙	
1933	志侯	佑寇	易林	坎之巽	
1934	志侯	娶聚事	易林	歸妹之泰	
1935	職厚	取得	易林	大畜之節	
1936	職屋	木曲黑	新語	上之十一	
1937	職屋	穀食息	易林	乾之睽	
1938	職屋	賊穀食	易林	坤之革、剥之睽	
1939	職屋	足息	易林	蒙之賁、損之困	
1940	職屋	賊穀食	易林	需之明夷	
1941	職屋	得足	易林	比之小畜	
1942	職屋	俗惑得	易林	小畜之履	
1943	職屋	碌木穀德	易林	小畜之震	

1944	職屋	庶得	易林	同人之訟	
1945	職屋	福觸	易林	大有之既濟	
1946	職屋	足域	易林	謙之大畜、萃之睽	
1947	職屋	足北賊	易林	謙之升	
1948	職屋	翼國欲	易林	隨之小畜	
1949	職屋	息足	易林	隨之同人	
1950	職屋	德麓福	易林	隨之大壯、剥之復	
1951	職屋	閔足	易林	觀之咸	
1952	職屋	木國	易林	頤之臨、萃之復	
1953	職屋	翼足賊	易林	坎之頤	
1954	職屋	轂國	易林	咸之復、小過之小畜	
1955	職屋	翼足	易林	恒之解、涣之觀	
1956	職屋	賊息續	易林	恒之損	
1957	職屋	庶足得	易林	遁之同人	

1958	職屋	德福欲	易林	晉之大壯、益之乾	
1959	職屋	粟食	易林	明夷之兑、艮之中孚	
1960	職屋	俗得穀	易林	家人之未濟、夬之比	
1961	職屋	主樸得	易林	解之否	
1962	職屋	木得	易林	解之恒	
1963	職屋	穀稷	易林	解之既濟	
1964	職屋	德國福禄	易林	升之履	
1965	職屋	足國	易林	困之遁	
1966	職屋	匿玉哭	易林	困之損	
1967	職屋	足辱賊	易林	革之離	
1968	職屋	福欲	易林	艮之困	
1969	職屋	福穀	易林	節之履	
1970	職屋	室禄	易林	節之大壯	
1971	職屋	賊足	易林	中孚之豫	

1972	職屋	食得穀	易林	小過之泰	
1973	職屋	食屋	易林	小過之升	

附二　《素問合韻譜》❶

（本函内裝毛邊紙本的王念孫手稿，由紙撚穿成，共十八册，其中《易林新語素問合韻》共四册，《易林通韻》共五册，《易林韻》共九册，凡十八册。）

❶ 這是從《易林新語素問合韻譜》中離析出來的，只是王念孫的一個讀書筆記，没有封面。北大圖書館用鉛筆寫在卷首頁：新語　素問　易林　合韻。本表是按照王念孫手稿的順序，其中「韻目」在手稿左上角，「韻例」是王念孫標出的押韻的韻脚字；「出處」是王念孫在韻脚字右下脚標出的出處，如「廿四之三」指《素問》第二十四卷第三頁。王氏所用的《素問》是明顧從德本。「篇目序號」是筆者爲了檢索方便將《素問》篇目序號單獨列出；「原文句子」是補充的《素問》押韻文句。

序號	韻目	韻例	出處	篇目序號	篇名	原文句子
1	東蒸	容雄	素問 廿四之三	79	陰陽類論	雷公曰：臣悉盡意，受傳經脉，頌得從容之道，以合《從容》，不知陰陽，不知雌雄
2	東陽	傷壅從	素問 十四之一	50	刺要論	過之則内傷，不及則生外壅，壅則邪從之
3	東陽	明聰	十五之三	58	氣穴論	夫子之開余道也，目未見其處，耳未聞其數，而目以明，耳以聰矣
4	東陽	陽明工	廿三之八	77	疏五過論	粗工治之，亟刺陰陽，身體解散，四支轉筋，死日有期，醫不能明，不問所發，唯言死日，亦爲粗工，此治之五過也
5	東陽	通明	同上	77	疏五過論	凡此五者，皆受術不通，人事不明也
6	冬蒸	降興	素問 廿之十六	70	五常政大論	涼雨時降，風云并興

7	冬侵	陰中	素問 十七之四	62	調經論	氣并于陰，乃爲炅中
8	冬耕	静宗	素問 廿二之十五	74	至真要大論	各安其氣，必清必静，則病氣衰去，歸其所宗
9	蒸侵	勝沈	素問 廿四之三	79	陰陽類論	三陽一陰，太陽脉勝，一陰不能止，內亂五藏，外爲驚駭。二陰二陽，病在肺，少陰脉沈
10	蒸陽	行勝	素問 八之十二	27	離合真邪論	因不知合之四時五行，因加相勝，釋邪攻正，絶人長命
11	蒸陽	藏凝揚	廿之廿三	70	五常政大論	流衍之紀，是謂封藏，寒司物化，天地嚴凝，藏政以布，長令不揚
12	蒸耕	應聖	素問 廿二之廿六	74	至真要大論	餘欲令要道必行，桴鼓相應，猶拔刺雪汙，工巧神聖
13	陽耕	行形	素問 二之三	77	疏五過論	厥氣上行，滿脉去形
14	陽耕	生病	六之九	20	三部九候論	故人有三部，部有三候，以決死生，以處百病

15	陽耕	生精行	六之九	26	八正神明論	月始生，則血氣始精，衛氣始行
16	陽耕	行平	廿之十四	70	五常政大論	敷和之紀，木德周行，陽舒陰布，五化宣平
17	陽耕	争明	廿之十五	70	五常政大論	審平之紀，收而不争，殺而無犯，五化宣明
18	陽耕	生政揚平	廿之十六	70	五常政大論	委和之紀，是謂勝生，生氣不政，化氣迺揚，長氣自平
19	陽耕	長政衡生 長藏	廿之十七	70	五常政大論	伏明之紀，是謂勝長，長氣不宣，藏氣反布，收氣自政，化令迺衡，寒清數舉，暑令迺薄，承化物生，生而不長，成實而稚，遇化已老，陽氣屈伏，蟄蟲早藏
20	陽耕	彰整平	廿之十八	70	五常政大論	化氣不令，生政獨彰，長氣整，雨迺愆，收氣平
21	陽耕	榮昌	廿之廿一	70	五常政大論	赫曦之紀，是謂蕃茂，陰氣內化，陽氣外榮，炎暑施化，物得以昌

22	陽耕	陽行行情并	廿三之七	77	疏五過論	暴怒傷陰，暴喜傷陽，厥氣上行，滿脉去形。愚醫治之，不知補寫，不知病情，精華日脱，邪氣乃并
23	陽耕	陽并藏陽	廿四之三	79	陰陽類論	此六脉者，乍陰乍陽，交屬相并，繆通五藏，合於陰陽
24	陽耕	壯陽冥	廿四之四	79	陰陽類論	陰陽皆壯，下至陰陽，上合昭昭，下合冥冥
25	耕真	精真神	素問　一之七	1	上古天真論	以欲竭其精，以耗散其真，不知持滿，不時御神
26	耕真	陳生榮庭生	一之十一	2	四氣調神大論	春三月，此謂發陳，天地俱生，萬物以榮，夜卧早起，廣步於庭，被髮緩形，以使志生
27	耕真	正命	八之十二	27	離合真邪論	因不知合之四時五行，因加相勝，釋邪攻正，絶人長命
28	耕真	平形人	十七之五	62	經論	陰滿之外，陰陽勻平，以充其形，九候若一，命曰平人
29	耕真	神聖	十九之一	66	天元紀大論	陰陽不測謂之神，神用無方謂之聖

30	耕元	旦散盛亂	素問 五之一	17	脉要精微論	診法常以平旦，陰氣未動，陽氣未散，飲食未進，經脉未盛，絡脉調勻，氣血未亂
31	真諄	根門根真	素問 一之十四	2	四氣調神大論	所以聖人春夏養陽，秋冬養陰，以從其根，故與萬物沈浮於生長之門。逆其根，則伐其本，壞其真矣
32	真諄	滿堅	八之五	26	八正神明論	月郭滿，則血氣實，肌肉堅
33	真諄	門神	八之十	27	離合真邪論	外引其門，以閉其神
34	真諄	分天人	八之十二	27	離合真邪論	不知三部者，陰陽不別，天地不分。地以候地，天以候天，人以候人
35	真諄	筋伸仁	十五之十	58	氣穴論	卷肉縮筋，肋肘不得伸，内爲骨痹，外爲不仁
36	真諄	云淵	十九之十七	68	六微旨大論	天之道也，如迎浮雲，若視深淵

37	真諄	淵云	廿三之五	77	疏五過論	閔閔乎若視深淵，若迎浮雲
38	真元	薪完堅	素問 四之五	14	湯液醪醴論	必以稻米，炊之稻薪，稻米者完，稻薪者堅
39	真元	完堅	同上	14	湯液醪醴論	此得天地之和，高下之宜，故能至完，伐取得時，故能至堅也
40	真元	遠瞚匀變	八之四	25	寶命全形論	人有虛實，五虛勿近，五實勿遠，至其當發，間不容瞚。手動若務，鍼耀而匀，静意視義，觀適之變
41	真元	元天元旋	十九之三	66	天元紀大論	太虛寥廓，肇基化元，萬物資始，五運終天，布氣真靈，揔統坤元，九星懸朗，七曜周旋
42	諄元	倦順願	素問 一之七	1	上古天真論	形勞而不倦，氣從以順，各從其欲，皆得所願
43	諄元	循散按	八之十	27	離合真邪論	必先捫而循之，切而散之，推而按之
44	諄元	還門散存	十七之七	62	調經論	熱不得還，閉塞其門，邪氣布散，精氣乃得存

45	諄元	順問	廿二之廿三	74	至真要大論	明知逆順，正行無問
46	諄止	本殆	素問 廿二之廿三	74	至真要大論	知標與本，用之不殆
47	歌紙	堤離	素問 廿四之三	79	陰陽類論	脘下空竅堤，閉塞不通，四支別離
48	歌脂	衰移	素問 八之九	27	離合真邪論	經言氣之盛衰，左右傾移
49	歌脂	宜機	廿二之三	74	至真要大論	謹候氣宜，無失病機
50	歌脂	機宜	廿二之廿六	74	至真要大論	審察病機，無失氣宜
51	歌魚	加多過無	素問 廿之十二	69	氣交變大論	夫德化政令災變，不能相加也。勝復盛衰，不能相多也。往來小大，不能相過也。用之升降，不能相無也
52	歌御	度宜	素問 五之三	17	脉要精微論	生之有度，四時爲宜

53	蒸陽耕	平明興甯 刑平清	素問 一之十二	2	四氣調神大論	秋三月，此謂容平，天氣以急，地氣以明，早卧早起，與雞俱興，使志安寧，以緩秋刑，收斂神氣，使秋氣平，無外其志，使肺氣清
54	侵真諄	真神鍼聞 先人	素問 八之四	25	寶命全形論	凡刺之真，必先治神，五藏已定，九候已備，後乃存鍼，衆脉不見，衆凶弗聞，外内相得，無以形先，可玩往來，乃施於人
55	耕真元	靈言天	素問 一之六	1	上古天真論	昔在黃帝，生而神靈，弱而能言，幼而徇齊，長而敦敏，成而登天
56	真諄元	神神聞先言 見昏云神原 存	素問 八之八	26	八正神明論	請言神，神乎神，耳不聞，目明心開而志先，慧然獨悟，口弗能言，俱視獨見，適若昏，昭然獨明，若風吹云，故曰神。三部九候爲之原，九鍼之論不必存也
57	真諄元	寒温散潤 耎堅	廿二之十五	74	至真要大論	治諸勝復，寒者熱之，熱者寒之，温者清之，清者温之，散者收之，抑者散之，燥者潤之，急者緩之，堅者耎之，脆者堅之

58	真諄元	貧攣神	廿三之七	77	疏五過論	始富後貧，雖不傷邪，皮焦筋屈，痿躄爲攣。醫不能嚴，不能動神
59	止語小	下女路兆始	素問 二之七	5	陰陽應象大論	天地者，萬物之上下也；陰陽者，血氣之男女也；左右者，陰陽之道路也；水火者，陰陽之徵兆也；陰陽者，萬物之能始也
60	止語小	下路兆始	十九之二	66	天元紀大論	然天地者，萬物之上下也；左右者，陰陽之道路也；水火者，陰陽之徵兆也；金木者，生成之終始也
61	止厚黝	道紀母始府	素問 二之一	5	陰陽應象大論	陰陽者，天地之道也，萬物之綱紀，變化之父母，生殺之本始，神明之府也
62	止厚黝	道紀母始府	十九之一	66	天元紀大論	夫五運陰陽者，天地之道也，萬物之綱紀，變化之父母，生殺之本始，神明之府也，可不通乎
63	之幽	調期	素問 八之十一	27	離合真邪論	審捫循三部九候之盛虛而調之，察其左右上下相失及相減者，審其病藏以期之

64	之幽	流憂時	十九之五	66	天元紀大論	德澤下流，子孫無憂，傳之後世，無有終時
65	止黝	守使	素問 二之七	5	陰陽應象大論	陰在內，陽之守也；陽在外，陰之使也
66	止黝	理道	十四之一	50	刺要論	各至其理，無過其道
67	止黝	右裏使市 母咎	十四之三	52	刺禁論	肝生於左，肺藏於右，心部於表，腎治於裏，脾爲之使，胃爲之市。鬲肓之上，中有父母，七節之傍，中有小心，從之有福，逆之有咎
68	止黝	在道	十五之一	56	皮部論	左右上下，陰陽所在，病之始終，願聞其道
69	止黝	理事久殆寶	廿三之一	75	著至教論	上知天文，下知地理，中知人事，可以長久，以教衆庶，亦不疑殆，醫道論篇，可傳後世，可以爲寶
70	止黝	理道	廿三之二	75	著至教論	陽言不別，陰言不理，請起受解，以爲至道

71	止 黝	道葆起咎理 市巧道海晦	廿三之十	78	征四失論	治數之道，從容之葆，坐持寸口，診不中五脉，百病所起，始以自怨，遺師其咎。是故治不能循理，棄術於市，妄治時愈，愚心自得。嗚呼！窈窈冥冥，熟知其道！道之大者，擬於天地，配于四海，汝不知道之諭，受以明爲晦
72	止 黝	理久道理道	廿四之七	80	方盛衰論	不失條理，道甚明察，故能長久。不知此道，失經絶理，亡言妄期，此謂失道
73	職 毒	肉黑	素問 八之二	25	寶命全形論	此皆絶皮傷肉，血氣争黑
74	職 毒	惑復賊	八之十二	27	離合真邪論	誅罰無過，命曰大惑，反亂大經，真不可復，用實爲虚，以邪爲真，用鍼無義，反爲氣賊
75	職 毒	復式	廿二之廿三	74	至真要大論	明知勝復，爲萬民式，天之道畢矣
76	止 小	紀兆	素問 廿之九	67	五運行大論	天地之動静，神明爲之紀，陰陽之升降，寒暑彰其兆

77	魚侯	俱去	素問 一之七	1	上古天真論	故能形與神俱，而盡終其天年，度百歲乃去
78	語厚	怒下取	素問 八之十	27	離合真邪論	彈而怒之，抓而下之，通而取之
79	語厚	取寫	八之十一	27	離合真邪論	止而取之，無逢其沖而寫之
80	語厚	寫補取	十二之十三	45	厥論	盛則寫之，虚則補之，不盛不虚，以經取之
81	語厚	部下	十五之一	56	皮部論	别其分部，左右上下
82	御侯	處度侯路忤布故去寫	素問 八之十	27	離合真邪論	其行無常處，在陰與陽，不可爲度，從而察之，三部九侯，卒然逢之，早遏其路。吸則内鍼，無令氣忤，静以久留，無令邪布，吸則轉鍼，以得氣爲故，侯呼引鍼，呼盡乃去，大氣皆出，故命曰寫
83	御侯	處數	十五之三	58	氣穴論	目未見其處，耳未聞其數

84	鐸屋	足著索逆	素問 廿三之四	76	示從容論	夫浮而弦者，是腎不足也。沈而石者，是腎氣内著也。怯然少氣者，是水道不行，形氣消索也。欬嗽煩寃者，是腎氣之逆也
85	鐸屋	足格	十三之七	48	大奇論	脉至如丸泥，是胃精予不足也，榆莢落而死。脉至如横格，是膽氣予不足也，禾熟而死
86	語黝	緒女怒守語	素問 廿三之七	77	疏五過論	有知余緒，切脉問名，當合男女。離絶菀結，憂恐喜怒，五藏空虚，血氣離守，工不能知，何術之語
87	侯幽	樞浮	素問 一之十五	3	生氣通天論	因於寒，欲如運樞，起居如驚，神氣乃浮
88	厚黝	後道	素問 廿二之廿八	74	至真要大論	有毒無毒，何先何後？願聞其道
89	厚黝	主事道	廿三之八	77	疏五過論	毒藥所主，從容人事，以明經道
90	屋毒	足復	素問 十七之二	62	調經論	移氣於不足，神氣乃得復

91	幽宵	標調	素問 廿二之廿三	74	至真要大論	察本與標，氣可令調
92	黝小	道要	素問 十九之六	66	天元紀大論	謹奉天道，請言真要
93	支脂	維歸知	素問 廿二之廿四	74	至真要大論	謹按四維，斥候皆歸，其終可見，其始可知
94	支之	嘻知	素問 廿二之廿三	74	至真要大論	粗工嘻嘻，以爲可知
95	錫職	極脉惑則 得國	素問 四之四	13	移精變氣論	治之要極，無失色脉，用之不惑，治之大則。逆從倒行，標本不得，亡神失國
96	錫職	脉息	廿三之七	77	疏五過論	嘗富大傷，斬筋絶脉，身體復行，令澤不息
97	至鞊	致利氣	素問 十七之二	62	調經論	按而致之，刺而利之，無出其血，無泄其氣
98	質術	骨密室	素問 五之四	17	脉要精微論	冬日在骨，蟄蟲周密，君子居室

99	質術	至失一物	八之四	25	寶命全形論	經氣已至，慎守勿失，深淺在志，遠近若一，如臨深淵，手如握虎，神無營於衆物
100	質月	密絶	素問 一之十九	3	生氣通天論	故陽强不能密，陰氣乃絶
101	質月	熱溢	八之九	27	離合真邪論	天暑地熱，則經水沸溢
102	質月	溢熱	十五之九	58	氣穴論	榮衛稽留，衛散榮溢，氣竭血著，外爲發熱
103	質月	結炅	廿三之八	77	疏五過論	故傷敗結，留薄歸陽，膿積寒炅
104	至志	秘治	素問 一之十九	3	生氣通天論	陰平陽秘，精神乃治
105	鞊祭	鼻肺	素問 三之七	9	六節藏象論	五氣入鼻，藏於心肺
106	鞊祭	氣衛會	十五之九	58	氣穴論	内爲少氣，疾寫無怠，以通榮衛，見而寫之，無問所會

107	鞊祭	會衛氣敗	十五之九	58	氣穴論	溪穀之會，以行榮衛，以會大氣。邪溢氣壅，脉熱肉敗
108	鞊祭	隧衛	十七之六	26	調經論	刺此者取之經隧，取血于營，取氣于衛
109	鞊祭	制害氣	廿之十六	70	五常政大論	化而勿制，收而勿害，藏而勿抑，是謂平氣
110	月職	匿意得奪	素問　一之十二	2	四氣調神大論	使志若伏若匿，若有私意，若已有得，去寒就温，無泄皮膚，使氣亟奪
111	緝職	泣黑	素問　十五之三	57	經絡論	寒多則凝泣，凝泣則青黑
112	緝毒	立入目	素問　八之二	25	寶命全形論	能存八動之變，五勝更立；能達虚實之數者，獨出獨入，呿吟至微，秋毫在目
113	之魚	居之	素問　十七之七	62	調經論	其病所居，隨而調之
114	止語	下右	素問　八之九	27	離合真邪論	以上調下，以左調右
115	止語	止補	八之十	27	離合真邪論	大氣留止，故命曰補

116	志御	意處	素問 十五之二	58	氣穴論	因請溢意，盡言其處
117	志御	志處意	同上	58	氣穴論	然余願聞夫子溢志，盡言其處，令解其意
118	止厚	府裏	素問 十七之七	62	調經論	故得六府，與爲表裏
119	止厚	理裏 理殆 理府	廿三之八	77	疏五過論	氣内爲寶，循求其理，求之不得，過在表裏。守數據治，無失俞理，能行此術，終身不殆。不知俞理，五藏菀熟，癰發六府

王念孫早年把古韻分爲二十一部，收在王引之《經義述聞》卷三十一，後來寫《易林新語素問合韻譜》的時候，增加一個「冬」部成古韻二十二部。二十世紀三十年代先師宗達先生整理《易林新語素問合韻譜》和《詩經群經楚辭韻譜》等古韻材料時，寫成《王石臞先生韻譜合韻譜稿後記》，發表在一九三二年北京大學《國學季刊》第三卷第一號。陸先生的孫子陸昕在《我的祖父陸宗達》文章中説：「一九二八年祖父從北大畢業，系主任馬裕藻先生聘任祖父留校任教。當時祖父一邊開設訓詁學課，一邊跟羅庸先生講漢魏詩，并兼任國學門研究所編輯。在這期間，祖父做了兩件事：一件是接替戴明揚編寫《一切經音義》索引，一件是整理王念孫《韻譜》與《合韻譜》遺稿。祖父在整理過程中，發現王念孫晚年分周秦古

韻爲二十二部，於是寫了《王石臞先生韻譜合韻譜遺稿跋》和《王石臞先生韻譜合韻譜遺稿後記》兩篇文章。發表後引起當時古音研究者的重視，并被語言學界所接受。」

陸宗達先生輯成王念孫二十二部如下：

第一部　東
第二部　冬
第三部　蒸
第四部　侵
第五部　談
第六部　陽
第七部　耕
第八部　真
第九部　諄
第十部　元
第十一部　歌
第十二部　支　紙　忮　錫
第十三部　至　質
第十四部　脂　旨　鞊　朮

第十五部　祭　月
第十六部　盍
第十七部　緝
第十八部　之　止　志　職
第十九部　魚　語　御　鐸
第二十部　侯　厚　候　屋
第二十一部　幽　有　黝　毒
第二十二部　宵　小　笑　藥

王念孫把「至」部獨立出來，後來稱爲「質」部，得到大部分古韻學家認同。王念孫把祭部獨立出來，後來稱爲「月」部，得到後來音韻學家認同。他還把緝部從侵部獨立出來，盍部從談部獨立出來。王念孫把侯部從魚部獨立出來，得到後來音韻學家一致認同。

王念孫的《素問合韻譜》對研究《素問》《靈樞》的合韻、通韻很有意義。王力先生《清代古音學·王念孫的古音學》（頁二百零七）説：

清代古音學到王念孫已經是登峰造極了——指他的古韻二十二部，包括冬部——考古派只能做到這一步。至於審音派則入聲一律獨立，韻部增多，又當别論了。

四　江有誥

（一）江有誥《音學十書》

江有誥（一七七三—一八五一），安徽歙縣人。字晉三，號古愚。二十二歲爲官學弟子，無意舉業，閉門讀書。得顧炎武《音學五書》、江永《古韻標準》，稱江書可補顧書未備而分部仍有罅漏，乃析江永十三部爲二十一部，與戴震、孔廣森所分古韻部多暗合，深受段玉裁（一七三五—一八一五）、王念孫（一七四四—一八三二）贊許。嘉慶十七年壬申（一八一二）十月段玉裁評江有誥音學成就説：「今年春歙江君晉三寓書于余論音，余知其未見戴（東原）孔（廣森）之書也，而持論與之合。余甚偉其所學之精。秋九月，謁余枝園，出所著書請序。余諦觀其書，精深邃密。蓋余與顧氏（炎武）、孔氏（廣森）皆一於考古，江氏（慎修）、戴氏（東原）則兼以審音，而晉三于二者尤深造自得。」段玉裁此信寫於七十八歲高齡。

段玉裁見江有誥在古音學上創獲如此之多，興奮之余，滿懷深情地説：「余於江氏（慎修）、孔氏（廣森）每有彼此不相見之恨，猶幸得見余師戴氏。今又幸得見吾晉三，是二人者（戴、江），皆有知我之樂焉，皆有互相挹注之益焉。假令天不假我以年，余即獲親戴氏而不獲見晉三，安能知晉三集音學之成於前？此五家（顧炎武、江慎修、戴東原、孔廣森、江有誥）皆有匡補之功哉。晉三富於春秋，精進未有艾，余耄不及見而固知其所學焉必皆能深造也。嘉慶壬申十月金壇段玉裁撰于姑蘇朝山墩之枝園。時年七十有八。」江有誥復茂堂先生書是一篇五千餘言的長信，收在段玉裁文集中。《音學十書》總目收録江有誥《寄段茂堂先生書》，有三點非常值得注意。

第一，簡述學習古韻學概況：「及見顧氏《音學五書》、江氏《古音標準》《四聲切韻表》，歎其言之信而有徵，謂講音學者，當從此入矣。後得先生所著《六書音均表》，讀之益佩其造詣深邃，真能復三代之母音，發唐宋以來之秘，足與顧、江二君子三分鼎立者，爲先生而已。」按，顧氏《音學五書》、江永《古韻標準》、段氏《六書音均表》是古音學奠基之作，學習古音必當從此入手，直至今日，仍爲定論。

第二，嘉慶十七年三月江有誥奉書段玉裁，虔誠陳詞，認爲《六書音均表》「宏綱大體，固已極善，而條例似未盡密。學者當爲宋儒諍臣，不當爲宋儒佞臣。有誥敢爲先生諍臣而獻其疑焉。表中于顧氏無韻之處，悉以合韻當之。有最近合韻者，有隔遠合韻者。有誥竊謂近者可合，而遠者不可合也。何也？著書義例，當嚴立界限。近者可合，以音相類也。

遠者亦謂之可合，則茫無界限，失分別部居之本意矣」。按，江有誥以母音差别遠近作爲是否可以合韻的判斷標準是對的。王力《詩經韻讀》同意江有誥的意見。在《韻在句中的位置》一節中王力舉了很多例證説明母音近者能夠合韻，母音遠者不可合韻。例如：「『羽』『鼓』『圉』『舉』屬魚部，『奏』屬屋部，段氏認爲『奏』字入韻，那是錯誤的，魚屋相差太遠，江氏認爲不入韻。他是對的。」又如：「『濟』『秭』『醴』『妣』『禮』都屬脂部，『錫』屬錫部，母音相差很遠。段氏認爲錫字入韻是錯誤的，江氏認爲不入韻是對的。」(《詩經韻讀》，中華書局，二〇一四年版，頁五十三)。又對段玉裁《六書音韻表》之二《諧聲表》某些諧聲偏旁歸屬提出異議，説：「先生之十七部諧聲表，實從來講古韻者所未見及，但有誥於先生之部分既有更改，平入分配，間有異同，謹更爲諧聲表一卷……今謹將論撰大意先達座右，再容執贄登堂面求誨正。」按，諧聲表是段玉裁對古韻的一大創造，段氏對此表極爲重視。該表小序説：「六書之有諧聲，文字之所以日滋也。考周秦有韻之文，某聲必在某部，至嘖而不可亂，故視其偏旁以何字爲聲，而知其音在某部，易簡而天下之理得也。」嘉慶十七年十月段玉裁復信，稱「前人論入聲最多歧，未有能折衷至當者。晉三專據《説文》之偏旁諧聲及周秦人平入同用之章爲據，作入聲表一卷，尤爲精密。不惟陸氏分配之誤辨明，即江(慎修)戴(東原)異平同入之説，亦可不必。其真知確見，有如此者。」按，通過段江之學術討論，可以窺見乾嘉大師尊重真理高於尊重師門的求知精神。

第三，在《寄段茂堂先生書》末附有江有誥的感言，讀後使人感動。江有誥千里尋師，得到段玉裁傾心教誨，音學成就更加邃密。術從師授，學自己成，於此可見一斑。江有誥説：「有誥于壬申三月寄書于先生，七月接到復書，謂『閉門造車，出而合轍，以與戴孔之説不謀而合也』。九月，執弟子禮，謁先生于蘇，下榻枝園之西窗，往復辨難。拙著之紕繆，賴先生誨正者數十；有誥一得之愚，亦必蒙先生聽納。先生著書宏富，《詩》《書》《周禮》《説文》《古文》，皆裒然成集。有誥於先生之學，無能爲役，唯音學一事，稍窺涯涘，亟蒙先生見賞，故首録是書，以見先生舍己從人、不自滿假，其與世之硜硜自是者，相去蓋不可道里計也。有誥附記。」段玉裁的弟子譜中無江有誥名，今知有誥曾「執弟子禮，謁先生于蘇，下榻枝園之西窗」，又非一般入門弟子所可比，則有誥出於段門有徵矣。這一年江有誥六十七歲。

王念孫復江有誥書云：

王念孫再拜晉三先生足下。往者胡竹邨中翰以大著《詩經韻讀》見贈，奉讀之下，不勝佩服。念孫少時服膺顧氏所分十部，年二十三入都會試，得江氏《古韻標準》，始知顧氏所分十部，猶有罅漏。旋里後，取三百五篇，反復尋繹，始知江氏之書，仍未盡善。輒以己意，重加編次，分古韻爲二十一部，未敢出以示人……及奉讀大著，則與鼻見，如趨一軌，不覺狂喜。嗟乎，段君殁已六年，而念孫亦春秋七十有八，左畔手足偏枯，不能步履，精日銷亡，行將步段君而去矣。唯是獲睹異書，猶然見獵心喜……大著自《詩經韻讀》而外，念孫皆未之見，并希賜讀，以開茅塞。海内存知己，天涯若比鄰；愛而不見，悵何如之？念孫再拜。」

江有誥復王念孫書云：

石臞先生閣下，十月二十八日接胡竹邨中翰寄到先生手書，反復觀誦，不勝雀躍。伏念有誥以無師之學，鼓其臆説，雖篤于自信，而絶尟知音。後得段茂堂先生推許，竊自幸得一知己，可以不恨。今又蒙先生如此嘉獎，有誥益可以無恨矣……承索拙著各種，但拙著甚繁，家貧無力刊佈，今將已刻數種敬呈座右，仍望先生糾其紕繆而賜教焉，則幸甚幸甚。有誥再拜！

王念孫所説「及奉讀大著，則與卑見，如趨一軌」，是江有誥在古韻學上的一個重大成就。江有誥與王念孫不謀而同者表現在三個韻部上：

1 王念孫把祭部獨立出來，江有誥也把祭部獨立出來（祭部今稱月部）；

2 王念孫把緝部從侵部獨立出來，江有誥也把緝部獨立出來；

3 王念孫把盍部從談部獨立出來，江有誥也把盍部獨立出來（盍部今稱叶部）。

江有誥與王念孫一生未曾謀面。江有誥家居安徽歙縣，無師自學，終自成才。晚年得段氏、王氏熱情指導，江有誥的音學成就顯著提高。

王國維《觀堂集林》卷八云：

嗚呼！我朝學術莫盛於乾嘉之際。江君生諸老後，其于諸家之書有見有不見，而其説多與之暗合，或加精焉。數十年間，古韻之學，遂以大成。而江君自奮於窮鄉孤學，其事尤難。今諸家之書盛行，而江書版經再毁，傳世無多；其未刊之稿，又皆毁於丙午（一八四六）之火，亦有幸有不幸歟？江君名有誥，字晉三，歙縣人，貢生。卒于咸豐辛亥（一八五一）。《清史稿》卷四百八十一《儒林·二》有傳，附《戚學標傳》下。

江有誥得顧炎武、江永兩家書，嗜之忘寢食。謂江書能補顧所未及，而分部仍多罅漏，乃析江氏十三部爲二十一部，與戴震、孔廣森多暗合。書成寄示段玉裁，玉裁深重之，曰：

余與顧氏、孔氏皆一於考古，江氏、戴氏則兼以審音。晉三之於前人之説擇善而從，無所偏徇，又精於等呼字母，不唯古音大明，亦使今韻分爲二百六部者得其剖析之故，韻學大備矣！著有《詩經韻讀》《群經韻讀》《楚辭韻讀》《先秦韻讀》《漢魏韻讀》《唐韻四聲正》《諧音表》《入聲表》《二十一部韻譜》《唐韻再正》，總名《江氏音學十書》。王念孫父子咸服其精。晚歲著《説文文書録》《説文分韻譜》。道光末，室災，焚其稿。有誥老而目盲，鬱鬱遂卒。

《清代學術辭典》（學苑出版社）介紹江有誥云：

王國維評論清代古韻之學，以爲作者不過七人，前無古人，後無來者，江氏便在其中。所著《詩經韻讀》《群經韻讀》《楚辭韻讀》《漢魏韻讀》（未刻）《二十一部韻讀》（未刻）。《諧聲表》《入聲表》附於《等韻叢説》《四聲韻譜》《唐韻四聲正》，合稱《音學十書》，爲古音學重要著作。

王國維所説清初至咸豐著名古韻七家是：顧炎武、江永、戴震、段玉裁、王念孫、孔廣森、江有誥，前六位都有師承授受的關係，只有江有誥「以無師之學」自學成才，這種精神令人敬仰。

王力先生對江有誥的音韻學成就予以極高評價：

江氏是區區一個貢生，他在音韻學上的成就超越前輩。他得力於等韻之學。段、孔只懂得考古，不懂得審音。戴氏自誇他能審音，而他的等韻學并不高明。江有誥審音之精，遠勝過江永一籌。江有誥考古之功不讓於段、孔。所以我們説，江有誥是清代古音學的巨星。段玉裁爲《江氏音學》作序，對江有誥的學識推崇備至，「精深邃密」是最優的評語。段玉裁是不輕易這樣許人的。就江氏的成績看來，段氏這四個字評語并非過譽，江有誥是當之無愧的。

《素問韻讀》《靈樞韻讀》收在江有誥《先秦韻讀》中。《先秦韻讀》收録許多先秦諸子韻讀,《素問韻讀》《靈樞韻讀》是其中一部分。「先秦」二字是簡括之稱,不是諸書時代的判定。

《素問韻讀》《靈樞韻讀》注以「合韻」「通韻」「借韻」者,時有依韻校勘。有的一段文字出現三個韻部或四個韻部相押現象,江氏皆注明之。

讀江氏《素問韻讀》《靈樞韻讀》,須注意以下問題。

甲　記熟二十一部前後順序

韻讀的「通韻」「合韻」「借韻」與古韻二十一部排列順序密切相關。二十一部順序是:1之部;2幽部;3宵部;4侯部;5魚部;6歌部;7支部;8脂部;9緝部;10元部;11文部;12真部;13耕部;14陽部;15東部;16中部;17蒸部;18侵部;19談部;20叶部;21緝部。(見《音學十書·古韻二十一部總目》)王力先生對二十一部排列順序有這樣的評論:

江氏憑韻部次第來決定通韻、合韻,是不太合理的。各家韻部次第不同,未必江氏所定韻部次序是唯一合理的……還有韻部次第相隔遠的叫作「借韻」,尤其不妥。江氏於借韻的字就讀叶音,那和朱熹的《詩集傳》何異? 其實對轉是母音相同,比旁轉的母音相近更有通轉的理由。江氏通韻、合韻的理論是可以成立的;但他憑韻部次第來決定通韻、合韻和借韻，則是錯誤的。

《素問韻讀》《靈樞韻讀》江氏小注多處有「合韻」「通韻」「借韻」概念出現。《音學十書·凡例》説：「古有正韻、有通韻、有合韻。最近之部爲通韻，隔一部爲合韻。」正韻指同韻部相押，通韻指相鄰韻部相押。

王力先生《清代古音學》第九章《江有誥的古音學》之《江氏的音論》説：

所謂最近之部爲通韻，實際上是母音相近。所謂隔一部爲合韻，實際上是母音稍遠。此外還有借韻，借韻不止隔一部，往往是對轉。」（頁二百二十一頁末小注）（頁二百二十二）

《素問·上古天真論》：「今時之人，以酒爲㊣漿，以妄爲㊣常，醉以入㊣房陽部，以欲竭其㊣精，以耗散其㊣真，不知持滿，不時御㊣神。」真耕通韻

「漿」「常」「房」爲陽部字，屬於同部字相押，爲正韻。「精」在江有誥第十三部耕部，「真」「神」在江有誥第十二部真部。耕部與真部是「最近之部」，故注曰「真耕通韻」。

《脉要精微論》：「微妙在㊣脉，不可不㊣察。」「支祭合韻」。

「脉」在第七部支韻，「察」在第九部祭韻，支韻和祭韻中間相隔第八部脂韻，故注曰「支祭合韻」。

「借韻」是指相隔兩個或三個韻部的韻部相押。

《四氣調神大論》：「使志無怒，使華英成秀。」幽魚借韻

「秀」在第三部幽韻，「怒」在第五部魚韻，相隔兩個韻部，故稱借韻。

《生氣通天論》：「陽不勝其陰，則五藏氣爭，九竅不通。是以聖人陳陰陽，筋脉和同，骨髓堅固，氣血皆從。」東侵借韻

其中「陰」屬於侵韻，「通」「同」「從」屬於東韻。東韻在第十五部，侵韻在第十八部，中間相隔兩個韻部，故稱借韻。

如果一段文章裏有三個韻部或四個韻部相押形成借韻，則以第一個韻脚字所屬的韻部爲基準計算相隔的韻部。例如：

《陰陽應象大論》：「陰陽者，天地之道也，萬物之綱紀，變化之父母，生殺之本始，神明之府也。」之幽侯借韻

「道」屬於第二部幽韻字，「紀」「母」「始」屬於第一部之部字，「府」屬於第四部侯部字，第一個韻脚字「道」字屬於古韻部第二部，與第四部的「府」字相隔兩個韻部，故稱借韻。

《靈樞經・脹論》：「中肉，則衛氣相亂，陰陽相逐幽部。其於脹也，當寫不寫，氣故不下，三而不下，必更其道，氣下乃止，不下對復始，可以萬全，烏有殆者乎？其於脹也，必審其脉，當寫則寫，當補則補，如鼓應桴，惡有不下者乎？」之幽魚借韻

按，之部爲第一部，與第二部幽部相鄰，而與第五部魚部相隔三個韻部，故亦稱借韻。

《靈樞・衛氣行》：「分有多少，日有長短，春秋冬夏，各有分理，然後常以平旦爲紀，以夜盡爲始。」之宵侯魚借韻

「理」「紀」「始」在第一之部，「少」在第三宵部，「短」在第四侯部，「夏」在第五魚部。之部與侯部隔兩部，與魚部隔三部，故稱借韻。

今天分析《靈樞》《素問》押韻現象，不必使用江有誥的「正韻」「通韻」「合韻」「借韻」的既定規則——按韻部相隔遠近而劃分，理由王力先生已經説清楚了；但是我們應該了解這些用語的具體含義。我們今天分析《靈樞》《素問》押韻狀況，建議使用王力先生確定的

「通韻」「合韻」術語，因爲王先生確定的「通韻」「合韻」概念是以明確的語音學理論爲依據的。

乙　依韻校勘

1《脉要精微論》王冰本原文作：「是故持脉有道，虛静爲保（《新校正》云：「按《甲乙經》『保』作『寶』。」筆者按，作「寶」義長）。春日浮，如魚之遊在波。」

江有誥《素問韻讀》曰：

是故持脉有（道），虛静爲（保）幽部。春日（浮），如魚之（遊）幽部在波二字衍。

江有誥認爲「在波」之「波」字（歌部字）作爲韻脚字不能與「道」「保」「浮」「遊」（皆幽部字）押韻，故判定「在波」爲衍文。此説可從。

2《素問韻讀·寶命全形論》：「凡刺之（真），必先治（神），五藏已定，九候已備，後乃（存）鍼（當作『鍼存』，文真通韻）。」

按，古韻「真」「神」均在真部，「存」在文部，與「後乃存鍼」的「鍼」字不能押韻。今天讀「真」「神」與「鍼」可以相押，但是在上古時代「鍼」字是侵部字，它的韻尾收m音，不能與

「真」「神」押韻。抄寫者以後世讀音臆測古代讀音而顛倒文字，故當予以校勘改正。江有誥依韻校勘是正確的。

3《靈樞韻讀・官能篇》：「不知所（苦），兩蹻之（下）魚部，男（陰）女陽（當作「男陽女陰」），良工所（禁）侵部。」

當作「男陽女陰」，所校甚是。

4《靈樞韻讀・終始篇》趙府居敬堂本原文：「陰者主藏，陽者主府，陽受氣於四末，陰受氣于五藏。」

兩個「藏」字屬於陽部字相押，爲OAOA韻式，即第一句無韻，第二句者有韻，第三句無韻，第四句有韻。原文第一句「陰者主藏」與第二句「陽者主府」互换位置，乃符合押韻規律。所以江有誥將兩句位置互易作：

陽者主府，陰者主藏二句據韻互易。

江氏加注説明「二句據韻互易」，是完全必要的。

5　《靈樞·脹論第三十五》：「不中氣穴，則氣內閉入聲，鍼不陷肓，則氣不行上越叶音裔。脂祭通韻，中肉則衛氣相亂，陰陽相逐幽部。」

明趙府居敬堂影印本、劉衡如校勘本《靈樞經》等均將「上越中肉」四字組成一個短語，而依照音韻斷句，應做「則氣不行上越，中肉則衛氣相亂」，祭部字第八的「越」字與脂部字第九的「穴」「閉」構成脂祭通韻，文義的解釋乃合理通達。依韻改正句讀之誤，據此可見一般。

丙　三個或四個韻部合韻

《靈樞韻讀》《素問韻讀》有時一段文字有三個韻部甚至四個韻部相押的現象。這種現象在《靈樞》《素問》裏大量存在。其他諸子著作雖不乏三個韻部合韻的現象，但是數量不像《靈樞》《素問》那樣多。例如：

1　陰陽者，天地之（道）也，萬物之綱（紀），變化之父（母），生殺之本（始），神明之（府）也。之、幽、侯借韻——《素問·陰陽應象大論》。

按，「道」在幽部，「紀」「父」「母」在之部，「府」在侯部。江有誥注「之幽侯借韻」。

2　粗守形，上守（神），神乎神，客在（門），未睹其疾，惡知其（原）。文元真合韻——《靈樞·九鍼十二原》。

按，「神」屬真韻，「門」屬文韻，「元」屬元韻，是真、文、元三個韻部合韻的例證。

3　夫善用鍼者，取其（疾）也，猶拔（刺）也，猶雪汙也，猶解（結）也，猶決（閉）也。疾雖久，猶可（畢）也。言不可治者，未得其（術）也。支脂祭合韻——《靈樞·九鍼十二原》

按，「疾」「結」「閉」「畢」在江有誥脂韻，「刺」在支韻，「術」在祭韻，江有誥的「祭」部相當王力物韻，物韻是入聲韻，「疾」「結」「閉」「畢」屬於陰聲脂韻。

4　陰陽相移，何瀉何（補）？奇邪離經，不可勝（數）。不知根結，五藏六（府），折關敗樞，開闔而（走），陰陽大失，不可復（取）。九鍼之元，要在終（始）之侯魚借韻——《根結》

按，之、魚、侯爲陰聲相押。之部與魚部相隔四個韻部，故稱借韻。

5　各行其（道），宗氣流於（海），其下者注於氣街；其上者，走於息（道）。故厥在於足，宗氣不（下），脉中之血，凝而留上，弗之火調，弗能（取）之之魚幽侯借韻——《靈樞·刺節真邪論》

按，「道」屬幽韻，「海」屬之韻，「下」屬魚韻，「取」屬侯韻，爲之、魚、幽、侯四個韻部相押，故稱借韻。

丁　「叶音説」是不科學的説法

1　秋三月，此謂容（平），天氣以急，地氣以（明）叶音鳴，早卧早起，與雞俱興，使志安（寧），以緩秋（刑），收斂神氣，使秋氣（平），無外其志，使肺氣（清）耕陽通韻——《素問・四氣調神大論》。

按，「平」「甯」「刑」「平」「清」都是耕部字，「明」是陽部字，其音近míang，陽韻與耕韻讀音不相和諧，於是注「叶音鳴」。

2　肝生於左，肺生於（右）叶音酉，心布於表，腎治於（裏）（叶音柳），脾爲之（使）（叶音叟），肺爲之（市）（叶音受），鬲肓上下，中有父（母）（叶音牡）。七節之旁，中有小心，從之有福，逆之有（咎）。之幽通韻——《素問・刺禁論》

3　而道上知天文，下知地（理）（叶音柳），中知人事，可以長（久）（叶音九），以教衆庶，亦不疑（殆）叶徒柳反，醫道論篇，可傳後世，可以爲（寶）之幽通韻——《素問・至真要大論》

江有誥在《素問韻讀》《靈樞韻讀》裏使用了大量的「叶音説」。「叶音説」是一種臨時改讀的方法，讀什麽音，没有一定之規，没有理論根據。「叶音説」出現在宋代，明代陳第根據語言是發展的觀點對「叶音説」做了批判，但是「叶音説」久已成習，江有誥也難免爲習俗所染，大量地采用了「叶音説」。

戊 江有誥「韻讀」韻脚字的歸類與王力先生韻脚字的歸類不盡相同

1 冬日在（骨），蟄蟲周（密），君子居（室）（脂部）——《素問·脉要精微論》。

按，江有誥謂骨、密、室三字皆爲脂部字。唐作藩《上古音手册》「骨」字屬入聲物部，「密」「室」屬入聲質部。唐作藩《上古音手册·例言》指出：「本手册所據的上古韻部，是王力先生主編的《古代漢語》所分的十一類三十部。」

2 太虚寥（廓），五運回（薄）魚部——《素問·五常政大論》

按，「廓」「薄」均屬王力先生古韻鐸部。鐸部是魚部的入聲。

3 黄帝問曰：人焉受（氣）？ 陰陽焉（會），何氣爲營？ 何氣爲（衛）？ 營安從生？

衛於焉（會）？老壯不同（氣），陰陽異（位），願聞其（會）脂祭通韻——《靈樞・營衛生會》

按，「氣」字屬於王力入聲物部，「會」「衛」「會」屬於王力入聲月部（即祭部），「位」屬於入聲緝部。在閱讀江有誥《素問韻讀》《靈樞韻讀》的時候，這些細微的地方，都應關注到。

己 《靈樞》有句中韻

1 《靈樞經・九鍼十二原》韻讀：「大要曰：徐而疾則實，脂部疾而徐則虛魚部。」

句中韻指「疾」和「徐」。「疾」與「實」都是江有誥的脂部字（王力質部），「徐」與「虛」都是魚部字。

2 《靈樞經・經脈篇》韻讀：「人始生，先成精，精成而腦髓生。」

「成」字是句中韻。

《先秦韻讀・素問》《先秦韻讀・靈樞》由弟子邱浩録入，謹致誠摯謝意。

（二）《内經韵讀·素問》

上古天眞論篇第一

今時之人不然也，以酒爲漿，以安爲常，醉以入房陽部，以欲竭其精，以耗散其眞，不知持滿，不時御神眞耕通韵。

虚邪賊風，避之有時，恬惔虚無，眞氣從之，精神内守，病安從來之部。是以志閑而少欲，心安而不懼，形勞而不倦，氣從以順，各從其欲，皆得所願元部。故美其食，任其服，樂其俗，高下不相慕，其民故曰朴侯部。

四氣調神大論篇第二

春三月，此謂發陳，天地俱生，萬物以榮。夜卧早起，廣步于庭，被髮緩形，以使志生眞耕通韵。生而勿殺，予而勿奪，賞而勿罰祭部。

夏三月，此謂蕃秀，天地氣交，萬物華實。夜卧早起，無厭于日脂部。使志無怒，使華英成秀幽魚借韵，使氣得泄去聲，若所愛在外祭部。

秋三月，此謂容平，天氣以急，地氣以明叶音鳴。早卧早起，與雞俱興。使志安寧，以緩秋刑，收斂神氣，使秋氣平，無外其志，使肺氣清耕陽通韵。

冬三月，此謂閉藏，水冰地坼，無擾乎陽。早卧晚起，必待日光陽部。使志若伏若匿，若有私意入聲，若已有得之部。

生氣通天論篇第三

陰不勝其陽，則脉流薄疾，并乃狂陽部；陽不勝其陰，則五藏氣争，九竅不通。是以聖人陳陰陽，筋脉和同，骨髓堅固，氣血皆從東侵借韵。

陰氣者，静則神藏，躁則消亡。飲食自倍，腸胃乃傷陽部。

凡陰陽之要，陽密乃固。兩者不和，若春無秋，若冬無夏音互；因而和之，是謂聖度魚部。

陰陽應象大論篇第五

陰陽者，天地之道也，萬物之綱紀，變化之父母，生殺之本始，神明之府也之幽侯借韵。

余聞上古聖人，論理人形，列别藏府，端絡經脉；會通六合，各從其經；氣穴所發，皆有定名耕部；谿谷屬骨，皆有所起；分部逆從，各有條理；四時陰陽，盡有經紀；外内之應，皆有表裏之部。

天地者，萬物之上下也：，陰陽者，血氣之男女也：，左右者，陰陽之道路上聲也魚部：，水火者，陰陽之兆徵音止也：，陰陽者，萬物之能始也之部。故曰：陰在内，陽之守也：，陽在外，陰之使叶音溲也之幽通韵。

故天有精，地有形耕部，天有八紀，地有五里，故能爲萬物之父母之部。

故善用鍼者，從陰引陽，從陽引陰侵部：，以右治左，以左治右：，以我知彼，以表知裏：，以觀過與不及之理，見微則過，用之不殆之部。

審其陰陽，以别柔剛：，陽病治陰，陰病治陽：，定其血氣，各守其鄉陽部。

脉要精微論篇第十七

微妙在脉，不可不察支祭合韵：，察之有紀，從陰陽始之部：，始之有經，從五行生耕部：，生之有度平聲，四時爲宜魚歌通韵。補寫勿失，與天地如一脂部：，得一之精，以知死生耕部。

是故持脉有道，虚静爲保幽部。春日浮，如魚之游幽部在波二字衍：，夏日在膚，泛泛乎萬物有餘：，秋日下膚，蟄蟲將去平聲，魚部：，冬日在骨，蟄蟲周密，君子居室脂部。故曰：知内者，按而紀之：，知外者，終而始之之部。

三部九候論篇第二十

余願聞要道，以屬子孫，傳之後世，著之骨髓，藏之肝肺，歃血而受，不敢妄泄去聲，祭部。令合天道，必有終始，上應天光星辰歷紀之部，下副四時五行，貴賤更互，冬陰夏陽，以人應之奈何？　願聞其方陽部。

寶命全形論篇第二十五

問曰：天覆地載，萬物悉備，莫貴于人。　人以天地之氣生，四時之法成。　君王衆庶，盡欲全形，形之疾病，莫知其情眞耕通韵。

對曰：夫鹽之味鹹者，其氣令器津泄去聲。　弦絶者，其音嘶敗；木敷者，其葉發；病深者，其聲噦祭部。　人有此三者，是謂壞腑方掫反，毒藥無治，短鍼無取侯部。

帝曰：余念其痛，心爲之亂惑，反甚其病，不可更代徒力反。　百姓聞之，以爲殘賊之部。

岐伯曰：夫人生于地，懸命于天，天地合氣，命之曰人眞部。　人能應四時者，天地爲之父母。　知萬物者，謂之天子之部。　天有陰陽，人有十二節；天有寒暑，人有虛實脂部。　能經天地陰陽之化者，不失四時；知十二節之理者，聖智不能欺也之部；能存八動之變，五勝更立；能達虛實之數者，獨出獨入緝部。

木得金而伐，火得水而滅，土得木而達，金得火而缺，水得土而絶，萬物盡然，不可勝竭（祭部）。

若夫法天則地，隨應而動（叶音蕩），和之者若響，隨之者若影（音養）。道無鬼神，獨來獨往（陽東通韵）。

凡刺之眞，必先治神，五藏已定，九候已備，後乃存鍼（當作「鍼存」）。衆脉不見，衆凶弗聞，外内相得，無以形先，可玩往來，乃施于人（文眞通韵）。人有虚實，五虚勿近，五實勿遠（去聲），至其當發，閒不容瞚。手動若務，鍼燿而匀，静意視義，觀適之變（元眞合韵），是謂冥冥，莫知其形（耕部）。

刺實者須其虚，刺虚者須其實。經氣已至，愼守勿失；深淺在志，遠近若一；如臨深淵，手如握虎，神無營于衆物（脂部）。

八正神明論篇第二十六

請言形，形乎形，目冥冥；問其病由，索之于經，慧然在前；按之不得，不知其情（耕部）。

請言神，神乎神，耳不聞；目明心開而志先，慧然獨悟，口弗能言；俱視獨見，適若昏；昭然獨明，若風吹雲，故曰神。三部九候爲之原，九鍼之論不必存也（元文眞合韵）。

離合眞邪論篇第二十七

其行無常處，在陰與陽，不可爲度，從而察之，三部九候（叶音互）。卒然逢之，早遏其路，吸則内鍼，無令氣忤。静以久留，無令邪布，吸則轉鍼，以得氣爲故。候呼引鍼，呼盡乃去，大氣皆出，故命曰寫音絮，侯魚通韵。

必先捫而循叶隨見反之，切而散之，推而按音宴之元文通韵，彈而怒上聲之，抓而下之，通而取叶趨女反之侯魚通韵，外引其門，以閉其神文眞通韵，呼盡内鍼。静以久留，以氣至爲故，如待所貴，不知日暮，其氣以至，適而自護。候吸引鍼，氣不得出，各在其處，推闔其門，令神氣存，大氣留止，故命曰補去聲，魚部。

知其可取如發機，不知其取如扣椎脂部。故曰：知機道者，不可挂以髮；不知機者，扣之不發祭部。

刺要論篇第五十

病有浮沈，刺有淺深侵部，各至其理叶音柳，無過其道之幽通韵。過之則内傷，不及則生外壅叶音汪，壅則邪從叶音牆之陽東通韵。淺深不得，反爲大賊之部，内動五藏，後生大病陽部。

刺禁論篇第五十二

藏有要害胡列反，不可不察祭部。肝生于左，肺藏于右叶音酉，心部于表，腎治于裏叶音柳，脾爲之使叶音叟，胃爲之市叶音受；膈肓之上，中有父母叶音牡；七節之旁，中有小心。從之有福，逆之有咎之幽通韵。

調經論篇第六十二

我將深之，適人必革，精氣自伏，邪氣散亂，無所休息，氣泄腠理，眞氣乃相得之部。

氣血以并，陰陽相傾，氣亂于衛，血逆于經耕部，血氣離居，一實一虚魚部。血并于陰，氣并于陽，故爲驚狂陽部；血并于陽，氣并于陰，乃爲炅中中侵合韵；血并于上，氣并于下，心煩惋善怒上聲，魚部；血并于下，氣并于上平聲，亂而喜忘陽部。

夫陰與陽，皆有俞會，陽注于陰，陰滿之外祭部，陰陽匀平，以充其形，九候若一，命曰平人眞耕通韵。

鍼與氣俱内，以開其門，如利其户；鍼與氣俱出，精氣不傷，邪氣乃下魚部，外門不閉，以出其疾去聲，脂部，摇大其道，如利其路，是謂大寫音絮，魚部，必切而出，大氣乃屈脂部。

天元紀大論篇第六十六

太虚廖廓，肇基化元；萬物資始，五運終天；布氣眞靈，總統坤元；九星懸朗，七曜周旋元眞合韵：，曰陰曰陽，曰柔曰剛：，幽顯既位，寒暑弛張：，生生化化，品物咸章陽部。

至數之機，迫迮以微：，其來可見，其往可追脂部：，敬之者昌，慢之者亡：，無道行私，必得天殃陽部。

氣交變大論篇第六十九

五運更治，上應天期之部：，陰陽往復，寒暑迎隨：，眞邪相薄，内外分離：，六經波蕩，五氣傾移歌部：，太過不及，專勝兼并：，願言其始，而有常名耕部。

五常政大論篇第七十

太虛寥廓枯入聲，五運迴薄魚部：，衰盛不同，損益相從東部。

故生而勿殺，長而勿罰，化而勿制，收而勿害祭部，藏而勿抑去聲，是謂平氣脂部。

夫經絡以通，血氣以從，復其不足，與衆齊同東部。 養之和之，靜以待時之部，謹守其氣，無使傾移。 其形迺彰，生氣以長，命曰聖王陽部。

六元正紀大論篇第七十一

木鬱達之，火鬱發之，土鬱奪之，金鬱泄之，水鬱折之祭部。

至眞要大論篇第七十四

夫標本之道，要而博，小而大，可以言一而知百病之害祭部。言標與本，易而勿損文部：，察本與標，氣可令調叶音苕，幽宵通韻。明知勝復，爲萬民式叶音叔，之幽通韻。彼春之暖，爲夏之暑：，彼秋之忿，爲冬之怒上聲，魚部。謹按四維，斥候皆歸：，其終可見，其始可知之脂通韻。

著至教論篇第七十五

雷公對曰：誦而頗能解，解而未能別，別而未能明，明而未能彰，足以治群僚，不足治侯王。願得受樹天之度，合之四時陰陽，別星辰與日月光，以彰經術，後世益明，上通神農，著至教擬于二皇陽部。

而道上知天文，下知地理叶音柳，中知人事，可以長久叶音九：，以教衆庶，亦不疑殆叶徒柳反。醫道論篇，可傳後世，可以爲寶之幽通韻。

示從容論篇第七十六

夫浮而弦者，是腎不足也：，沈而石者，是腎氣内著也。怯然少氣者，是水道不行，形氣消索也。欬嗽煩寃者，是腎氣之逆也侯魚通韵。

今夫脉浮大虛者，是脾氣之外絶，去胃外歸陽明也；夫二火不勝三水，是以脉亂而無常也。四支懈惰，此脾精之不行也。喘欬者，是水氣并陽明也。血泄者，脉急血無所行也。若夫以爲傷肺者，由失以狂也。不引比類，是知不明也陽部。

疏五過論篇第七十七

若視深淵，若迎浮雲文真通韵，視深淵尚可測，迎浮雲莫知其極。聖人之術，爲萬民式；論裁志意，必有法則；循經守數，按循醫事入聲，爲萬民副芳逼反。故事有五過四德，汝知之乎？雷公避席再拜曰：臣年幼小，蒙愚以惑，不聞五過與四德之部，比類形名，虛引其經耕部。

嘗貴後賤，雖不中邪，病從内生，名曰脱營；嘗富後貧，名曰失精，五氣留連，病有所并。醫工診之，不在藏府，不變軀形，診之而疑，不知病名。身體日減，氣虛無精，病深無氣，洒洒然時驚。病深者，以其外耗于衛，内奪于營。良工所失，不知病情耕部。

飲食居處，暴樂暴苦，始樂後苦，皆傷精氣，精氣竭絶，形體毁沮魚部。暴怒傷陰，暴喜傷陽，厥氣上行陽部，滿脉去形。愚醫治之，不知補寫，不知病情，精華日脱，邪氣乃并耕部。

必知天地陰陽，四時經紀，五藏六府，雌雄表裏，刺灸砭石，毒藥所主，從容人事，以明經道。貴賤貧富，各異品理；問年少長，勇怯之理；審于分部，知病本始；八正九候，診必副矣。治病之道，氣内爲寶，循求其理；求之不得，過在表裏。守數據治，無失俞理，能行此術，終身不殆；不知俞理，五藏菀熱，癰發六府。之幽侯借韵。

診病不審，是謂失常。謹守此治，與經相明，《上經》、《下經》，揆度陰陽，奇恒五中，決以明堂。審于終始，可以横行陽部。

徵四失論篇第七十八

治數之道，從容之葆。坐持寸口，診不中五脉，百病所起，始以自怨，遺師其咎。是故治不能循理，棄術于市；妄治時愈，愚心自得上聲。嗚呼！窈窈冥冥，熟知其道？道之大者，擬于天地，配于四海。汝不知道之諭，受以明爲晦之幽侯借韵。

陰陽類論篇第七十九

三陽爲父，二陽爲衛，一陽爲紀；三陰爲母，二陰爲雌，一陰爲獨使之部。二陽一陰，陽明主病，不勝一陰，脉耎而動，九竅皆沈侵部。三陽一陰，太陽脉勝，一陰不能止，内亂五藏，外爲驚駭之部。二陰二陽，病在肺，少陰脉沈，勝肺傷脾，外傷四支支部。二陰二陽皆交至，病在腎，駡詈妄行，巔疾爲狂陽部。二陰一陽，病出于腎，陰氣客遊于心，脘下空竅堤，閉塞不通，四支別離叶音黎，歌支通韻。一陰一陽代絶，此陰氣至心，上下無常，出入不知，喉咽乾燥，病在土脾支部。二陽三陰，至陰皆在，陰不過陽，陽氣不能止陰，陰陽并絶，沈爲血瘕，浮爲膿胕之侯借韻。

方盛衰論篇第八十

脉動無常，散陰頗陽·，脉脱不具，診無常行·，診必上下，度民君卿音羌·，受師不卒，使術不明·，不察逆從，是爲妄行·，持雌失雄，棄陰附陽·，不知并合，診故不明·，傳之後世，反論自章陽部。

按脉動静，循尺滑濇，寒温之意，視其大小，合之病能奴吏反，之部。逆從以得，復知病名，診可十全，不失人情耕部。故診之或視息視意，故不失條理叶音柳，道甚明察，故能長久叶音九。不知此道，失經絶理，亡言妄期，此謂失道之幽通韻。

（三）《内經韻讀·靈樞》

九鍼十二原第一

余欲勿使被毒藥，無用砭石宵魚合韻，欲以微鍼通其經脉音寐，調其血氣之脂通韻，營其逆順出入之會，令可傳於後世。必明爲之法，令終而不滅，久而不絶祭部；易用難忘，爲之經紀；異其篇章，別其表裏；爲之終始之部，令各有形。先立《鍼經》，願聞其情耕部。

粗守形，上守神，神乎神，客在門，未覩其疾，惡知其原元文眞合韵。刺之微，在速遲，粗守關，上守機脂部，機之動，不離其空上聲，東部，空中之機，清静而微，其來不可逢，其往不可追脂部。知機之道者，不可掛以髮；不知機道，叩之不發祭部。知其往來，要與之期，粗之闇乎，妙哉！工獨有之之部。往者爲逆，來者爲順，明知逆順，正行無問文部。迎而奪之，惡得無虛？追而濟之，惡得無實？迎之隨之，以意和之，鍼道畢矣脂部。

凡用鍼者，虛則實叶食折反之，滿則泄之脂祭通韵，宛陳則除之，邪勝則虛之魚部。《大要》曰：徐而疾則實脂部，疾而徐則虛。言實與虛，若有若無魚部；察後與先，若亡若存文部；爲虛與實，若得若失脂部；虛實之要，九鍼最妙宵部；補寫之時，以鍼爲之之部。

持鍼之道，堅者爲寶幽部，正指直刺，無鍼左右。神在秋毫，屬意病者，審視血脉，刺之無殆之魚借韵。

觀其色，察其目，知其散復幽部。一其形，聽其動静，知其邪正耕部。右主推之，左持而御之，氣至而去之魚部。

今夫五藏之有疾也，譬猶刺入聲也，猶污也，猶結也，猶閉入聲也。刺雖久，猶可拔也；

污雖久，猶可雪也；結雖久，猶可解音擊也；閉雖久，猶可決也。或言久疾之不可取者，非其說也。夫善用鍼者，取其疾也，猶拔刺也，猶雪污也，猶解結也，猶決閉也。疾雖久，猶可畢也；言不可治者，未得其術也支脂祭合韻。

刺諸熱者，如以手探湯；刺寒清者，如人不欲行陽部。陰有陽疾者，取之下陵、三里，正往無殆，氣下乃止之部。

邪氣藏府病形第四

陰之與陽也，異名同類，上下相會叶音惠，脂祭通韻，經絡之相貫平聲，如環無端元部。邪之中人，或中于陰，或中于陽，上下左右，無有恒常陽部。

根結第五

陰陽相移，何寫何補？奇邪離經，不可勝數，不知根結，五藏六府，折關敗樞，開闔而走，陰陽大失，不可復取。九鍼之玄，要在終始之侯魚借韻。故能知終始，一言而畢；不知終始，鍼道咸絶叶全術反，脂祭通韻。

刺不知逆順，眞邪相搏步入聲。滿而補之，則陰陽四溢，腸胃充郭，肝肺内膜，陰陽相錯魚部；虛而寫之，則經脉空虛，血氣竭枯，腸胃僻辟，皮膚薄著平聲，毛腠夭膲，予之死期之魚借韵。故曰：用鍼之要，在于知調陰與陽。調陰與陽，精氣乃光。合形與氣，使神内藏陽部。

官鍼第七

凡刺之要，官鍼最妙宵部，九鍼之宜，各有所爲。長短大小，各有所施也，不得其用，病弗能移歌部。疾淺鍼深，内傷良肉，皮膚爲癰；病深鍼淺，病氣不寫，反爲大膿東部；病小鍼大，氣寫大甚，疾必爲害；病大鍼小，氣不泄寫，亦復爲敗祭部。失鍼之宜，大者大寫，小者不移。已言其過，請言其所施歌部。

終始第九

凡刺之道，畢于終始，明知終始，五藏爲紀，陰陽定矣之部。陽者主府，陰者主藏二句據韵互易，陽受氣于四末，陰受氣于五藏陽部。故寫者迎之，補者隨之，知迎知隨，氣可令和歌部。和氣之方，必通陰陽，五藏爲陰，六府爲陽。傳之後世，以血爲盟，敬之者昌，慢之者亡，無道行私，必得天殃陽部。

經脉第十

凡刺之理，經脉爲始之部，營其所行，制其度量陽部，内次五藏，外別六府。願盡聞其道幽侯合韵。

人始生，先成精，精成而腦髓生，骨爲幹，脉爲營耕部，筋爲剛，肉爲墻，皮膚堅而毛髮長。穀入于胃，脉道以通叶音湯，血氣乃行陽東通韵。

營氣第十六

營氣之道，内穀爲寶幽部；穀入于胃，乃傳之肺叶音費；流溢于中，布散于外叶音魏；精專者，行于經隧脂祭通韵；常營無已，終而復始，是謂天地之紀之部。

脉度第十七

氣之不得無行也，如水之流，如日月之行不休幽部。故陰脉營其藏，陽脉營其府，如環之無端，莫知其紀，終而復始。其流溢之氣，内溉藏府，外濡腠理之侯借韵。

營衛生會第十八

黄帝問于岐伯曰：人焉受氣？陰陽焉會叶音惠？何氣爲營？何氣爲衛叶音位？營安從生？衛于焉會？老壯不同氣，陰陽異位，願聞其會脂祭通韵。岐伯荅曰：人受氣于穀，穀入于胃，以傳與肺，五藏六府，皆以受氣。其清者爲營，濁者爲衛；營在脉中，衛在脉外；營周不休，五十而復大會脂祭通韵。陰陽相貫平聲，如環無端元部。衛氣行于陰二十五度，行于陽二十五度，分爲晝夜魚部。故氣至陽而起，至陰而止之部。

上焦如霧無晝反，中焦如漚，下焦如瀆去聲，侯部。

師傳第二十九

余聞先師有所心藏，弗著于方。余願聞而藏之，則而行之陽部；上以治民，下以治身；使百姓無病，上下和親眞部；德澤下流，子孫無憂；傳于後世，無有終時叶音酬，之幽通韵。

決氣第三十

兩神相搏，合而成形，常先身生，是謂精耕部。

上焦開發，宣五穀味，熏膚充身澤毛，若霧露之溉音既，是謂氣脂部。

腠理發泄，汗出溱溱，是謂津眞部。

穀入，氣滿淖澤，注于骨，骨屬屈伸洩澤，補益腦髓，皮膚潤澤，是謂液豫入聲，魚部。

中焦受氣取汁，變化而赤，是謂血魚脂借韵。

壅遏營氣，令無所避，是謂脉支部。

脹論第三十五

凡此諸脹者，其道在一，明知逆順，鍼數不失。寫虛補實，神去其室脂部，致邪失正，眞不可定，粗之所敗，謂之夭命耕部；補虛寫實，神歸其室脂部，久塞其空，謂之良工東部。

行有逆順，陰陽相隨，乃得天和；五藏更始，四時有序，五穀乃化歌部。然後厥氣在下，營衛留止，寒氣逆上，眞邪相攻，兩氣相搏，乃合爲脹也陽部。

不中氣穴，則氣內閉入聲；鍼不陷肓，則氣不行不越叶音喬，脂祭通韵；中肉，則衛氣相亂，陰陽相逐幽韵。其于脹也，當寫不寫，氣故不下；三而不下，必更其道；氣下乃止，不下復始；可以萬全，烏有殆者乎？其于脹也，必審其脉，當寫則寫，當補則補，如鼓應桴，惡有不下者乎？之幽魚借韵

病傳第四十二

昭乎其如日醒，窘乎其如夜瞑。能被而服之，神與俱成耕部；畢將服之，神自得之。生神之理，可著于竹帛，不可傳于孫子之部。

外揣第四十五

日與月焉，水與鏡音鑼焉，鼓與響焉。夫日月之明，不失其影陽部；水鏡之察，不失其

形：，鼓響之應，不後其聲。動摇則應和，盡得其情耕部。

五音不彰，五色不明，五藏波蕩平聲，陽部，若是則内外相襲，若鼓之應桴，響之應聲，影之似形耕部。故遠者司外揣内，近者司内揣外，是謂陰陽之極，天地之蓋。請藏之靈蘭之室，弗敢使泄也祭部。

五變第四十六

先立其年，以知其時上聲：，時高則起，時下則殆：，雖不陷下，當年有衝通，其病必起。是謂因形而生病，五變之紀也之部。

禁服第四十八

凡刺之理，經脉爲始之部：，營其所行，知其度量平聲，陽部：，内刺五藏，外刺六府：，審察衛氣，爲百病母：，調其虚實，虚實乃止：，寫其血絡，血盡不殆矣之侯借韵。

五色第四十九

察其浮沈，以知淺深侵部：，察其澤夭字誤，以觀成敗祭部：，察其散摶徒元反，以知近遠平聲，元部：，視色上下，以知病處魚部：，積神于心，以知往今侵部。故相氣不微，不知是非脂部：，屬意勿去，乃知新故魚部。

論勇第五十

勇士者，目深以固，長衡直揚，三焦理横，其心端直，其肝大以堅，其膽滿以傍。怒則氣盛而胸張，肝舉而膽横，眥裂而目揚，毛起而面蒼陽部。

怯士者，目大而不減，陰陽相失，其焦理縱，䯏骬短而小，肝系緩，其膽不滿而縱平聲，腸胃挺，脇下空。雖方大怒，氣不能滿其胸東部，肝肺雖舉，氣衰復下，故不能久怒魚部。

官能第七十三

余聞九鍼于夫子，衆多矣，不可勝數；余推而論之，以爲一紀。余司誦之，子聽其理；非則語余，請正其道之幽侯借韻。令可久傳，後世無患；得其人乃傳，非其人勿言元部。用鍼之理，必知形氣之所在，左右上下，陰陽表裏，血氣多少之宵魚合韻，行之逆順，出入之合。謀伐有過韻未詳，知解結，知補虚寫實脂部；上下氣門，明通于四海，審其所在之部。寒熱淋露，以輸異處魚部，審于調氣，明于經隧，左右肢絡，盡知其會叶音惠，脂祭通韻。寒與熱爭，能合而調之韻未詳；虚與實鄰，知決而通叶音湯之；左右不調，犯而行之陽東通韻。明于逆順，乃知可治，陰陽不奇，故知起時之部。審于本末，察其寒熱祭部，得邪所在，萬刺不殆。

知官九鍼，刺道畢矣之部。

明于五輪，徐疾所在，屈伸出入，皆有條理之部。言陰與陽，合于五行，五藏六府，亦有所藏。四時八風，盡有陰陽，各得其位，合于明堂陽部。各處色部，五藏六府，察其所痛，左右上下，知其寒温，何經所在。審皮膚之寒温滑濇，知其所苦，膈有上下，知其氣所在之侯魚借韻。先得其道，稀而疎之，稍深以留，故能徐入字衍之魚部。大熱在上，推而下之，從下上者，引而去之，視前痛者，常先取叶趨吕反之。大寒在外，留而補之，入于中者，從合寫之侯魚通韻，鍼所不爲，灸之所宜歌部。上氣不足，推而揚之，下氣不足，積而從叶音牆之，陰陽皆虛，火自當之陽東通韻。厥而寒甚，骨廉陷下，寒過于膝，下陵三里。陰絡所過，得之留止之魚借韻，寒入于中，推而行之。經陷下者，火則當之陽部，結絡堅緊，火所治之韻未詳。不知所苦，兩蹻之下魚部，男陰女陽當作「男陽女陰」，良工所禁侵部。鍼論畢矣。

用鍼之服，必有法則之部，上視天光，下司八正，以辟奇邪，而觀百姓耕部，審于虛實，無犯其邪。是得天之露，遇歲之虛魚部，救而不勝平聲，反受其殃陽蒸借韻。

故曰：必知天忌，乃言鍼意，法于往古，驗于來今，觀于窈冥，通于無窮中侵合韻，粗之所不見，良工之所貴，莫知其形，若神髣髴去聲，脂部。

刺節眞邪第七十五

大風在身，血脉偏虛，虛者不足，實者有餘魚部。輕重不得叶音篤，傾側宛伏叶音復，不知東西，不知南北叶音卜；乍上乍下，乍反乍覆；顛倒無常，甚于迷惑叶音鵠，之幽通韵。

凡刺五邪之方，不過五章：癉熱消滅，腫聚散亡；寒痺益温，小者益陽；大者必去，請道其方陽部。

凡刺癰邪無迎隴平聲，易俗移性不得膿東部，脆道更行去其鄉，不安處所乃散亡陽部。諸陰陽過癰所者取叶趨吕反之，其輸寫之侯魚通韵。

凡刺大邪曰以小字疑誤，泄奪其有餘乃益虛，剽其通，鍼干其邪魚部肌肉親，視之毋有反其眞眞部。刺諸陽分肉間。

凡刺小邪曰以大，補其不足乃無害，視其所在迎之界，遠近盡至不得外，侵而行之乃自費祭部。刺分肉間。

凡刺熱邪越而蒼，出遊不歸乃無病音旁，陽部，爲開道乎辟門户，使邪得出病乃已之魚借韵。

凡刺寒邪日以温，徐往徐來致其神，門户已閉氣不分，虛實得調眞氣存文眞通韵。

用鍼之類，在于調氣。氣積于胃，以通營衛叶音位，脂祭通韵，各行其道：宗氣留于海，其下者注于氣街，其上者走于息道。故厥在于足，宗氣不下；脉中之血，凝而留止；弗之火調，弗能取之之幽侯魚借韵。

用鍼者，必先察其經絡之實虛，切而循叶音涎之，按而彈之元文通韵，視其應動者，乃後取叶趨吕反之，而下之侯魚通韵。

衛氣行第七十六

分有多少，日有長短，春秋冬夏，各有分理。然後常以平旦爲紀，以夜盡爲始之宵侯魚借韵。是故一日一夜，水下百刻；二十五刻者，半日之度也魚部。常如是毋已，日入而止，隨日之長短，各以爲紀而刺之。謹侯其時，病可與期；失時反候者，百病不治之部。

五　朱駿聲

朱駿聲（一七八八—一八五八），江蘇吴縣人。字豐芑，號允倩，晚號石隱山人。《清史稿》卷四百八十一有傳。受學錢大昕（一七二八—一八〇四）先生門下。駿聲博考研精，時稱大儒。代表作爲《説文通訓定聲》，在《説文解字》九千三百五十三字基礎上增字七千餘，得形聲字聲符一千一百三十七個，謂聲母千文，分古韻十八部，變更《説文解字》排字體例，以古韻及形聲字聲符排比文字。以形、音、義三要素綜合分析字的本義、引申義、假借義、比喻義。引證資料豐富，與段玉裁、桂馥（一七三六—一八〇五，字東卉，號未谷。《説文義證》爲其代表作）、王筠（一七八四—一八五四，字貫山，號篆友。代表作爲《説文釋例》《説文句讀》。其《文字蒙求》爲童蒙學習《説文》而作，影響廣泛）并稱清代「説文四大家」。

朱駿聲把古韻分爲十八部，以《易》卦名作爲韻部名。十八部韻部名稱與段玉裁、王力先生韻部名稱對照如下。段、王韻部放在括號内。下表引自唐作藩《上古音手册》之《十一家古韻分部異同表》（江蘇人民出版社，一九八二年版）。如「1　頤部　（第一部　之部職部）」的「1　頤部」指朱駿聲的頤部是他的十八部的第一部；「（第一部　之部　職部）」指頤部與段玉裁《六書音均表》的第一部相當，與王力先生古韻三十部的平聲之部和入聲職部相當。餘類推。

1　頤部　（第一部　之部　職部）
2　孚部　（第三部　幽部　覺部）
3　小部　（第二部　宵部　藥部）
4　需部　（第四部　第三部　侯部　屋部）
5　豫部　（第五部　魚部　鐸部）
6　解部　（第十六部　支部　錫部）
7　履部　（第十五部　脂部　微部）
8　泰部　（第十五部　月部）
9　隨部　（第十七部　歌部）
10　乾部　（第十四部　元部）
11　坤部　（第十二部　真部）
12　屯部　（第十三部　文部）
13　壯部　（第十部　陽部）

14　鼎部　（第十一部　耕部）
15　升部　（第六部　蒸部）
16　豐部　（第九部　東部　冬部）
17　臨部　（第七部　侵部　緝部）
18　謙部　（第八部　談部　叶部）

朱駿聲在卷十八「慶」字下簡説家世：

駿聲朱氏，江蘇蘇州府元和縣舉人，曾祖鏘，經生不仕。祖焕，乾隆舉人，仕。父德垣，歲貢生，未仕。先世儒林，傳家經笥。纂前人之遺緒，集小學之大成。審聲知音，披文析理，都爲十八部，約以百萬言。

《説文通訓定聲·自序》説，《説文通訓定聲》幾乎耗盡他一生精力：

竭半生之目力，精漸銷亡；殫十載之心稽，業才草創。

即便如此，他在生前，亦未看到此書之刊成。《説文通訓定聲》成書于道光十三年（一八三三），刊成于同治九年（一八七〇），距他逝世（一八五八）已經十二年了。

朱駿聲對《靈樞》《素問》的押韻只注明韻脚字，不引原文，如《説文通訓定聲》豫部「㐨」字「古韻」條：

【古韻】《素問·離合真邪論》叶㐨、度、候、路、忤、布、故、去、寫。

朱氏只指出《離合真邪論》的韻脚字，未引原文。下面我們把原文引證出來，并在韻脚處注明它的韻部，從中可以看出朱駿聲對《離合真邪論》古韻的分析。

其行無常處（魚），在陰與陽，不可爲度（鐸），從而察之，三部九候（侯），猝然逢之，早遏其路（鐸）。吸則納鍼，無令氣忤（魚），静以久留，無令邪布（魚），吸則轉鍼，以得氣爲故（魚），候呼引鍼，呼盡乃去（魚），大氣皆出，故命曰寫（魚）。

此段第一句有韻，第二句無韻，爲AOAO格式的韻文，是魚、鐸、侯三個韻部合韻的文字，韻律合諧，聲調鏗鏘。朱駿聲把魚部叫豫部，他的豫部包括入聲鐸部；他把侯部叫作需部，用朱駿聲的十八部名稱，這段押韻文字叫作魚需合韻。對照朱駿聲十八部與王力三十部觀察，朱駿聲没有把入聲全部獨立出來（泰部屬於入聲），所以他與段玉裁都是考古派古韻學家。

再舉一段朱氏分析《黄帝内經》古韻的例子。下例見坤部「神」字「古韻」條：

【古韻】《素問·寶命全形論》叶真、存、聞、先、人。《素問·八正神明論》叶神、聞、言、昏、云、原、論、存。《靈樞·十二原》叶神、門、原。

三篇原文如下。韻脚字注明韻部歸屬。

1《素問·寶命全形論》：凡刺之真（真），必先治神（真），五藏已定，九候已備，後乃存（文）鍼。衆脉不見，衆凶弗聞（文），外内相得，無以形先（文），可玩往來，乃施於人（真）。

2《素問·八正神明論》：神乎神（真），耳不聞（文），目明心開而志先（文），慧然獨悟，口弗能言（元），俱視獨見，適若昏（文），昭然獨明，若風吹云（文），故曰神（真）。

3《靈樞·九鍼十二原》：粗守形，上守神（真），神乎神，客在門（文），未睹其疾，惡知其原（元）。

以上三段文章都是真、文、元合韻。段玉裁説，真、文、元三個韻部合韻是漢韻特點。《素問·寶命全形論》「後乃存（文）鍼」的韻脚字是「存」而不是「鍼」。今天讀「鍼」「存」是迭韻字，但是先秦兩漢時代二字不同韻，「鍼」字是侵韻字，「存」字是文部字。朱駿聲認爲「存」是韻脚字，反映了他的校勘意識。

《説文通訓定聲》善於分析文字的本義、引申義、假借義和比喻義。如履部「潰」字《説文》「漏也」，朱駿聲認爲其假借爲「殨爛」之「殨」字：「《素問・五常政大論》『分潰癰腫』」之『潰』王冰訓爲『爛也』，其本字當作『殨』。

《説文通訓定聲》中分析《靈樞》《素問》古韻的資料很豐富，我们應該匯集搜尋依韻校勘的資料，通過合韻分析某些篇章寫作的大體時代，考察《靈樞》《素問》一些文字的假借義與引申義。這項工作很有研究價值。

六 《黄帝内經》古音研究之展望

（一）《黄帝内經》古音研究應注意之點

1 使用王力三十部，參考段玉裁《詩經合韻譜》《群經合韻譜》及王念孫《素問合韻譜》。

2 《靈樞》趙府居敬堂本多訛字，需對照元古林書堂本、明無名氏本及《太素》《鍼灸甲乙經》校勘。

3 做好《黄帝内經》古音研究的關鍵是正確確定韻脚的韻式、韻例，遇到疑問參閲王念孫《素問合韻譜》及段玉裁《群經韻合譜》《詩經合韻譜》及王力《詩經韻讀》《楚辭韻讀》等。

撰寫《黄帝内經古音研究》的目的是：

1 展現《靈樞》《素問》是有韻的散文體著作；

2 展現《靈樞》押韻比《素問》嚴密（《靈樞》少經後人重編）；

3　研究《靈樞》《素問》的古音，要注意底本的選擇。明顧從德本《素問》較其他傳本《素問》爲優。二〇一五年人民衛生出版社以明顧從德本爲底本影印者，較諸一九五五年縮小影印之本存真便讀，今後研究《素問》古音當以此本爲底本。研究《靈樞》應以二〇一五年人民衛生出版社影印之趙府居敬堂本爲底本而參考劉衡如校勘本《靈樞經》（人民衛生出版社，二〇一三年版）。以元古林書堂本、明無名氏本及《太素》《甲乙》爲校本，校对《靈樞》趙府本、《素問》顧從德本。

4　爲語言界提供古音資料。

5　作《黄帝内經古音研究》是費時、費事、費力的工作，需時刻牢記：

（1）勤修實學，毋慕虚名（錢大昕）。

（2）掘井及泉，勿歧其志（曾國藩）。

（3）凡前人所未及就而後世不可無而後爲之，則庶幾可傳也（顧炎武）。

（4）君子不憂年之將衰，而憂志之有倦（《文子》）。

（5）術自師授，學自己成（黄侃）。

（二）王力説合韻與通韻

在講《靈樞》《素問》合韻、通韻之前，需要了解幾個音韻學術語和《詩經》《楚辭》的合韻、通韻狀況，以便於與《靈樞》《素問》的合韻、通韻對照觀察。

古音學幾個常見術語：

1 陰聲：凡以母音收尾的韻叫陰聲韻。

2 陽聲：凡以鼻音ng、n、m收尾的韻叫陽聲韻。

3 入聲：凡以k、t、p結尾的韻叫做入聲韻。入聲韻的主要母音與陰聲的主要母音相同，只是念得很短促，帶上了結尾音而成爲入聲。

4 考古派：最早提出「考古」與「審音」概念的是江永（一六八一—一七六二）。江永字慎修，又字慎齋。安徽婺源人，《清史稿》列傳六十八有傳。他説：「近世音學數家，各有論著，而昆山顧氏亭林爲特出。然細考其《音學五書》，亦多滲漏，蓋過信古人韻緩不煩改字之説故耳。《古音表》分十部，離合處尚有未精，分配入聲多未當。此亦考古之功多，審音之功淺，每與東原嘆惜之。」東原指戴震。考古派最大的特點是把入聲歸在陰聲裏，把古韻分爲陰聲韻和陽聲韻兩大類。段玉裁是考古派的重要人物，他把入聲韻都歸在陰聲韻裏。段玉裁心中知道哪些字是入聲韻，所以把入聲一律排列在陰聲韻韻部的末尾。

5 審音派：審音派最大的特點是把入聲韻全部獨立出來。審音派的始祖是江永。戴震（一七二四—一七七七）、孔廣森（一七五二—一七八六）、王念孫（一七四四—一八三二）、章太炎、黃季剛、王力諸先生都是審音派。審音派韻部的劃分較考古派爲多。王力先生把古韻分爲二十九部和三十部。二十九部和三十部的區別在「冬」部的有無上。《詩經》

韻部無冬部，所以是二十九部；戰國時期的韻文有冬部，如《楚辭》有冬部，所以是三十部。三十部達到審音派韻部數量的極致。本書使用的韻部是王力先生的古韻三十部。《靈樞》《素問》有冬部。

6　合韻：凡母音相同或母音相近的互相押韻，或是韻尾相同或相近的字互相押韻叫做合韻。通俗地説，以王力先生的古韻三十部表爲例，凡豎行押韻叫做合韻。例如陰聲韻豎行有之部、幽部、宵部、侯部、魚部、支部、脂部、微部、歌部，其中某些韻部的兩個或三個韻部相押，叫作合韻。入聲豎行相押、陽聲豎行相押也叫作合韻。但是合韻不是任意的。原則是：母音相近可以合韻，母音相隔太遠不能合韻。以《詩經》爲例，之、微不相合韻，之、脂不相合韻，之、支不相合韻，脂、錫不相合韻，歌、侯不相合韻，職、緝不相合韻，元、東不相合韻等，這是因爲母音相差太遠的緣故。《靈樞》《素問》是散文體有韻的著作，它的合韻較韻文體著作自由寬鬆，《詩經》《楚辭》不能合韻的韻部，在《黄帝内經》裏可以合韻，这反映了《黄帝内經》的韻文特點和韻文的時代性。

7　通韻：通韻又叫對轉。韻部分爲陰、陽、入三類，在陰聲和陽聲主要母音相同的情況下，主要母音互相轉化叫作陰陽對轉，也叫陰陽通韻。陰陽對轉是指陰聲和陽聲主要母音相同可以互相轉化。以王力先生古韻三十部爲例，横行的陰聲與入聲押韻叫作陰入對轉或陰入通韻，横行的陰聲與相對應的陽聲押韻叫做陰陽對轉或叫陰陽通韻。横行的入聲與相對應的陽聲押韻叫陽入對轉或陽入通韻。但是，陽入對轉十分罕見，《詩經》兩見，《楚辭》一見。而《靈樞》《素問》陽入對轉較《詩經》《楚辭》爲多，證明它們不是同一時期的作品。陰陽對轉現象很常見。如歌元對轉、支耕對轉、脂真對轉、魚陽對轉、侯東對轉、之蒸對轉等經常出現。陰入對轉比陰陽對轉更多見，觀下面《詩經楚辭通韻對照表》可知。宋代吴棫（字才老）提出通轉説，他的通轉説不可據。王力先生指出：「吴棫照顧的時代太長了，他甚至引歐陽修、蘇軾、蘇轍的詩爲證。雖然他把古韻大致分爲九部，有些散字仍然是兩三部兼收的，幾乎無所不通，無所不轉。吴棫的書是缺乏科學性的。」（《漢語音韻》，中華書局，一九六三年版，頁一百六十六）又説：「宋代有一個鄭庠，把古韻分爲六部，比吴棫的九部分得合理些。但是他有一個大缺點，就是從原則出發，不從材料上概括，所得的結論當然是不可靠的。」（同上）。我們講合韻、通韻以王力先生的論述爲准，材料取自《漢語音韻》（中華書局，一九六三年版）、《詩經韻讀》《楚辭韻讀》（中華書局，二〇一四年版）。進行《靈樞》《素問》古韻分析的時候，最好是進行全書分析，对合韻、通韻的數量做統計，這樣才能對它的音韻特點和成書時代做出較爲準確的判斷。《素問》「七篇大論」的成書時代可能在東漢，進行音韻研究的時候，宜注意。《素問》《靈樞》的音韻分析工作量較大，可以從《靈樞》做起。

8　王力先生的古韻表分爲兩種，一個是二十九部，一個是三十部。

王力晚年也主張陰陽入三分，他把古韻分爲十一類二十九部。如果從分不從合，把冬侵分立，陰陽入三聲相配可以共有三十部。

二十九部代表的是《詩經》時代的古韻，三十部反映的是《楚辭》時代的古韻，也就是戰國時代的古韻。王力先生說，古韻「冬部」在《詩經》時代與侵部合用，所以《詩經》時代的韻部是二十九部：「冬部《詩經》時代與侵部合用。」（《詩經韻讀》頁二十五）又說：「《楚辭》的韻分爲三十部，比《詩經》的韻多出一個冬部。這是從侵部分化出來的。時代不同了，韻部也不盡相同了。」（《楚辭韻讀》，頁三百九十九）我們這裏討論的是《靈樞》《素問》的古韻，據初步分析，《靈樞》《素問》的古韻比《楚辭》晚，所以使用王力先生三十部韻表作爲比較標準更加合適。下面是三十部韻表。

（三）王力《楚辭》韻分三十部表

陰聲	入聲	陽聲
1 之部ə	10 職部ək	21 蒸部əŋ
2 幽部u	11 覺部uk	22 冬部uŋ

3 宵部o	12 藥部ok	
4 侯部□	13 屋部□k	23 東部□ŋ
5 魚部a	14 鐸部ak	24 陽部aŋ
6 支部e	15 錫部ek	25 耕部eŋ
7 脂部ei	16 質部et	26 真部en
8 微部əi	17 物部ət	27 文部ən
9 歌部ai	18 月部at	28 元部an
	19 緝部əp	29 侵部əm
	20 盍部ap	30 談部am

（四）《詩經》《楚辭》合韻對照表

（表1）

括弧内數字表示合韻出現的次數

序號	陰聲合韻《詩經》	陰聲合韻《楚辭》	入聲合韻《詩經》	入聲合韻《楚辭》	陽聲合韻《詩經》	陽聲合韻《楚辭》
1	脂微（31）	脂微（4）	質月（5）		蒸侵（6）	
2	宵幽（8）	宵幽（1）	質物（9）		侵談（1）	
3	之魚（5）		質覺（5）		真耕（2）	真耕（6）
4	之幽（4）	之幽（3）	屋覺（2）		真文（4）	真文（8）
5	幽侯（3）		物月（2）	物月（2）	真陽（1）	真陽（1）
6	脂支（1）		職緝（2）		真侵（1）	
7	脂歌（1）		屋錫（1）		真元（1）	真元（2）

8		支歌（2）	物緝（1）		元陽（1）	元陽（1）
9		微歌（2）	盍緝（1）		陽談（2）	陽談（1）
10		之侯（1）	盍鐸（1）		東陽（1）	東陽（1）
11		脂支（1）		職覺（2）	真文耕（1）	
12		魚歌（1）		錫鐸（1）		東冬（1）
13		宵魚（1）				蒸陽（1）
14		微歌脂（1）				東侵（1）
15						耕陽（1）
16						文蒸（1）
17						文元（7）
18						東侵冬（1）

《詩經》《楚辭》合韻説明（表1説明）

1　《詩經》陰聲合韻凡五十三次，《楚辭》陰聲合韻凡十七次；《詩經》入聲合韻凡二十九次，《楚辭》入聲合韻凡五次；《詩經》陽聲合韻凡二十一次，《楚辭》陽聲合韻凡三十三次。

2 《詩經》《楚辭》均有三個韻部合韻者，《詩經》《楚辭》各一見，爲後世三個韻部合韻開創先河。下面分别是《詩經》《楚辭》三個韻部合韻實例。

《詩經·周頌·烈文》真文耕三個韻部合韻例：

無競維人（真），
四方其訓（文），
不德惟，
百辟其刑（耕）。——真文耕合韻

《楚辭·遠遊》脂微歌三個韻部合韻例：

祝融戒而還衡兮，騰告鸞鳥迎宓妃（微）
張咸池奏承云兮，二女御九韶歌（歌），
使靈湘鼓瑟兮，令海若舞馮夷（脂）
雌霓便娟以增撓兮，鸞鳥軒翥而翔飛（微）
音樂博衍無終極兮，焉乃逝以徘徊（微）——脂微歌合韻

上面例句引自王力。這種押韻格式對後代影響很大。《靈樞》《素問》多見三個韻部合

韻之例。

3 《詩經》無冬部，歸在侵部裏。《楚辭》有冬部，獨立成爲一個韻部，與東部押韻。如：

帝高陽之苗裔兮，朕皇考曰伯庸（東）。
攝提貞於孟陬兮，惟庚寅吾以降（冬）。

《靈樞》《素問》有冬部，見上校勘諸例。

（五）《詩經》《楚辭》通韻對照表

（表2）
括弧内數字表示通韻出現的次數

	陰入通韻		陰陽通韻		陽入通韻	
序號	《詩經》	《楚辭》	《詩經》	《楚辭》	《詩經》	《楚辭》
1	之職(25)	之職(8)	微文(2)	微文(1)	談盍(1)	

2	魚鐸（20）	魚鐸（14）	之蒸（1）		真質（1）	
3	宵藥（9）	宵藥（4）	微元（1）			文質（1）
4	幽覺（8）	幽覺（3）	支真（1）			
5	支錫（5）	支錫（1）	歌元（1）			
6	侯屋（4）	侯屋（1）	侯東（1）			
7	脂質（2）	脂質（2）	月元（1）			
8	脂微月（1）		幽侵（1）			
9			微元（1）			
10				魚陽(1)		
11				幽東（1旁對轉）		
合計	75	33	10	3	2	1

《詩經》《楚辭》通韻説明（表2説明）

1　《詩經》陰入通韻凡七十五次，《楚辭》陰入通韻凡三十三次；《詩經》陰陽通韻凡十次，《楚辭》陰陽通韻凡四次；《詩經》陽入通韻凡二次，《楚辭》陽入通韻凡一次。先秦時代陰入通韻大量存在，陰陽通韻雖不如陰通韻入多，但不罕見。陽入通韻極爲罕見，《詩經》二見，《楚辭》一見。分别列舉於下：

《詩經》陽入通韻，均見《大雅·召文》：

（1）兢兢業業（盍）

孔填不寧，我位孔貶（談）。——談盍通韻

（2）彼疏斯粺，胡不自替（質）

職兄斯引（真）——質真通韻。

《楚辭》陽入通韻凡一次，見《離騷》：

長太息以掩涕兮，哀民生之多艱（文），

余雖好修姱以鞿羈兮，謇朝誶而夕替（質）——文質通韻

兩例引自王力。而《靈樞》《素問》陽入通韻不罕見，對於研究判斷《靈樞》《素問》成書時代有參考價值。

2 《詩經》《楚辭》合韻、通韻蘊含古音演變資訊。戰國末期、秦代韻文之合韻、通韻與《詩經》《楚辭》的合韻、通韻出現某些不同，當通過研究這個時期韻文特别是散文體之韻文

勾稽其不同處，以發現戰國末期及兩漢音韻的特徵。江有誥《群經韻讀》收集的資料和他做出的音韻分析，爲今人研究提供了方便，當對照王力先生三十部韻表研究之。有志研究《黄帝内經》古韻特點的人應該做這一工作。

3　重視旁轉和旁對轉現象的研究。舉例來説，《楚辭》幽東有旁對轉現象。就王力先生《楚辭》韻分三十部表説，陰聲幽部對應的陽聲韻是冬部，這兩部押韻叫做幽東陰陽對轉；又如陰聲侯部對應的陽聲韻部是東部，這兩部押韻叫做侯東陰陽對轉。如果幽部字不與冬部字相押，而與東部字相押，音韻學家把這種押韻現象叫作旁對轉。如果陰聲侯部字不與其相對應的東部字相押而與東部字相鄰的韻部相押，音韻學家把這種押韻現象叫作旁對轉。總之，陰聲韻部不與其相對應的陽聲韻部押韻而與其近相鄰甚至遠相鄰的陽聲韻部相押，就叫作旁對轉。旁對轉包含近旁轉與遠旁轉兩種。旁對轉簡稱旁轉。旁轉在《詩經》《楚辭》裏非常罕見，《詩經》没有旁轉，《楚辭》僅一見，这反映了《詩經》《楚辭》用韻的嚴密與規範化，到了後期特别是到了漢韻，旁轉多見，這就是古人所説的「韻緩」。「緩」是寬的意思。我們研究《靈樞》《素問》古韻，要特别關注它們的旁轉。關於《靈樞》《素問》成書時代有多種説法，用音韻判斷其成書時代，較推想式的分析可靠。

（六）查閱韻脚字的工具書

查閲《靈樞》《素問》韻脚字的韻部，應使用王力先生《漢語音韻》裏的《上古音諧聲表》。北京大學唐作藩教授的《上古音手册》、郭錫良教授的《漢字古音手册》也都方便使用，这兩本書所據韻部是王力先生所分古韻十一類三十部。

附言

《清儒〈黄帝内經〉古韻研究簡史》是筆者于二〇一四年六月至二〇一六年六月在北京中醫藥大學爲中醫學術傳承班學員講授上古音時的講稿。「中醫學術傳承班」是中華中醫藥學會爲繼承發揚優秀的中華民族文化和中醫藥文化成立的學術組織，學制三年。這個面授班講授的科目是國學與中醫文獻。「國學」主要講上古音韻學和《説文解字》。上古音韻學由筆者主講，《説文解字》由姜燕主講。中醫文獻主要講授《傷寒論文獻史》和《黄帝内經文獻史》，由筆者講授。筆者承接此傳承班，采用面授方式，寫講課提綱如上。這本《清儒〈黄帝内經〉古韻研究簡史》，主要由兩部分資料組成。其中《黄帝内經古音研究的歷史回顧》《以古音考察黄帝内經的成書時代》《古音與校勘的密切關係》《黄帝内經的韻位與韻例》取自筆者《内經語言研究》中篇音韻章，其餘則爲講課備課稿。

筆者關注《黄帝内經》的古音狀况多年，大約從一九七八年就開始關注了，受到先師陸宗達先生、黎錦熙先生的指導。北京中醫藥大學各家學説教研室主任任應秋教授親筆爲筆者的《上古天真論古音分析》文稿進行分析和修改，修改稿至今犹存。筆者深深感恩和懷念他們給予的指導。

研究《黄帝内經》古音意義很大。它可以幫助我們判斷《黄帝内經》的成書時代，甚至可以具體到某些篇章的成書時代。《黄帝内經》表現出來的魚部和侯部同用、二者合爲一個韻部，真部和文部同用、二者合爲一個韻部，這種音韻特徵是漢韻特點，本文对此做了較爲充分的分析。還有，本來屬於陽部韻的「明」「行」和屬於侵韻的「風」字，在《黄帝内經》裏出現了轉到耕韻和冬韻（風轉到冬韻）的現象。古音學家認爲，「明」「行」「風」三個字由古音陽部和侵部轉到耕韻、冬韻是漢代出現的語音現象。從這些語音特徵上分析，《黄帝内經》由漢代醫家和文人根據先秦下傳的醫理與文字最後結撰成文是比較合理的判斷。《素問》「七篇大論」顯示出明顯的漢代音韻特點，它們成於漢代，且主要成于東漢是可以肯定的。

對《黄帝内經》進行訓詁也需要古音學支撑，清代儒家的著作已經證明了這一點。如顧尚之、胡澍、張文虎、田晉蕃、孫詒讓、俞曲園的《黄帝内經》訓詁著作，無不體現出以古音通訓詁的真理。

古音雖然爲人們日用卻不被人們所熟悉，現在幾乎成了一門絶學。清代後期汪喜孫就稱呼古音學是絶學。其實古音學的基礎知識可以自學而通。本書講的基本上是《黄帝内經》古音的基礎知識。如果想從理論上了解上古音的基礎知識，王力先生的音韻學著作，是必當學習的。

研究《黄帝内經》需要從多角度、多層次入手，如訓詁研究、古音研究、版本研究等，都有待深入與拓展。劉衡如先生的校勘本《靈樞經》（人民衛生出版社，二〇一三年版）以上古音知識校勘出大量訛衍倒奪，條條可從。他是文人而從醫者，他自學古音而有大成就，他能做到，我們为什么做不到呢？當然也能做到，唯需「真積力久則入」而已。

二〇一六年二月十五日講稿寫畢

二〇一六年六月八日通讀一過　時年八十有一　錢超塵

錢超塵的人生追求——以學術報國

錢超塵，北京中醫藥大學教授，博士生導師，享受國務院政府特殊津貼專家，國家中醫藥管理局「中醫藥古籍保護與利用專家」。一九三六年三月十七日生於河北省玉田縣渠河頭半壁街。父親錢廣仁歷盡千辛萬苦，使其受到小學、中學、大學、研究生的完整教育。一九六一年北京師範大學中文系本科畢業，同年保送爲該校訓詁學家陸宗達教授（一九〇五—一九八八）的碩士研究生，學習以《説文解字》爲核心的文字音韻訓詁之學。陸宗達是黄侃（一八八六—一九三五）磕頭弟子，對乾嘉之學及章黄之學造詣甚深。

一九七二年十一月二十二日，筆者進入北京中醫藥大學，從事醫古文教學，回顧在北京中醫藥大學四十多年教書與學術生涯，有以下幾點可資回憶。

第一，章太炎《傷寒論》論文指導筆者研究《傷寒論》版本史、訓詁史，寫有以下著作。

1 《傷寒論文獻通考》。

2 《宋本傷寒論文獻史論》。

3《影印孫思邈本傷寒論校注考證》。
4《影印日本安政本傷寒論考證》。
5《影印南朝秘本敦煌秘卷傷寒論校注考證》。
6《影印金匱玉函經校注考證》。
7《校勘元本影印明本金匱要略文集》。
8《唐本傷寒論》。
9《影印清儒内經音韻訓詁文集》。
10《中國醫史人物考》。
11《章太炎醫論》。
12《祭仲景文》(爲中華中醫藥學會撰,立碑河南南陽醫聖祠)。
13《中醫頌》(爲中華中醫藥學會撰,立碑廣東省中醫院)。

二〇一四年十月六日拜謁黄侃墓,撰寫祭文:「猗歟太師,黄侃季剛,中年早逝,學術煌煌。繼軌乾嘉,師從余杭。太炎學術,太炎文章,太炎小學,太炎思想,賴君傳播,賴君發揚。凡言小學,必稱章黄,世人仰慕,巍巍堂堂。陸師宗達,師從季剛,學布海内,文脉再張。弟子逾百,執教四方,既遵師訓,復創新章。超塵駑鈍,步武岐黄,潛心仲景,不忘恩光。恢弘中醫,吾之擔當。夙興夜寐,永志不忘。太師千古,嗚呼尚饗。」章太炎先生説:「從來提倡學術者,但指示方向,使人不迷,開通道路,使人得入而已。」章太炎先生的《傷寒論》論文具有指示方向、開通道路的作用。

第二，以乾嘉小學及章、黃、陸一脉傳承的傳統語言學研究中醫經典，寫有以下著作。

1《國醫論衡》。

2《國學與中醫》。

3《内經語言研究》。

4《清儒〈黄帝内經〉古音研究簡史》。

5《中醫古籍訓詁研究》。

6《黄帝内經太素研究》（收入一九九七年《中國傳統文化研究叢書》第三集）。

7《金陵本本草綱目新校正》（與温長路、趙懷舟、温武兵合作，獲二〇一〇年中華中醫藥學會學術著作一等獎）。

8《黄帝内經太素新校正》（與李雲合作）。

9《本草名物訓詁簡史》。

10《傅山醫書考辨》（與姜燕、趙懷舟、王小芸合作）。

11《影印勘誤明俞橋本金匱要略》。

12《傷寒明理論校注》（與黄作陣合作）。

13《清儒〈黄帝内經〉小學研究叢書》（主編）。

14《黄帝内經文獻史》。

15《影印日本摹刻明顧從德本素問》（書末附《黃帝内經文獻簡史》）。

第三，搶救將亡之書。

1《輔行訣五臟用藥法要傳承集》（與趙懷舟合作），確證《傷寒論》所據底本爲《漢書·藝文志》所載《湯液經法》。

2《金刻本素問校注考證》（與錢會南合作）。

3 南宋孤本《傷寒要旨藥方考注》。

4 南宋孤本《洪氏集驗方考注》。

5 日本金窪七朗《素問考校注》（與蕭紅艷合作）。

6 丹波元簡《素問記聞校注》（與蕭紅艷合作）。

第四，運用文字音韻訓詁之學改正中醫古籍的訛字誤訓。

1《傷寒論》「几几」（shū shū）當讀jǐn jǐn 辨。

2《傷寒論·平脉》「盻（xì）視」當作「眄（miǎn）視」辨。

3《傷寒論》《金匱要略》「搏」字當作「摶」字辨。

4《黃帝内經》「豆」字指豆類，是漢代詞義。

5《黃帝内經》「涕」字指鼻涕，是漢代詞義。

6《傷寒論》「抵當湯」之「抵當」指水蛭辨。

7 運用上古音證明《素問》「七篇大論」成書於東漢考。

8 宋本《傷寒論》九百餘字爲明趙開美(一五六三—一六二四)妄增考。

9 宋本《傷寒論》四十餘個訛字考。

10 中藥「桃仁」「杏仁」之「仁」字宋(含)以前作「人」考。

11 校正《靈樞經》六十餘個訛字。

筆者從一九八九年至二〇一五年出版學術著作三十餘部,發表學術論文一百六十餘篇。傅山、曾國藩的話給筆者以巨大的精神力量。傅山説:「人所留在天地間,可以增山岳之氣,表五行之靈者,只此文章耳。」曾國藩説:「非自著述,則無所托以垂於不朽。」筆者认为著述不应追求個人不朽,而应追求國家和民族的文化復興,願爲此而竭盡生命之力。

錢超塵

二〇一六年十月十六日